EL PODER VISTO DESDE ABAJO:
democracia, educación y ciudadanía en espacios locales

EL PODER VISTO DESDE ABAJO
democracia, educación y ciudadanía en espacios locales

MARTÍN TANAKA
(compilador)

PATRICIA AMES
DAVID SULMONT
FRANCESCA UCCELLI
CARLOS VARGAS

IEP *Instituto de Estudios Peruanos*

985.0633
TAN

Serie: Urbanización, migraciones y cambios en la sociedad peruana 14

Esta publicación forma parte del "Proyecto de promoción de jóvenes investigadores", auspiciado por la Fundación Ford.

© Instituto de Estudios Peruanos, IEP
Horacio Urteaga 694, Lima 11
☎ 332-6194 / 424-4856
Fax [51 1] 332-6173
E-mail: iepedit@iep.org.pe

ISBN 9972-51-036-0
ISSN 0586-5913

Impreso en el Perú
Primera edición, noviembre de 1999
1,000 ejemplares

Hecho el depósito legal: 15010599-4266

TANAKA, Martín
El poder visto desde abajo: democracia, educación y ciudadanía en espacios locales. — Lima: IEP, 1999.-- (Urbanización, migraciones y cambios en la sociedad peruana, 14)

/PODER POLÍTICO/CIUDADANÍA/EDUCACIÓN RURAL/GOBIERNO LOCAL/ORGANIZACIONES POPULARES/PARTICIPACIÓN POLÍTICA/PARTICIPACIÓN CIUDADANA/DEMOCRACIA/PERÚ/

W/14.07.00/U/14

CONTENIDO

El poder en el aula: un estudio en escuelas
rurales andinas. PATRICIA AMES

INTRODUCCIÓN

Los trabajos que componen este libro analizan la temática del poder en el Perú "desde abajo", partiendo de ámbitos locales diversos, alimentando la discusión actual sobre la problemática de la ciudadanía y la democracia en nuestro país, pero "aterrizándola" a nivel local.

Partimos implícitamente del diagnóstico de que hay muchísima reflexión e investigación empírica por hacer sobre los cambios ocurridos a nivel social, a nivel de base, en los últimos años, y sus impactos sobre la esfera de lo público y de la política. Muchos discursos analizan la política desde "las alturas", y resulta necesario alimentar y complementar esos estudios con lo que ocurre "desde abajo". Sin esta dimensión, se puede caer en un discurso excesivamente general y formal, que no da cuenta de las maneras concretas que asume la política para la mayoría de peruanos.

En este libro estamos ante trabajos que buscan desarrollar enfoques novedosos, levantar hipótesis que cuestionen los esquemas interpretativos convencionales, y que percibimos cada vez más insuficientes para dar cuenta de la realidad actual. Además, estamos ante un esfuerzo por evitar un ensayismo meramente especulativo, defecto de muchos trabajos producidos en los últimos años. Por ello, todos los textos presentes en este volumen se basan en evidencias recogidas de la investigación empírica: así, Sulmont se ocupa del caso de Gamarra en el distrito de La Victoria; Tanaka del distrito de El Agustino, ambos en Lima; Vargas toma como referencia las ciudades de Trujillo, Cusco y Arequipa; y

Uccelli y Ames analizan familias y escuelas en comunidades campesinas en el Cusco.

Sobre la base de estas realidades es que se construyen los planteamientos de los autores. Así, en la primera parte del libro, dedicada a estudiar las nuevas formas de mediación entre sociedad y política en espacios locales, Sulmont analiza las complejas estrategias que desarrollan los distintos actores sociales para defender sus intereses en el plano político, resaltando entre otras cosas el papel de las redes sociales en las que se inscriben cada uno de ellos; Tanaka examina los cambios en las relaciones entre pobladores populares urbanos y política en los últimos años, tratando de entender la lógica de sus vínculos actuales, y las posibilidades (no sólo los límites) que se abren a partir de todo ello; Vargas explora el todavía cambiante e incierto escenario político en algunos espacios regionales, llamando la atención sobre los desconcertantes cambios y continuidades que se registran, que cuestionan algunas de las imágenes imperantes sobre los "nuevos estilos de hacer política" desarrollados bajo la sombra del fujimorismo.

La segunda parte del libro está dedicada al examen de la problemática de la ciudadanía y la democracia a partir de la educación rural, es decir, la parte más "abajo" de esta visión del poder "desde abajo". Uccelli analiza el papel que cumplen las familias campesinas en la educación de sus hijos, y muestra el complejo juego entre las características de las mismas y los logros de sus hijos, expresados ya sea en la sola permanencia en el sistema educativo, como en su desempeño en éste. Asunto fundamental si entendemos que la educación ha de ser una herramienta fundamental para el progreso de las familias campesinas, y el pleno ejercicio de sus derechos ciudadanos. Finalmente, Ames analiza la realidad dentro del aula en la escuela rural, llamando la atención sobre las imágenes que se construyen sobre el poder, la autoridad y el Estado, y reflexionando sobre las actitudes y competencias que se desarrollan (o se inhiben) que permitirían pensar en actores capaces de ejercer sus deberes y derechos ciudadanos.

* * * * *

Hay muchos temas de reflexión que surgen del conjunto de los textos, aquí sólo quisiera llamar la atención sobre algunos que me parecen especialmente reveladores.

Como decía más arriba, en el libro se encontrará un intento saludable de cuestionar algunos sentidos comunes imperantes. Así por ejemplo, Sulmont examina críticamente lo que él llama apropiadamente la "mitología" de los empresarios de Gamarra; Tanaka hace lo mismo respecto a las organizaciones de los pobladores populares urbanos y a la participación política; Vargas mira también críticamente a los "independientes" surgidos durante el fujimorismo. De una u otra forma, todos los trabajos buscan romper o ir más allá de moldes convencionales de análisis, que hacen oposiciones fáciles, y que resultan insuficientes para dar cuenta de la complejidad de la realidad; algunas de ellas son mencionadas claramente por Sulmont: dicotomías tales como moderno-tradicional, formal-real, ordenado-desordenado, o exclusión-integración. Dicotomías inútiles porque en la realidad estas dimensiones se encuentran integradas en las prácticas de los actores sociales, formando lo que en algún momento Sulmont sugiere que podría incluso denominarse como "anomia institucional".

Un ejemplo especialmente interesante en el contexto político actual es el cuestionamiento que aparece en el texto de Vargas de la tan manida oposición entre "partidos tradicionales" y "movimientos independientes". Vargas muestra cómo hay importantes continuidades entre unos y otros, tanto a nivel de personajes como de prácticas políticas; al punto que pueda decirse que casi no hay "independientes" que no tengan un importante pasado partidario, y que no hayan insertado de algún modo sus redes, prácticas y experiencias previas dentro del nuevo formato de "hacer política". En el texto aparece también la continuidad en los "nuevos movimientos" de viejas prácticas políticas: autoritarismo, populismo, clientelismo... todo esto por supuesto sin negar que se hayan producido cambios importantes, resultado del colapso del sistema de partidos anteriormente vigente. Sin embargo, de sus escombros todavía no emerge un "sistema" distinto, medianamente reconocible.

Otro ejemplo en el libro de cómo ir más allá de oposiciones fáciles se refiere a las complejas estrategias de integración frente al poder y la autoridad que desarrollan los actores a nivel popular. Ellas combinan, no oponen, lógicas pragmáticas de resistencia, adaptación y acomodamiento. Estas lógicas son analizadas a nivel micro en el escenario de la escuela rural por Ames, y resulta interesante pensar en cómo su análisis podría extenderse a otros escenarios locales mucho más amplios. Ellas muestran mucho parentesco, por ejemplo, con lo descrito por Sulmont respecto a las estrategias de relación con las autoridades que siguen los vendedores ambulantes en Gamarra.

La posibilidad de generalizar en el análisis el tipo de interacciones presentes en la escuela, el hecho de que ellas resulten socialmente significativas, tiene que ver con la manera en que el Estado y el poder se presentan, desde los niveles sociales más básicos, ante la población. Un Estado que simboliza la autoridad y el poder, pero que a la vez es en concreto terriblemente débil y muy poco institucionalizado. De allí que también, desde los actores sociales, se combine en la relación con el Estado la negociación, el acomodamiento, frente a una entidad percibida como lejana y paternal a la vez.

Los actores sociales a nivel popular se relacionan con el poder desde una situación de extrema debilidad y precariedad. De allí que prime frecuentemente una suerte de pasividad y silencio, el no recurso a la "voz" a la que se refería Hirschman. Esto no debe interpretarse como ausencia de un sentido crítico, o de la incapacidad de desarrollar lógicas de resistencia, como señala Ames cuando se refiere a las niñas en las escuelas rurales. Sin embargo, la precariedad de su situación hace muy difícil el desarrollo de acciones colectivas. Esta debilidad lleva a la necesidad de ampararse, apoyarse en otros. Así, los textos hacen referencia a las estrategias familiares de desarrollo e integración (Uccelli), o al empleo de redes más amplias, de compadrazgo o paisanaje (Sulmont). Pero también resulta decisiva la inserción en redes mucho más amplias, que involucran la intervención de agentes externos, que permiten finalmente la acción colectiva: el Estado, ONGs, actores políticos, o medios de comunicación.

En este contexto, de articulación de espacios y redes, resulta central la figura del *dirigente popular*, analizada tanto por Sulmont como Tanaka. Estos autores analizan al "dirigente" no cumpliendo estrictamente funciones de *representación*, sino de *intermediación*. Tanaka incluso caracteriza como *brokers* a estos dirigentes populares. La importancia de los dirigentes-mediadores como actores autónomos, no estrictamente representativos, y de diversos agentes externos, resulta de la debilidad de las formas de acción colectiva y de las formas institucionalizadas de organización. Se trata de organizaciones débiles, acosadas, politizadas, en muchos casos desprestigiadas, excesivamente dependientes de agentes externos, y por lo mismo pasibles de manipulación política y prácticas de naturaleza clientelar; por su debilidad, son también víctimas de prácticas discriminatorias. A nivel micro-social, se encuentra que la acción colectiva se construye sobre la base de la confianza interpersonal, que resulta bastante limitada en nuestro país, de modo que formas de organización más institucionales enfrentan siempre problemas de representación. Así, estas organizaciones terminan siendo, muchas veces, grupos de interés particular, y no necesariamente representativas de sectores más amplios.

Ahora bien, pese a estos innegables problemas, se encuentran también signos de gran vitalidad, y elementos que nos permiten abrigar esperanzas hacia el futuro. Como señala Tanaka, al menos en el contexto urbano en Lima, el debilitamiento de la dinámica organizativa en los barrios es también síntoma de logros, de la satisfacción de la demanda por bienes públicos básicos. Tanaka también explora la posibilidad de construir nuevas formas de relación entre sociedad y política dentro de lo que caracteriza como "política de ciudadanos".

En todo caso, el conjunto del libro nos habla de la siempre presente capacidad de acción de los actores sociales, pese a enfrentar contextos sumamente adversos. Se aborda así lo que desde la sociología se llama el dilema entre actor y estructura. Ames formula claramente esta cuestión, al constatar cómo los "actores del espacio escolar", "reproducen, transforman y producen relaciones y prácticas al interior de la institución". Esta lógica de producción y reproducción es particularmente interesante en el trabajo de Uccelli, quien examina las estrategias de integración de las familias campesinas, y a la escuela como un medio y a la vez un límite para ello.

Esta capacidad de acción, notable, aún en los contextos más adversos, funciona por supuesto más a nivel local, y mucho menos a nivel nacional. Para que estos esfuerzos y sacrificios den frutos, es necesaria la intervención del Estado y de los actores políticos, que todavía no definen sus perfiles, como señala Vargas en su trabajo. El entronque entre lo local y lo nacional sigue siendo una tarea pendiente en nuestro país.

* * * * *

Los textos que componen este libro se basan en investigaciones que pudieron desarrollarse en el marco del proyecto de "Promoción de investigadores jóvenes", auspiciado por la Fundación Ford, a la que expresamos nuestro agradecimiento. Versiones preliminares de estos trabajos fueron discutidas en el seminario "Democracia, representación política y ciudadanía en el Perú", realizado en setiembre de 1999, en el Instituto de Estudios Peruanos. Las discusiones tenidas en esa ocasión nos han permitido mejorar y enriquecer los trabajos que aquí presentamos. A lo largo del proceso de investigación, los autores pudimos beneficiarnos también de los comentarios, críticas y sugerencias de Julio Cotler, Carlos Iván Degregori, Romeo Grompone, Carmen Montero y Patricia Oliart, a quienes agradecemos sinceramente. Tenemos que hacer un reconocimiento especial a Cecilia Blondet, sin cuyo interés por el desarrollo de nuestros proyectos y sin su estímulo constante, este libro ciertamente no habría sido posible. Finalmente queremos reconocer el esmerado trabajo del área de publicaciones del IEP, especialmente el de Aída Nagata.

Martín Tanaka
Noviembre de 1999

PRIMERA PARTE

*La reestructuración de la política: nuevas formas de
mediación entre sociedad y Estado en espacios locales*

En esta parte se estudian las maneras a través de las cuales las
diversas demandas e intereses de los grupos sociales se expresan en la esfera pública y política, y el papel que desempeñan los
distintos agentes externos y actores políticos; todo ello a partir de
algunas experiencias locales. Se analizan las estrategias que siguen diversos actores sociales, que combinan en su acción orientaciones aparentemente divergentes y contradictorias, pero que
se entienden dentro de una lógica de defensa de sus intereses.

Las prácticas sociales y políticas que se analizan aquí cuestionan algunas maneras habituales de entender a éstas, de modo que
los trabajos presentados en esta sección dan luces sobre cómo se
redefinen los sentidos de la participación, la ciudadanía y la democracia en el Perú en los últimos años; haciéndose un balance
entre lo que podrían llamarse "viejas" y "nuevas" formas de hacer
política y de relacionar sociedad y Estado en el Perú. Otra manera
de formular la misma cuestión es hasta qué punto y en qué sentidos se han dado los cambios durante los años del "fujimorismo".

DEL "JIRÓN" AL "BOULEVARD GAMARRA"
Estrategias políticas y gobierno local en La Victoria-Lima

David Sulmont Haak

INTRODUCCIÓN

El presente trabajo presenta una serie de reflexiones en torno a las características de las estrategias, los mecanismos de mediación y de articulación política que desarrollan los actores sociales con relación a los gobiernos locales en la ciudad de Lima Metropolitana[1].

La base empírica para estas reflexiones es un estudio de caso realizado en el distrito de La Victoria entre diciembre de 1998 y junio del presente año, en el que se hizo el seguimiento de dos procesos. El primero fue la consolidación de un grupo de poder de empresarios de Gamarra, como interlocutores privilegiados de los intereses de este conglomerado industrial y comercial frente a las instituciones políticas nacionales y locales. El acercamiento entre ese grupo de poder y las instituciones de gobierno local fue un hecho central en el posterior desalojo de los vendedores informales de las calles de ese complejo en marzo de 1999, que es el otro proceso que intento analizar.

---

1   El material y las ideas que iré presentando a lo largo del texto forman parte de un proyecto de investigación personal de mayor envergadura sobre el tema de la ciudadanía y las estrategias políticas en la sociedad peruana, el cual vengo trabajando hace algunos años y que está destinado a la preparación de mi tesis de doctorado en sociología de la Escuela de Altos Estudios en Ciencias Sociales de París.

A lo largo del trabajo de campo pude observar los componentes de un conflicto mayor por el control y el uso del espacio urbano en este conglomerado comercial, que involucra y confronta a los diferentes actores sociales presentes en él (confeccionistas textiles, comerciantes formales e informales) y a la autoridad municipal. En esta investigación, el interés se centró en la reconstrucción de las diferentes estrategias políticas que desarrollaron los actores mencionados.

Mi intención a lo largo del texto no es dar cuenta de la problemática de la política municipal en la ciudad de Lima o en el distrito de La Victoria, en tal sentido mis reflexiones no son estrictamente sobre los gobiernos locales. La referencia a ellos tiene que ver con su presencia en los contextos analizados en donde, efectivamente, la acción del municipio es uno de los elementos involucrados en las estrategias políticas de los actores.

Trataré más bien de analizar cómo se construyen "sistemas de acción concretos", retomando una terminología desarrollada por Crozier y Friedberg en sus análisis sobre sociología de las organizaciones[2]. Estos sistemas consisten en:

> "(...) estructuras de acción colectiva mediante las cuales se «organizan» los espacios de acción, es decir, se construyen y perpetúan los órdenes locales gracias a los cuales los actores logran estabilizar, al menos provisionalmente, sus negociaciones y sus interacciones estratégicas."[3]

Siguiendo a Friedberg, la construcción de estos sistemas de acción concreto puede entenderse como procesos de negociación y de poder entre los actores que construyen sus reglas de juego y que logran llegar a diversos niveles de estabilización. De esta forma se configuran ordenes locales contingentes, inestables y arbitrarios puesto que son siempre fruto de una negociación política acerca de las reglas de interacción entre actores cuyo poder es casi

---

2   Ver: Michel Crozier y Erhard Friedberg, *L'acteur et le Systeme: Les contraintes de l'action collective*, Seuil, Paris, 1977. Ver también: Erhard Friedberg, *Le Pouvoir et la Règle: Dynamiques de l'action organisée*, Seuil, Paris, 1993.
3   Erhard Friedberg, *Le Pouvoir...*, *op. cit.*, p. 109, traducción propia.

siempre asimétrico. El orden logrado puede entonces ser puesto en cuestión cuando aparecen nuevos elementos (oportunidades, capacidades, recursos) que cambian las correlaciones de fuerza y provocan nuevos arreglos.

Es interesante mencionar algunos de los supuestos de esta perspectiva de análisis, la cual, más que una teoría social, constituye, como lo manifiestan sus autores, una herramienta heurística para comprender la acción social en contextos delimitados.

En la medida que un individuo o un grupo necesita una serie de recursos de su medio para poder realizar sus objetivos se ve obligado a interactuar con él. Este medio está compuesto también por otros actores que tienen sus propios objetivos y que son a la vez demandantes y fuente de recursos para los objetivos de los demás. En tal sentido se configura un espacio de acción donde existe una interdependencia entre los actores, pero donde hay siempre un cierto nivel de incertidumbre, puesto que ninguno de ellos tiene un control absoluto de las acciones de los demás. Las estrategias que desarrollan los actores buscan controlar esa incertidumbre construyendo una serie mecanismos que regulan sus interacciones. Para ello establecen una serie de acuerdos y negociaciones entre sí.

El orden resultante es negociado y por lo tanto es construido a partir de una racionalidad política, diferente a la puramente instrumental, ya que el cálculo racional de medios y fines se ve interferido por el hecho de que no son posibles ni una información totalmente transparente sobre el contexto donde se desenvuelve la acción, ni un control absoluto de los medios necesarios para las estrategias propias[4], puesto que en estos casos los medios son justamente otros actores con fines diferentes[5].

El poder, desde este enfoque, es la capacidad que tienen los actores de estructurar los procesos de intercambio más o menos durables (construir un orden) a su favor y depende tanto de las

---

4   Esto es descrito como un "déficit de racionalidad" que no es posible suplir completamente en la acción organizada. Ibid, p. 108.

5   Más aún, los actores llegan a ser *"prisioneros de los medios que han escogido para regular su cooperación y que circunscriben incluso sus capacidades para definir nuevos fines"*. Crozier y Friedberg, *L'acteur...*, *op. cit.*, p. 20, traducción propia.

posibilidades de acción que cada uno de los participantes en la interacción puede ofrecer para las estrategias de los demás, como de la autonomía que ellos tienen en estas transacciones, lo que determina lo previsible o imprevisible de su comportamiento para los demás[6]. En ese sentido, en una interacción ninguno de los actores carece de poder, lo que sucede es que éste es asimétrico. De allí que el ejercicio del poder supone una relación social mutuamente vinculante, que constriñe a todos los participantes pero que posibilita la acción al mismo tiempo. Es un proceso de negociación y no de imposición pura y simple de uno sobre otro, se trata de un juego de correlaciones de fuerza para construir un orden local, que puede cambiar. El trabajo del investigador es analizar los procesos mediante los cuales estos órdenes se construyen en cada contexto determinado y cómo logran llegar a un determinado nivel de estabilización, que puede traducirse en una formalización o institucionalización algo más durable de los mecanismos de negociación.

Si bien es necesario recalcar que los procesos de institucionalización son siempre contingentes, un cierto nivel de estabilidad es indispensable para la continuidad de las interacciones ya que permite a todos controlar la incertidumbre, aunque los beneficios de ello se distribuyan desigualmente:

"El lugar de los elementos formalizados es siempre esencial en la medida que permite instituir una legitimidad, fijar jerarquías, órdenes de precedencia, asignar derechos de acceso y atribuciones y estructurar una relación de fuerza, en resumen, permite proteger a los actores de un campo al «ponerle cerrojo» contra los cuestionamientos del orden demasiado brutales"[7].

6   A mayor autonomía, más imprevisible puede ser el comportamiento de un actor y por lo tanto tiene mayor poder, aunque ello tiene ciertos límites, puesto que el comportamiento totalmente imprevisible de un actor puede conducir a que los demás consideren demasiado arriesgado relacionarse con él, lo que tiene como consecuencia una no-relación, en la cual el poder es inútil ya que no existe un campo donde pueda ejercerse.

7   Erhard Friedberg, *Le Pouvoir...*, *op. cit.*, p. 153, traducción propia.

Los sistemas de acción concretos sobre los cuales pretendo hablar, tienen que ver con los mecanismos que posibilitan la acción política y las características de ésta última en determinados contextos de nuestra sociedad. Por ello me interesa describir las estrategias políticas de los actores, las reglas son creadas y utilizadas para resolver conflictos entre intereses sociales en un espacio público, así como los intermediarios que intervienen en estos procesos y sus formas de articulación.

Un problema que quisiera discutir a lo largo del texto es el tipo de reglas y la naturaleza de la estructuración de los diferentes órdenes locales que se van configurando, y sus implicancias en la forma como se construyen las estrategias políticas. En un texto donde discutía el concepto de anomia en el Perú, Catalina Romero[8] proponía concebir a nuestra sociedad como fruto de arreglos entre diversos órdenes heterogéneos que dan como resultado una unidad compleja y conflictiva, con niveles importantes de incertidumbre.

Considerando la dificultad de moverse entre esos órdenes heterogéneos y conflictivos, escribí un artículo sobre la ciudadanía en el Perú[9] en el que planteaba que la participación en la política en nuestro país implica confrontarse a mecanismos que permiten y, a la vez, obstaculizan el acceso de las personas a la esfera pública y, por lo tanto, las estrategias de las personas debían moverse en ámbitos estructurados por lógicas diferentes y aparentemente contrapuestas. Por ejemplo, para reclamar el acceso a los servicios básicos en los asentamientos humanos, sus habitantes hacen uso de sus derechos "ciudadanos" en el sentido "clásico", tales como la libertad de expresión, de organización, de marchar o protestar, a la vez que se insertan en redes clientelistas, buscan ganarse el favor de ciertos funcionarios mediante coimas o regalos, etc. Esto puede interpretarse como un juego entre reglas formales e informales de relación política.

---

8   Catalina Romero, "Violencia y anomia: comentarios sobre una reflexión", en: *Socialismo y Participación*, No. 39, Lima, 1987.
9   David Sulmont, "Ciudadanos por dentro y por fuera", en: *Cuestión de Estado*, No. 20, IDS, Lima, abril de 1997.

Sin embargo, no se trata de una simple oposición entre el "país formal" y el "país real" u otras dicotomías análogas como "moderno/tradicional", "ordenado/desordenado" sino de una especie de complementariedad entre situaciones que pueden describirse en esos términos. La utilización de estas categorías da cuenta más bien de lo conflictivo e inestable que pueden ser los arreglos entre los diversos órdenes en los que discurren las trayectorias de los actores sociales y políticos.

Pienso que las estrategias que se construyen sobre la base de estas lógicas diversas son más bien formas de gestión de los mecanismos de integración y de exclusiones sociales, característicos de las sociedades latinoamericanas en general, y de la peruana en particular.

Al respecto Alain Touraine sostiene que:

"La oposición de los ciudadanos y de los excluidos es central no sólo porque la sociedad latinoamericana está hecha de su interdependencia y amalgama tanto como de su separación. El sistema social y político latinoamericano aspira y rechaza al mismo tiempo, separa y amalgama a la vez, de suerte que todos los actores sociales participan, pero sólo parcial y débilmente, en la transformación social por ella misma"[10].

Haciendo una reflexión sobre la exclusión social y la desigualdad en el Perú, Figueroa y otros[11] plantean argumentos similares al proponer que la democracia capitalista en las sociedades latinoamericanas genera a la vez integración, desigualdad y exclusiones sociales. Se trata de un proceso dinámico, ya que con el transcurso del tiempo la acción de las instituciones públicas y los movimientos sociales tienden a homologar de los activos políticos y culturales de los miembros de la sociedad, al mismo tiempo que los mecanismos del mercado se orientan hacia la concentra-

---

10   Alain Touraine, *América Latina Política y Sociedad*, Espasa Calpe, Madrid, 1989, p. 287.

11   Adolfo Figueroa, Teófilo Altamirano y Denis Sulmont, *Exclusión social y desigualdad en el Perú*, OIT-Oficina Regional para América Latina y el Caribe, Lima, 1996.

ción de activos económicos que son fuente de importantes desigualdades sociales y exclusión[12].

En ese texto se señala que la participación en redes sociales es un componente central en los procesos de integración y exclusión social. Dos niveles de redes interconectados entran en juego, por un lado las redes universales y ciudadanas, producto de la intervención de las instituciones públicas y los procesos democratizadores, mientras que por el otro un conjunto de redes particulares jerarquizadas que permiten o bloquean el acceso a las redes más universales, a la vez que reproducen la desigualdad o protegen de ella a los actores más vulnerables:

> "(...) la pertenencia a redes particulares jerarquizadas, donde las altas redes sociales brindan y requieren a la vez de activos sociales elevados, acentúa la desigualdad. Este es un mecanismo de acumulación de ventajas para las elites. Pero, ser miembro de otras redes sociales puede operar como un mecanismo de protección social para los excluidos. Las redes sociales desempeñan por lo tanto un papel muy importante tanto en la generación como en la reducción de la desigualdad social".[13]

La idea de jerarquización nos devuelve al tema del poder y su capacidad de construir órdenes asimétricos, así como nos remite a los conflictos por el control de los mecanismos de mediación política y de acción estatal. No se trata sólo de un poder derivado del control de recursos económicos, sino también de la disposición de activos culturales y políticos. Como es lógico, las diferencias sociales condicionan el abanico y el tipo de recursos que los actores pueden movilizar en sus estrategias políticas.

Otro de los problemas que quiero abordar en el texto es la dificultad que representa un contexto social marcado por la combinación de procesos complementarios de exclusión e integración, para generar en la esfera política peruana mecanismos que institucionalicen los acuerdos que se puedan construir. Esto tiene importantes consecuencias en la naturaleza de la esfera política y el

---

12   Ibid. , p. 132.
13   Ibid., p. 51.

tipo de articulaciones que puedan construirse entre los actores que allí se desenvuelven.

Para desarrollar estas reflexiones he organizado mi texto en cuatro partes y una serie de reflexiones finales. La primera parte intenta describir algunas de las características de los actores presentes en Gamarra, en los que pienso concentrar mi análisis. La segunda parte trata de los procesos que llevaron a consolidar al grupo de poder económico más importante de la zona como el interlocutor privilegiado de los intereses "gamarrinos", frente a las instituciones públicas. En la tercera parte analizaré los acontecimientos que condujeron al desalojo de los vendedores ambulantes de Gamarra; en ella describiré e intentaré caracterizar las diferentes estrategias políticas que diseñaron los actores involucrados en esta problemática. Algunos aspectos sobre los actores políticos involucrados en estos procesos y sus mecanismos de articulación serán vistos en la cuarta parte. Para terminar y a modo de conclusión presentaré algunas reflexiones finales sobre las preguntas y preocupaciones expuestas en la introducción, a la luz de los temas analizados a lo largo del texto.

1. GAMARRA Y LOS "GAMARRINOS" (ALGUNOS DE ELLOS)

Como hemos mencionado, en el conglomerado industrial y comercial de Gamarra del distrito de La Victoria nos interesaba estudiar el conflicto entre los diferentes actores presentes en torno al uso y control del espacio urbano, conflicto que tiene como uno de sus escenarios las instituciones de gobierno local. Gamarra, como es bien conocido, es uno de los conglomerados comerciales e industriales más dinámico e importante del país. Según estimaciones recientemente vertidas en los medios de comunicación, tendría un movimiento comercial que bordearía los 800 millones de dólares anuales, y sería fuente de trabajo directo o indirecto para más de 100,000 personas. Más allá de la exactitud o no de las cifras[14], su magnitud, subestimada o exagerada, nos da una idea

---

14   Uno de los mayores problemas que enfrenta cualquier investigador que se interese en Gamarra es la ausencia total de estadísticas confiables o actuali-

de la importancia del fenómeno social "Gamarra" en el contexto peruano[15].

Según cifras del INEI, La Victoria es, después del Cercado, el segundo distrito de Lima Metropolitana en cuanto al número de establecimientos económicos. Allí se ubican el 9.4% del total de establecimientos dedicados a alguna actividad comercial o industrial en la capital[16]. Es un distrito particularmente dinámico en lo concerniente a la actividad textil, casi el 47% de los establecimientos de Lima Metropolitana dedicados a esta rama económica se encuentran en La Victoria, la mayoría ubicados en la zona de Gamarra[17]. Por otro lado, de los 378 centros y galerías comerciales existentes en nuestra capital, 88 (el 23%)[18] están en La Victoria y de ellos casi la totalidad en Gamarra[19].

De acuerdo con la revista Gamarra[20], la inversión en galerías comerciales en este complejo asciende aproximadamente a 70 millones de dólares, de un total de inversión privada en la zona cercano a los 130 millones de dólares. Si esto es cierto, nos encontramos frente a una de las inversiones privadas de capitales nacionales más importantes de los últimos 20 años.

La principal actividad industrial de este conglomerado es la confección de prendas de vestir, alrededor de esta actividad se desarrolla un gran movimiento comercial tanto de insumos y maquinarias para la confección como de vestimentas de todo tipo. Otra actividad de gran importancia es la que se desarrolla en torno al mercado inmobiliario, tanto de construcción, venta como de alquiler de locales comerciales.

zadas. Ello es producto de la propia dinámica que ha dado origen a este conglomerado productivo y comercial.

15   Para una reseña más exhaustiva acerca de la historia y características de Gamarra ver el libro de Carlos Ramón Ponce, *Gamarra: Formación, estructura y perspectivas*. Fundación Friedrich Ebert, Lima, 1994.
16   Cifras del III Censo Económico de 1994.
17   Ibid.
18   INEI, *La actividad económica en Lima Metropolitana*, INEI, 1997.
19   Según la revista *Gamarra*, en esta zona había 87 galerías y centros comerciales en 1998. Ver: *Revista Gamarra*, No. 52, febrero de 1998.
20   *Revista Gamarra*, No. 58, agosto de 1998.

Los actores involucrados en estas actividades pueden ser clasificados en cinco grandes grupos:

- Un grupo de poder económico, conformado por los propietarios y promotores inmobiliarios de galerías y locales comerciales que constituyen el principal capital económico de la zona, así como los grandes industriales confeccionistas y los principales comerciantes mayoristas de insumos (telas, mercería y pasamanería) y maquinarias para la confección.
- Los medianos y pequeños confeccionistas de prendas de vestir, muchas de cuyas empresas son de tipo familiar.
- Los medianos y pequeños comerciantes de prendas de vestir, propietarios o locatarios de pequeños locales de venta, especialmente en las galerías.
- Los trabajadores de las pequeñas empresas de confección o los vendedores de las tiendas comerciales, la mayoría de ellos mujeres.
- Los comerciantes informales, vendedores de insumos y prendas de vestir, emplazados en las calles del complejo Gamarra.

Como paso siguiente, voy a concentrarme en el análisis de las estrategias desarrolladas por algunos de estos grupos en dos conflictos importantes. El primero de ellos gira en torno a la representación de los intereses de "Gamarra" frente al resto de la sociedad, en especial frente a las instituciones públicas, e involucra principalmente al grupo de poder económico con los medianos y pequeños confeccionistas de la zona. El segundo conflicto opone a los comerciantes informales con el grupo de poder, en relación al uso económico de las calles del complejo. En este último conflicto, la municipalidad distrital juega un rol de gran importancia.

Como rasgo general, hay que anotar que la mayoría de personas que desarrollan su actividad en esta zona son inmigrantes de provincias, muchos de los cuales empezaron su actividad laboral vinculados a los mercados mayoristas de La Parada y, poco a poco, fueron ingresando al comercio de textiles y confección de prendas de vestir, instalando sus negocios en la zona de Gamarra, que paulatinamente fue independizándose de la dinámica económica de La Parada. Otros empezaron como empleados u obreros de alguna empresa, luego, a raíz de los diferentes periodos de crisis económica que atravesó el país en las últimas 3 décadas, perdieron sus empleos, pasaron a ser informales vendiendo ropa o telas, o bien confeccionando prendas de vestir en Gamarra y, dependiendo de su éxito, lograron formar una empresa de carácter más formal.

Es importante también mencionar la existencia de una segunda generación de "gamarrinos", que nacieron "en el mundo de los trapos y las telas", hijos de los "pioneros" que se iniciaron a partir de la dinámica de La Parada y "fundaron" Gamarra. Esta segunda generación ha seguido los pasos de sus padres, dedicándose al comercio o confección de textiles en Gamarra.

En Gamarra podemos encontrar (y de hecho tuve la oportunidad de entrevistar a algunos de ellos) varios personajes representativos del grupo de poder económico, que comparten características y trayectorias similares: inmigrantes que, en algunos casos partiendo de la actividad informal, poco a poco acumularon capital y lo fueron invirtiendo en bienes inmobiliarios en la zona o en maquinarias para formar empresas de confección. Ellos han sido citados en innumerables ocasiones y desde diversas perspectivas como ejemplo de personas que, partiendo de una condición modesta, han logrado gracias a su esfuerzo y sacrificio el éxito empresarial en nuestro país, contribuyendo a crear una especie de "mitología" de Gamarra y la pequeña y mediana empresa. Entre estos iconos figuran Vicente Díaz Arce, los hermanos Pedro y Nemesio Guizado y el vicepresidente de la República, Ricardo Márquez.

Los hermanos Pedro y Nemesio Guizado, por ejemplo, son considerados como unos de los "pioneros" de Gamarra. Inmigrantes de provincia, empezaron como comerciantes de telas y ropa en la zona de La Parada. Ante la ausencia de locales disponibles en la Av. Aviación para instalar una tienda, se instalan en el Jr. Gamarra a finales de los 60 y comienzan a tener éxito en los negocios. Cuando a inicios de los años 70 la municipalidad cambia la zonificación de Gamarra —que hasta entonces era considerada como zona residencial— para convertirla en zona comercial, Pedro Guizado inicia la construcción de un edificio de 7 pisos — "Galerías Guizado" —, siendo una enorme fuente de ingresos para su familia. A pesar de convertirse en rentistas y vendedores de locales comerciales, los Guizado siguen manteniendo su negocio de venta de telas al por mayor en dos grandes tiendas, ubicadas en el cruce de Sebastián Barranca con el Jr. América. Las Galerías Guizado son un símbolo de lo que es Gamarra, casi todos los pisos están abarrotados de locales comerciales de venta de ropa, no hay ni un solo metro cuadrado libre, tampoco hay áreas de esparcimiento ni espacios para descansar. El interior del edificio no se asemeja en nada a un centro comercial moderno, pero tiene una gran afluencia de clientes. Cuando el Banco Continental decidió abrir su agencia en Gamarra, escogió el primer piso (con "puerta a la calle") de las Galerías Guizado para instalarse.

Otro de los pioneros es Vicente Díaz Arce[21], inmigrante chuquibambino (Arequipa) que llega a Lima en 1952 y empieza, junto con su hermano, como ambulante primero y luego comerciante minorista en La Parada. Con el capital que acumula pasa al negocio de telas y es otro de los primeros en instalarse en el Jr. Gamarra. El éxito de este empresario lo ha convertido hoy en día en cabeza de un grupo económico que ha diversificado sus actividades y es propietario de varias fábricas textiles, galerías comerciales, una empresa inmobiliaria que construye locales comerciales en Gamarra, fábricas de harina de pescado en Chimbote y hasta una clínica oftalmológica.

Entre la gente de Gamarra, estos personajes, los Díaz Arce y los Guizado, son conocidos por ser unos de los empresarios más exitosos y con mayor poder económico del conglomerado. Sin embargo, también hay otros menos conocidos, comerciantes de insumos y telas de diversos orígenes: provincianos, limeños, de ascendencia árabe[22] o asiática, etc. El común denominador es que se trata de los dueños de algunas de las galerías, talleres industriales o importadoras y comercializadoras de insumos y maquinarias más importantes de la zona. Alrededor de este núcleo

---

21 Su historia ha sido relatada por José María Salcedo en forma de novela biográfica. Ver: José María Salcedo, *El Jefe: de ambulante a magnate*, FIMART, Lima, 1993.

22 Nombres de origen palestino, como Farah y Mufarech, están ligados a la dinámica comercial de Gamarra.

principal se aglutinan otros comerciantes o confeccionistas medianos que son, a su vez, propietarios de sus locales, lo que en Gamarra constituye una inversión y un capital inmobiliario de gran
importancia.

Este grupo de poder está compuesto por personas que tienen
intereses económicos muy concretos en la zona. No sólo ejercen
su actividad ahí, sino que son propietarios de locales que están
entre los más caros del Perú[23]. Son quienes apoyan con mayor énfasis el ordenamiento y el desarrollo de la infraestructura urbana
y de servicios de Gamarra, para convertirla en un mercado atractivo para la clientela capitalina, ordenamiento que entre otras cosas, implica la erradicación del comercio ambulatorio que es visto
por ellos mismos como su principal competencia. Para estos empresarios los ambulantes eran los principales culpables del caos
reinante en el lugar. Para que Gamarra se desarrolle en sus términos, lo que había que hacer era erradicar a los ambulantes.

Juan Infante, director de la revista Gamarra y presidente de la
Coordinadora de Empresarios de Gamarra, que representa a un
grupo importante de estos empresarios escribía, una carta abierta
al recientemente electo alcalde de La Victoria, Jorge Bonifaz, en
febrero de 1999, manifestándole su respaldo a las medidas de reordenamiento del comercio ambulatorio emprendidas por la municipalidad, carta en la que además mencionaba lo siguiente:

"(...) los 14 mil empresarios formales de Gamarra vivimos aho-
gados por 2,500 ambulantes que compiten deslealmente, impiden
el flujo del tránsito vehicular, aumentan la basura, la inseguridad
y el desorden, desalientan la inversión y generan un ambiente
hostil para los compradores. Además de ello, ponen en serio
riesgo la vida de las 60 mil personas que laboramos en la zona de
Gamarra dado que impiden la llegada fluida de los bomberos, la

---

23 En las Galerías El Paraíso, de reciente construcción, un local con "puerta a la
    calle", es decir la ubicación más valorada, costaba en marzo de 1999 8,000
    dólares el m², mientras que el precio del m² de un local al interior estaba
    alrededor de los 4,000 dólares. Hay que tomar en cuenta que estos precios
    corresponden a una coyuntura marcada por una importante recesión econó-
    mica que afecta, entre otros, al mercado inmobiliario, por lo que es de suponer
    que en años anteriores estos precios eran mucho más altos.

policía o las ambulancias en caso de alguna emergencia.
Somos 14 mil empresas y 60 mil trabajadores los que vivimos este
problema, hasta ahora ningún alcalde ha sabido responder a la
altura de este reto, sin embargo, usted y la trayectoria de Somos
Perú en este tema, nos ofrecen una garantía de solución."[24]

Algunos de estos empresarios, haciendo alusión a su condición de propietarios de locales, marcan su distancia con respecto
a otros grupos, como por ejemplo los comerciantes o confeccionistas medianos y pequeños que alquilan locales. Uno de ellos co-
mentaba en una conversación sobre los problemas de Gamarra:

"¿A quién debe interesarle lo que pasa en Gamarra?, ¿quiénes son
los principales interesados?, para decir algo, para tener derecho a
decir algo, hay que tener propiedad, ser propietario. ¿Los confeccionistas?, ellos son inquilinos, son aves de paso, los que nos
quedamos y dependemos de lo que pasa acá, somos quienes
tenemos una propiedad."

El otro grupo importante de actores que pienso analizar son
los medianos y pequeños confeccionistas. Se trata de un grupo
más orientado a la actividad productiva, aunque algunos se di-
versifiquen hacia el comercio de sus productos. La mayoría son
pequeños o micro empresarios, con talleres donde trabajan entre
2 y 5 personas en promedio. Pueden tener su propia marca de
confecciones o depender de la subcontrata de empresas confeccionistas mayores. La mayoría de sus talleres se ubican en los pisos superiores de las galerías, mientras que los locales de venta se
encuentran sobre todo en los tres o cuatro primeros pisos. Venden su mercadería en las tiendas de las propias galerías o a los
ambulantes. Se dan casos de confeccionistas que tienen un taller y
un puesto de venta en las galerías, mientras que otros pueden
vender sus prendas de vestir en la calle, como por ejemplo Felipe
Dávila, dirigente de la Coordinadora de Centrales Autónomas de
Comerciantes Ambulantes de Gamarra, quien tiene un pequeño

24 *Revista Gamarra*, No. 63, febrero de 1999.

taller en su casa donde confecciona buzos de algodón (con su propia marca: "Confecciones Dávila") en la cuadra 19 de la Av. Huánuco, a dos cuadras del Jr. Gamarra, y su puesto de venta en la calle, en la cuadra 6 de Gamarra, que usualmente es atendido por su esposa, su hijo u otro familiar (un primo o un hermano).

El gran movimiento comercial e industrial que tuvo Gamarra a lo largo de los años 90 ha motivado que algunos profesionales liberales que han tenido algún tipo de contacto con la zona se sientan atraídos por las confecciones y cambien de actividad. Tuve la oportunidad de entrevistar a los editores de Gamanews, una de las revistas que publica artículos e informaciones sobre este conglomerado. Uno de ellos es abogado e inicialmente formó una consultora legal para asesorar a los confeccionistas gamarrinos sobre temas de derechos de propiedad industrial (marcas y patentes). Poco tiempo después vio que "se podía hacer plata con la ropa" y fundó una pequeña empresa de confecciones, además de la revista Gamanews que se beneficia con la publicidad de las empresas del conglomerado.

En Gamarra hay una serie de asociaciones que agrupan a los pequeños confeccionistas y que se disputan su representatividad. En el trabajo de campo llegué a entrevistar a dirigentes de tres de estas organizaciones.

La primera fue la Asociación de Pequeños Industriales de la Confección (APIC), que es la más antigua (18 años de fundada) y es la única con alcance nacional, aunque los empresarios de la zona de Gamarra constituyen algo más de un quinto de los socios de esta organización. Su dirigente, Carlos Mendoza, es confeccionista de diversas prendas de vestir y lleva 30 años dedicado a esta actividad. Sus padres fueron inmigrantes de Apurímac que se iniciaron como ambulantes en La Parada, para luego dedicarse al negocio de las telas y confecciones.

La segunda institución con la que tuve contacto es la Asociación de Pequeños Empresarios de Gamarra (APEGA). Se formó en 1995, a raíz de los problemas que sus socios iniciales tuvieron con un programa de acceso al crédito gestionado por una ONG. Su presidente, Manuel Salazar, es actualmente confeccionista de polos con su propia marca ("Gitana Surf"). Sus padres tenían una empresa de confecciones que quebró en los años 80, lo que motivó que Salazar dejara sus estudios de sociología en la Universidad Garcilaso de la Vega para dedicarse a la venta ambulatoria de prendas de vestir. En esa época llegó a ser dirigente de la Asociación Túpac Amaru, una de las principales organizaciones representativas de los vendedores ambulantes de La Victoria. Algunos de los miembros de la Asociación Túpac Amaru pasaron a formar parte de APEGA cuando formalizaron su actividad económica.

Tanto APEGA como APIC, buscan promover y defender los intereses de los pequeños confeccionistas, principalmente mediante la capacitación empresarial de sus asociados, la búsqueda de mecanismos de acceso al crédito, o la promoción de las exportaciones.

La tercera organización que pude conocer fue la Sociedad de Consorcios de Exportación de Gamarra (SCG). A diferencia de las dos primeras, que son más bien de tipo gremial, la SCG tiene una orientación empresarial, ya que organiza a diferentes confeccionistas agrupados por ramas (pantalones, camisas, polos, etc.) para producir en cantidad prendas de vestir destinadas a pedidos de exportación que la propia sociedad se encarga de conseguir. Su presidente, Beltrán Suárez fue empleado público (gerente de una empresa estatal) hasta que decidió, junto con sus hermanos, formar una empresa de confecciones que tuvo su primer local en el parque industrial de Villa el Salvador. Suárez llegó a ser miembro de la junta directiva de este parque industrial, sin embargo decidió cambiar la ubicación de su empresa e instalarse en Gamarra debido a las facilidades que ofrece este complejo para la actividad de confecciones. Cuando se formó la Coordinadora de Empresarios de Gamarra, Beltrán Suárez, se afilió a ella y fue elegido vicepresidente, aunque algunos de los socios de la SCG no compartieran la orientación de esta institución gremial.

Según Carlos Ramón Ponce[25], las asociaciones de pequeños empresarios confeccionistas funcionan más bien como redes de intercambio de información (fundamentalmente tecnológica), donde además se puede propiciar la formación de plataformas de agrupación de oferta (como la SCG), pero manteniendo la inde-

---

25 Carlos Ramón Ponce, *op. cit.*, p. 119.

pendencia de cada empresa. También cumplen un papel importante en la promoción de la capacitación productiva y empresarial y en la intermediación para el acceso al crédito que algunas
instituciones como las ONGs o el Estado pueden ofrecer.

Se trata de una vinculación pragmática. Como en la mayoría
de las organizaciones, la fidelidad a estas asociaciones depende
mucho de los potenciales beneficios que aporten a sus miembros.
Por otro lado, hay que tomar en cuenta que si bien sus miembros
pueden colaborar en ciertas coyunturas (por ejemplo, coordinar la
producción para un pedido grande), en otros momentos son com-
petidores acérrimos. Una queja de muchos confeccionistas gamarrinos es el copiado masivo de los modelos y patrones de sus prendas, así como la piratería de marcas y patentes, ya que no hay mecanismos de protección de la propiedad intelectual. En ciertos
casos, los beneficios que se consiguen sólo alcanzan a un grupo reducido de socios, los más cercanos a los dirigentes, que de esta forma pueden constituir una clientela al interior del gremio.

Si bien hay organizaciones como APIC, que debido a su alcance nacional y su larga trayectoria pueden gozar de un cierto
reconocimiento en algunas instancias empresariales (como la Sociedad Nacional de Industrias) y políticas[26], encontramos en general una gran dificultad entre los confeccionistas de Gamarra
para constituir organizaciones representativas amplias, con cierto
grado de legitimidad y fortaleza, que puedan convertirse en interlocutores importantes en procesos de negociación con otras
instancias, especialmente las autoridades políticas, tanto nacionales como locales. Todos nuestros entrevistados (incluso los dirigentes) en Gamarra coinciden en señalar la dificultad que tienen
las organizaciones de pequeños productores para aglutinar efectivamente sus intereses.

---

26 Según sus dirigentes, APIC forma parte del directorio del Centro Nacional
de Compras Estatales, institución que promueve la compra por parte del
Estado, de diversos productos (como uniformes militares o escolares, ollas,
cocinas, calzado, etc.) fabricados por las micro y pequeñas empresas del país.
Además ha sido invitada en varias oportunidades por su presidente, el
parlamentario oficialista Juan Hermoza Ríos, a las sesiones de la Comisión
de Pequeña y Micro Empresa del Congreso de la República.

Los elementos que explican estas dificultades y debilidades son de diversa índole y no resultan exclusivos de los pequeños empresarios (como veremos en el caso de los ambulantes). Los pequeños empresarios se desenvuelven en un mercado altamente competitivo, con pocas regulaciones institucionales, donde existen pocos mecanismos (o no se tiene acceso a ellos) que garanticen, por ejemplo, el cumplimiento de los compromisos contractuales. En ese sentido los vínculos que se generan dependen mucho de las relaciones de confianza interpersonal, que no pueden ir más allá de un grupo relativamente reducido de personas y empresas. Estas circunstancias pueden promover "individualismos y egoísmos", (considerados rasgos "culturales" de los pequeños empresarios gamarrinos) que limitan seriamente la aparición de propuestas y acciones concertadas y consensuales.

También hay que tomar en cuenta que se trata de un tipo de empresas que, debido a sus limitaciones para la acumulación de capital, pueden ser muy frágiles y dependientes de los cambios en la coyuntura económica, especialmente en épocas recesivas y de contracción de la demanda interna. Esta fragilidad se puede trasladar a las organizaciones que buscan representar sus intereses.

Los confeccionistas, en particular los que forman parte de asociaciones de productores, si bien manifiestan preocupación por la falta de orden y de infraestructura urbana en Gamarra, están más interesados por medidas orientadas a impulsar la actividad de la pequeña industria. En tal sentido puede decirse que sus preocupaciones son de tipo "industrial", más que de tipo "comercial", muestran mayor atención a los problemas que afectan a la producción que a la generación de un ambiente urbano propicio y atractivo para las actividades de venta. En las entrevistas con los dirigentes de asociaciones de pequeños empresarios industriales los problemas que mencionaban con mayor énfasis eran aquellos que afectan la actividad productiva: sobrecostos, impuestos, falta de capacitación empresarial y mano de obra calificada y, en especial, problemas de acceso al crédito. Los problemas de uso del espacio urbano pasaban a un segundo plano. Por ejemplo, al preguntársele acerca del rol de los gobiernos locales en un contexto como el de Gamarra, Manuel Salazar de APEGA respondía:

"El Municipio debe presentarse como una empresa, crear puestos de trabajo que sean autosostenidos, puede poner maquicentros para tener mano de obra para la exportación. Si tuviéramos mano de obra con calidad podríamos exportar."

Este tipo de ideas son compartidas por Carlos Mendoza de APIC:

"El gobierno local debe tener un contacto directo con los pequeños productores, los municipios modernos buscan mercados de exportación para sus empresas, la municipalidad es la base el entorno económico local."

El tercer tipo de actores cuyas estrategias pienso analizar son los vendedores informales. Como mencioné, el uso de las calles de Gamarra ha motivado uno de los principales conflictos en la zona, en especial entre los comerciantes de prendas de vestir y de insumos formales e informales (los que tienen locales y los que venden en la calle). Todas las calles del complejo habían sido ocupadas por comerciantes informales que competían con quienes tienen locales.

Existe una importante diferencia entre dos grupos de comerciantes informales que se han ubicado en los alrededores de la zona de Gamarra. Un primer grupo está compuesto por los vendedores de prendas e insumos directamente ligados a la dinámica del conglomerado textil. El segundo grupo está más bien relacionado con la dinámica comercial de La Parada, sus puestos se ubican a los alrededores de los mercados mayoristas y a lo largo de la Av. Aviación (cuadras 3 a 7), en donde puede encontrarse una oferta de productos y servicios mucho más variada: abarrotes, telas, ropa, música (cassettes piratas), electrodomésticos, verduras, artículos de magia y curanderismo (hierbas, amuletos, implementos para "mesas" de curanderos), muebles, talleres de reparación de electrodomésticos, carpintería metálica, ferreterías, etc. Como convención me referiré al primer grupo como los informales de Gamarra y al segundo como los de La Parada, distinción que cobrará importancia más adelante en el texto. Por el momento me concentraré en los informales de Gamarra, aunque muchas de sus características son comunes a todo el comercio informal de la capital.

La ocupación de la vía pública se ha producido durante el auge de Gamarra en los últimos 10 años. Resulta difícil cuantificar la extensión de este fenómeno, según estimaciones de la municipalidad y de asociaciones tanto de empresarios formales como informales habrían existido entre 2,500 y 3,500 comerciantes ambulantes instalados en la zona de Gamarra[27]. Como es sabido, la instalación permanente de los ambulantes en la calle se produce de manera paulatina. Primero son verdaderos "ambulantes", personas que cargan la ropa en ganchos y deambulan por las pistas ofreciendo sus productos. Conforme transcurre el tiempo la instalación se va haciendo más permanente, se lotiza la calle, se levantan toldos, se llegan incluso a construir kioscos de madera o de concreto sin autorización municipal[28]. Paulatinamente llega a desarrollarse también un mercado de venta o de traspaso de puestos en la vereda y en la pista. En la etapa de consolidación de la ocupación de la vía pública juegan un rol central las organizaciones de ambulantes y las negociaciones con la autoridad municipal, tema que desarrollaré con mayor amplitud más adelante en el texto.

Las estrategias para ocupar las calles han sido múltiples. Los primeros ambulantes que llegaron a la zona de Gamarra eran personas, en su mayoría inmigrantes, vinculadas al movimiento de La Parada que simplemente ocuparon la calle e instalaron sus puestos. En muchos casos esto ha sido un proceso familiar: una familia extensa que pone puestos en diferentes lugares. También hay casos de grupos de paisanos o vecinos de una misma comunidad o de un asentamiento humano que se instalan en la calle.

Algunas de estas clases de ocupación implican la formación de asociaciones: grupos de ambulantes que deciden "invadir organizadamente" la calle con el fin de obtener una ubicación más estable, como quien hace una invasión para formar un pueblo jo-

---

27   Tampoco queda claro si estas estimaciones incluyen a los informales ubicados en la Av. Aviación y los alrededores de La Parada, que como dije forman parte de otra dinámica. Me atrevo a pensar que no.

28   La revista *Gamarra* reportó en julio de 1996 la existencia de 199 kioscos en la zona.

ven, poniendo banderas peruanas en sus nuevos puestos como
símbolo de legitimidad. Al inicio de estas invasiones, los ambulantes enfrentan la fuerte oposición de los dueños o locatarios de
las galerías, ya que se instalan en la puerta de estos locales. También se enfrentan a la posibilidad de ser desalojados por la autoridad municipal. En estos momentos iniciales de "conquista" de la
calle hay que resistirse y "aguantar" las presiones de los comerciantes formales y de la municipalidad. Pasado este primer momento de "obstinación", frente al hecho consumado y la falta de
autoridad de las instituciones de gobierno local para desalojar a
los informales, viene una etapa de negociación. Con los comerciantes formales se negocia el dejar libre el acceso a las tiendas o a
las galerías y ciertas medidas que garanticen la seguridad de los
clientes como la contratación de "guachimanes". Frente a la municipalidad, primero se opta por formas de "micro-corrupción"
(mediante las famosas "bolsas") de los funcionarios municipales
de menor nivel, en especial los policías municipales que aceptan
sin demasiados problemas un ingreso extra debido a los bajos
sueldos que perciben. Luego, se trata más directamente con la autoridad mayor (el alcalde o el director de comercialización) y se
establecen ciertas reglas elementales, algunas de las cuales se convierten en ordenanzas municipales: un determinado espacio por
puesto (por ejemplo 4 m^2) y el pago del derecho de Ocupación de
la Vía Pública, especie de tributo "formalizado" por la municipalidad.

Augusto Allca, vendedor informal de la cuadra 8 del Jr. Gamarra y presidente de una asociación de informales nos relata
algo de los momentos iniciales de este proceso:

"La asociación se fundó el 8 de enero de 1994 y agrupa a los
ambulantes de la cuadra 8 del Jr. Gamarra. Antes, en el 93,
nosotros trabajábamos en forma ambulatoria (diferente a tener un
puesto fijo en la calle). Nos reunimos un grupo de personas para
invadir esta cuadra y poder vender. Realizamos la invasión el 8
de enero de 1994, de ahí el nombre de la asociación, y lotizamos
la calle. Tuvimos serios problemas con el municipio y sobre todo
los dueños de las galerías que nos querían botar. Luchamos con
ellos para poder permanecer, la gente de las galerías nos hacía la

vida imposible para sacarnos de acá. Por ejemplo en Navidad del 94 nos echaban agua con caca desde las galerías y nos ensuciaban toda la mercadería."

Es interesante anotar que varios los miembros de la asociación a la que se refiere Allca son sus propios vecinos de Huaycán, en el distrito de Ate Vitarte.

Los primeros ocupantes de la vía pública estaban en una posición privilegiada para posteriormente hacer negocio con la "lotización" de la calle. Es conocido en la zona el mercado de puestos callejeros que existía, incluso se hablaba de alquileres de 10 soles diarios por "lote" cobrados por estos "pioneros", que además podían tener su propia red de puestos controlados por familiares. En ciertas cuadras se recurría a matones contratados entre los habitantes de los alrededores de La Parada (en especial de los cerros San Cosme, El Pino y El Agustino) para efectuar estos cobros, que podían incluir un servicio de "seguridad" brindado por ellos mismos[29].

En movimientos de traspaso o venta de ubicaciones, que implica el acceso a la "propiedad" de un puesto callejero, el monto de las transacciones podía alcanzar sumas apreciables. En las entrevistas, mis informantes mencionaban cantidades que podían oscilar entre 1,000 y 3,000 dólares por la "venta" de un puesto callejero (dependiendo de la "rentabilidad" de la ubicación[30]), y de 500 dólares en el caso del traspaso de puestos.

Hay que decir que ser ambulante en Gamarra tenía un cierto matiz de "privilegio" por el movimiento comercial de la zona. Como se dijo repetidamente en los medios de comunicación en la coyuntura del desalojo de los ambulantes de la zona (febrero-marzo de 1999), varios tienen locales alquilados o comprados en las galerías, que usan como talleres, si es que se dedican a la confección, o como depósito para sus mercaderías[31]. Si este tipo de infor-

---

29 Era común ver en el Jr. Gamarra en particular, "vigilantes" armados con varillas de fierro y un pito rondando los puestos de los ambulantes.

30 Las ubicaciones más rentables se encontraban en las cuadras 6 y 7 de Gamarra, en el corazón del complejo.

31 Hay que tomar en cuenta que gran parte de los locales que actualmente se

males sigue en la calle es por que ello significa una mayor ganan-
cia. Pero tampoco hay que dejar de ver aquellos ambulantes, la in-
mensa mayoría, que lo único que tienen es su puesto en la calle,
que son los menos exitosos o que han preferido invertir sus ganancias en su propia vivienda, en vez de comprar locales en Gamarra.
Tal es el caso de Augusto Allca, a quién mencionábamos más arriba. Él trabajaba como empleado de una tienda de abarrotes en
Huancayo, hasta que fue despedido en 1985. Luego se dedicó a varios trabajos temporales, ya sea en la selva como obrero agrícola o
como ambulante en el mismo Huancayo. Llegó a Lima en 1992 y se
instaló en Huaycán con su familia, le "gustó" el movimiento que
veía en Gamarra y se dedicó a vender en forma ambulatoria ropa
que compraba en las galerías, hasta que junto con otros vendedores ambulantes, varios de ellos sus vecinos, "invadieron" la cuadra 8 de Gamarra en 1994. Desde entonces lo que ha ganado lo in-
virtió en construir su vivienda en Huaycán con material noble, camino seguido por varios de sus "compañeros"[32].

Si bien los ambulantes son conscientes que Gamarra es un
verdadero caos, no sienten que ellos sean los únicos responsables.
Por un lado está la "situación" (falta de trabajo) que los obliga a
hacer lo que sea para sobrevivir, y además es la principal justifi-
cación para estar en la calle. Por otro lado, según ellos, la responsabilidad recae también en las autoridades que han permitido
que exista comercio informal en la calle:

> "Los principales problemas de Gamarra es la falta de autoridad
> municipal. Ellos nunca están presentes, nosotros tenemos que ir
> a buscarlos, ellos no vienen a ordenar y los asociados aprovechan
> las circunstancias. No hay orden y ello provoca que haya proble-
> mas en el tránsito y la delincuencia." (Augusto Allca)

---

encuentran disponibles en las galerías se ubican en los pisos superiores (a
partir del 4to piso) son mucho menos atractivos para una actividad comercial,
ya que los clientes son reticentes para subir demasiados pisos cuando hacen
sus compras, a diferencia de una actividad productiva, como la confección,
que no necesita de un contacto directo con la clientela.

32   Trayectorias múltiples y diversas, dependientes del vaivén de la vida y la
situación económica del país en general y de la familia en particular, son una
constante en el mundo de Gamarra (y de gran parte del país).

"El principal problema en Gamarra tiene que ver con el sistema de desarrollo del país, todo se basa en los gobernantes, por ello no habría desempleo y por lo tanto no habría ambulantes. El principal problema es entonces el del desempleo, los desocupados no tienen otra alternativa que ser informales. Algunos ambulantes también son profesionales, pero por falta de trabajo más se dedican al comercio que a su profesión (...) Lo único que estoy en desacuerdo con el alcalde es que él no reconoce quién formó el mercado en Gamarra, fuimos los propios ambulantes. *Ahora el alcalde nos culpa de todos los males pero el caos no es culpa del dirigente sino de la falta de autoridad.*" (Felipe Dávila, dirigente de ambulantes).

Los comerciantes informales no se manifiestan en contra de formalizarse, siempre y cuando se les ofrezcan alternativas. Sin embargo, en la práctica, no optarán por otro camino mientras se les permita quedarse en la calle. Esta es la opinión de Elsie Guerrero, actual regidora de la municipalidad de Lima y ex-directora metropolitana de comercialización[33], quien, haciendo una reflexión acerca de su experiencia de asesora de organizaciones de comerciantes ambulantes antes de ser funcionaria municipal, reconocía la voluntad de los ambulantes de formalizarse si es que tienen las facilidades para ello, aunque su estrategia consistía en quedarse en las calles hasta el último momento, como mecanismo de maximizar este tipo de recurso. Ello ocurría incluso si ya se tenía una alternativa en marcha. Según la señora Guerrero "para los ambulantes cualquier plazo adicional, se convierte en indefinido". Es por ello que, a no ser que exista una intervención enérgica de la autoridad, las alternativas que tengan los informales frente a quedarse a la calle no serán adoptadas en forma definitiva.

La coyuntura del desalojo de ambulantes de Gamarra en el verano de 1999 es ilustrativa al respecto. La municipalidad ha

---

33 Durante la gestión de Elsie Guerrero como directora de comercialización de la municipalidad de Lima en el primer periodo de Andrade, se pusieron en marcha los programas de desalojo y reubicación de los comerciantes informales del Mercado Central, el Jr. Lampa y Polvos Azules, entre otros, como parte del proyecto de recuperación del centro histórico de la ciudad.

ofrecido una serie de alternativas a los ambulantes, aclarando que quedarse en la calle está fuera de discusión. Los informales han pedido todos los plazos posibles, inicialmente era que se les deje trabajar hasta fin de año, luego algunos redujeron sus expectativas hasta el fin de la campaña escolar (marzo-abril). Pero la demanda común era siempre la de un plazo adicional, plazos que han sido negociados con todas las administraciones municipales anteriores. No se trata de una terquedad irracional, sino de una lógica de maximizar los recursos que se disponen, mientras permanezcan disponibles (la calle es un recurso). Es una lógica racional desde el punto de vista económico, aunque no es el único criterio que se toma en cuenta.

Después de varios años de falta de autoridad en Gamarra, el desorden y el hacinamiento de puestos ambulantes en las calles parecía haberse instalado definitivamente, acompañado de robos y asaltos (no olvidemos que La Parada, conocida por sus altos índices de delincuencia, se encuentra a media cuadra del conglomerado), lo que en definitiva era nocivo para los negocios y para cualquier proyecto de inversión en la zona.

Pese a que no pienso concentrarme en ellos, no quiero dejar de mencionar a otros importantes actores presentes en Gamarra, los más numerosos. Se trata de los trabajadores, empleados de tiendas u operarios de los talleres, aunque para referirnos a ellos deberíamos usar los sustantivos en femenino, ya que en su mayoría son mujeres. No es necesario repasar las condiciones de trabajo que tienen las trabajadoras en Gamarra: inestabilidad laboral, gran flexibilidad del mercado de trabajo, ausencia de beneficios sociales, etc. Quizás, junto con los informales con menos recursos, sean los actores más vulnerables de este espacio social, muy dependientes de los altibajos de la actividad económica, como vemos en esta última coyuntura de recesión[34], en la que varios de los trabajadores de Gamarra han perdido su empleo o su remuneración por la disminución o paralización de las actividades, situación agravada durante las semanas del desalojo de los ambulan-

---

34 A lo cual hay que agregar los efectos del fenómeno del Niño en la industria textil, ya que los cambios climáticos dejaron en 1997 y 1998 un gran stock de confecciones de la temporada de invierno sin vender.

tes. Según la revista Gamarra, desde mediados de 1998 hasta inicios de 1999, se habían perdido en Gamarra casi la mitad de los empleos existentes, y las ventas habían bajado en un 60%[35].

Para este tipo de actores, las estrategias son principalmente de sobrevivencia, donde una acción colectiva para enfrentar sus problemas es difícil debido a la inestabilidad y flexibilidad del medio en el que se desenvuelven. Ninguno de nuestros informantes o entrevistados ha mencionado la existencia de sindicatos u organizaciones de trabajadores. Esto se debe a que una considerable proporción de empresas emplea a trabajadores que son familiares y allegados de los dueños, cercanía que puede limitar la generación de una conciencia de intereses autónomos y diferenciados.

Finalmente, el siguiente actor involucrado en la coyuntura que nos interesa es la municipalidad de La Victoria. He mencionado ya la gran importancia económica de este distrito en el contexto de Lima, que a su vez tiene correlato en la recaudación tributaria municipal. Según datos publicados por el diario Expreso[36] en 1994, La Victoria era el quinto distrito con la recaudación tributaria más importante, después de distritos característicos de clase media o media alta como San Isidro, Miraflores, San Borja y Surco.

Sin embargo, desde hace varios años, la administración municipal de La Victoria ha sido identificada como una de las más corruptas de la capital. En noviembre de 1995, dos meses antes de la transferencia de los gobiernos municipales a las autoridades electas ese año, la Contraloría General de la República difundió en algunos medios de comunicación[37] los resultados de una in-

---

35 *Revista Gamarra*, No. 61, noviembre de 1998. Es interesante observar que, mientras todos reconocen la enorme recesión por la que atraviesa Gamarra en la actualidad (que significa quiebra de empresas y pérdida de empleos), las cifras que casi todos los actores difunden sobre Gamarra (empresarios, ambulantes, autoridades) siguen siendo las mismas, incluso exageradas: "Gamarra tiene 14 empresas, genera 60 mil puestos de trabajo y tiene un movimiento comercial de 800 millones de dólares al año" son algunas de las expresiones más comunes. Ver, por ejemplo, la carta abierta dirigida al alcalde de la Victoria, firmada por Juan Infante, antes citada. Esto es una muestra de la enorme dificultad que se tiene para cuantificar el fenómeno de Gamarra, y las prácticas que esta carencia puede ocasionar.

36 Ver: diario *Expreso*, 5/10/94

37 Ver: diario *Expreso*, 24/11/95.

vestigación sobre defraudaciones y otros delitos de malversación de fondos y sobornos en varios concejos distritales de Lima Metropolitana. A la cabeza de la lista figuraba el municipio de La Victoria, con más de 9 millones y medio de soles defraudados a los contribuyentes, que representaba aproximadamente el 37% de lo recaudado por ese distrito en 1994.

Varias de las personas vinculadas con diversas gestiones municipales que entrevisté han denunciado la presencia de mafias enquistadas en el municipio, que negociaban principalmente con las licencias municipales y controlaban una red de allegados al interior de los funcionarios municipales, llegando a manipular incluso hasta al propio alcalde y los directores municipales, haciendo prácticamente imposible que el municipio pudiera tener algún tipo de acción eficaz en el distrito.

La corrupción y la desorganización al interior del municipio llegaron a límites extremos con la última administración municipal del Sr. Juan Olazábal, entre 1996 y 1998, calificada unánimemente por todos los vecinos victorianos y en especial por los empresarios de Gamarra como una de las más desastrosas de los últimos años. Cuando la nueva administración de Somos Perú, conducida por Jorge Bonifaz, asumió el gobierno local, se encontró con un municipio sin ningún tipo de registro de contribuyentes ni de licencias comerciales, tampoco existían planos catastrales del distrito. Estos registros, que son la base de la continuidad administrativa de toda institución pública no existían porque la gestión anterior había contratado "services" privados para que se encarguen de estas tareas.

No es mi intención profundizar más en el caos administrativo del municipio de La Victoria, que es bastante común en otros gobiernos locales del país. Me interesa simplemente dejar constancia de ello para poner en perspectiva las acciones posteriores del municipio, en particular en lo concerniente a Gamarra, ya que ello muestra un proceso de acercamientos y de presión de los intereses económicos de los empresarios gamarrinos respecto al gobierno local.

2. ¿QUIÉN ES GAMARRA? LAS DISPUTAS POR LA "REPRESENTACIÓN"

En esta sección intento reseñar el proceso mediante el cual los empresarios que forman parte del grupo de poder económico del conglomerado victoriano, lograron constituirse como los principales representantes de los "intereses de Gamarra" e interlocutores privilegiados con las instituciones públicas interesadas en desarrollar programas de apoyo a esta zona. Esto significó la consolidación de un ente representativo de sus intereses: la Coordinadora de Empresarios de Gamarra (CEG).

Esta organización nació como parte del proceso que condujo a la marcha hacia el Palacio de Justicia y el Congreso de la República realizada por los empresarios y trabajadores de Gamarra en setiembre de 1998. Las circunstancias que desencadenaron esta movilización están relacionadas con la situación de crisis que vive el complejo de Gamarra. El Fenómeno del Niño arruinó las expectativas de venta en la campaña de invierno de los años 1997 y 1998, lo que provocó una acumulación de stock de ropa fuera de temporada que puso en una situación financiera difícil a un gran número de empresarios gamarrinos. Ello se agravó a mediados de 1998, cuando empezaron a sentirse las repercusiones de las crisis asiática y rusa en el país, desencadenando una importante recesión económica que hasta ahora (noviembre de 1999) continúa.

En esta difícil coyuntura se intensificaron además las protestas de los confeccionistas y comerciantes de Gamarra contra la importación de ropa usada y el contrabando, que constituían una fuente de competencia desleal para sus empresas. La "gota que derramó el vaso" fue la aceptación por parte del juez Percy Escobar[38] de una acción de amparo presentada por una empresa que importaba ropa usada, destinada a impedir la aplicación de una norma administrativa del Ejecutivo que restringía dicha actividad.

Por primera vez en Gamarra, la mayoría de actores presentes en la zona (propietarios, confeccionistas, comerciantes y trabaja-

---

38 Cuestionado juez que se hizo famoso en el caso de Baruch Ivcher y Frecuencia Latina.

dores) acordaron una medida puntual: realizar, el 18 de setiembre de 1998, un cierrapuertas de casi todos los locales comerciales y una marcha hacia el Palacio de Justicia y el Congreso de la República con asistencia masiva.

Esta inusual medida en el contexto gamarrino fue calificada como "histórica" por Fernando Villarán, en un artículo publicado en la revista Gamarra pocas semanas después de la movilización[39]:

"Muchos pensaban que era imposible organizar a los Gamarrinos, que su individualismo lo impediría una y otra vez, como había ocurrido con algunas experiencias frustradas de organización gremial y social.

Por ello todo el mundo, de afuera y de adentro de Gamarra, se quedó absolutamente sorprendido cuando el 18 de setiembre se produjo el categórico cierrapuertas y la masiva movilización al Palacio de Justicia y al Congreso de la República.

En esta histórica jornada, los gamarrinos y gamarrinas fueron capaces de deponer sus egoísmos e individualismos, sus diferencias y rencores, uniéndose como una sola marea humana que derriba obstáculos y abre nuevos cauces."[40]

Los únicos que se mantuvieron relativamente al margen de esta movilización fueron los vendedores ambulantes, algunos de los cuales vendían la ropa usada y la mercadería de contrabando. Si bien esto último es cierto hasta cierto punto, tal situación no era del todo generalizada, y se trata más bien de una imagen creada por los empresarios formales que lideraron la convocatoria y no incluyeron plenamente a los informales.

---

39   Fernando Villarán, conocido investigador de la problemática de la pequeña y micro empresa, es autor de la sección "Cajón de Sastre" de la revista Gamarra, donde escribe sobre diversos temas relacionados con su especialidad. Recientemente ha publicado una compilación de estos artículos en una sección de su libro *Riqueza popular*. Villarán forma parte del consejo editorial de la revista *Gamarra*.

40   Fernando Villarán, en: *Revista Gamarra*, No. 60, octubre de 1998.

Es importante recalcar que el cierrapuertas convocado no hubiera tenido éxito de no ser por la participación activa de los propietarios de locales comerciales y galerías.

A raíz de esta coyuntura es que se forma la Coordinadora de Empresarios de Gamarra, organización que asume el liderazgo más visible de la movilización y las posteriores negociaciones con el gobierno, especialmente a través de su presidente, Juan Infante. El antecedente más directo de esta coordinadora es el "Patronato de Gamarra", institución creada a fines de 1996 con el objetivo de promover medidas para mejorar la infraestructura urbana y comercial del complejo victoriano. La primera junta de este patronato estuvo presidida por Juan Infante (quien en la actualidad sigue ocupando ese cargo) y conformada por connotados empresarios gamarrinos: Nemesio Guizado (Galerías Guizado), Luis Venero (Galerías Venero y Santa Rosa), Pedro Ayín (Galería El Rey de Gamarra), César Coloma (Coloma Import), Mirta Arroyo (TIMAS)[41].

Con respecto a Juan Infante, es interesante mencionar que se trata de un personaje particular en el contexto gamarrino, ya que no ejerce ninguna actividad directamente ligada con la industria o el comercio textil. Juan Infante es egresado de sociología de la Universidad Católica. Sus vínculos con Gamarra se remontan a inicios de los 90, época en la que todavía era estudiante y comienza a trabajar en una ONG, dirigida por Fernando Villarán, que desarrollaba actividades de promoción de la pequeña y micro-empresa en el complejo victoriano. A partir de esa experiencia, funda la revista Gamarra a inicios de 1994 junto con Fernando Villarán, de la cual se convierte posteriormente en el director[42]. Desde sus inicios, la revista Gamarra ha tenido una línea editorial muy clara respecto de los problemas de la zona, insistiendo particularmente en medidas que permitan un ordenamiento más eficiente de la actividad comercial y del espacio urbano, posibilitando así que el complejo Gamarra se desarrolle con mayor dinamismo y en una

---

41   *Revista Gamarra*, No. 37, enero de 1997.
42   La *Revista Gamarra* es propiedad de la Sociedad de Responsabilidad Limitada "Innovaciones Gamarra", cuyos principales accionistas son Juan Infante y Fernando Villarán.

lógica más racional. Si bien, como mencioné, Juan Infante no desarrolla una actividad en la industria textil, su revista se beneficia
de la publicidad que contratan las diversas empresas presentes en
el complejo.

Regresando a la marcha de setiembre de 1998, ésta demanda-
ba al gobierno que adopte medidas para combatir el contrabando
y la prohibición de la importación de ropa usada. En esos aspectos, los convocantes tuvieron cierto éxito. Fueron recibidos por el
entonces presidente del Congreso, Víctor Joy Way, y por autoridades del Ejecutivo, en especial el ministro de Industrias de esa
época. En este proceso fue importante la mediación del vicepresidente de la República, Ricardo Márquez, conocido empresario gamarrino, propietario de la marca de confecciones "Jeans Kansas".

Las negociaciones tuvieron resultados concretos importantes:
se obtuvo que el Congreso dicte una ley que prohibía la importación de ropa usada y que se nombre una Comisión de Lucha Contra el Contrabando, que posteriormente fue encabezada por el entonces ministro de Trabajo, Jorge Mufarech (empresario textil con
importantes vínculos con Gamarra). En esta comisión se logró
que los empresarios de Gamarra, representados por Juan Infante,
tengan participación como observadores, especialmente en las tareas de fiscalización que desarrolla la Superintendencia Nacional
de Aduanas.

Poco tiempo después de este éxito en la movilización, la inicial "unión" de los gamarrinos, quienes según Fernando Villarán
depusieron sus "egoísmos e individualismos", comienza a desva-
necerse rápidamente. Una serie de hechos como la receptividad
que mostró el gobierno frente a las demandas de los empresarios,
las cada vez más frecuentes visitas de autoridades del Ejecutivo al
complejo victoriano[43], y los anuncios de programas de apoyo y
asistencia a la actividad textil por parte de instituciones como
PROMTEX y PROMPYME, crearon importantes expectativas
acerca del apoyo estatal a las actividades económicas en Gamarra. Estas expectativas generaron conflictos en torno al liderazgo
y la representación de los intereses de los distintos actores pre-

---

43   En especial del entonces ministro de Trabajo, Jorge Mufarech.

sentes en el complejo y su negociación con las autoridades gubernamentales. Los inicios de la campaña en vistas a las elecciones presidenciales del 2000, donde está en juego la posible reelección del actual régimen, y la posibilidad de que el gobierno adopte medidas
que alivien la grave crisis por la que atraviesa el conjunto del empresariado nacional debido a la recesión económica (en especial
de sectores como el textil, fuertemente dependiente de la demanda interna), no hacen sino intensificar este conflicto por el liderazgo y representación en Gamarra, ya que ello puede determinar
quiénes serán los interlocutores que el gobierno vaya a tomar en
cuenta en la negociación de posibles beneficios económicos.

A esto hay que agregar que, desde inicios de 1999, con la nueva administración municipal de Somos Perú y sus anuncios de un
"reordenamiento del comercio ambulatorio" en Gamarra, otros
elementos entraron en el juego de intereses: el "relanzamiento"
de Gamarra como polo de atracción comercial para nuevos clientes; la posibilidad de una revalorización del patrimonio inmobiliario de la zona, que podía traer consigo un incremento de los
precios y alquileres de los locales comerciales pero también un
aumento en los impuestos locales.

Expresión de estas disputas, son los reclamos hechos por diversas personas y organizaciones para ser reconocidos como los
"verdaderos" organizadores del cierrapuertas y la marcha del 18
de setiembre de 1998, ya que se trata de un acontecimiento que
tuvo un eco masivo y consensual en Gamarra, generó la atención
de los medios de comunicación y la receptividad de las autoridades estatales. Según algunas de estas personas e instituciones,
tanto la Coordinadora de Empresarios de Gamarra como la revista Gamarra, ambas dirigidas por Juan Infante, se atribuyeron
erróneamente la iniciativa de esta movilización[44].

---

44   En la edición de agosto de 1998 de la revista *Gamarra* (No. 58), aparece un
editorial de Juan Infante proponiendo un cierrapuertas en Gamarra en protesta a la importación de ropa usada y el abandono del gobierno de la zona.
En la edición siguiente (No. 59) sacada a la venta el 17 setiembre de 1998,
aparece el comunicado de la Coordinadora de Empresarios Confeccionistas
y Textiles de Gamarra, convocando al cierrapuertas para el día siguiente. En
ese comunicado no se menciona la marcha.

Un ejemplo de esta búsqueda por el reconocimiento del liderazgo en la convocatoria de la marcha de setiembre de 1998, es lo
que me manifestaron en una entrevista los editores de la ya mencionada revista Gamanews. Esta revista, que aparece por primera
vez en 1996, es el principal medio periodístico que compite con la
revista Gamarra por la cobertura de los temas relacionados con el
conglomerado productivo y por la publicidad que ahí se genera:

> "En Gamanews hicimos en junio de 1998 una edición especial con
> respecto al tema de la ropa usada. Fue un conglomerado de cosas
> que hizo que la gente salga a la calle (la ropa usada, la recesión,
> la crisis). Lo de la ropa usada fue como un catalizador. Al principio
> nosotros publicamos ese especial de 15,000 ejemplares con un
> comunicado, luego los diarios y otros medios de comunicación
> tomaron la posta y dieron cobertura a ese problema. Algunos
> poderes económicos como Guizado y Alva contribuyeron con la
> idea de la marcha, se contó con el apoyo de la administración de
> los centros comerciales que cerraron sus locales y se hizo la
> marcha."

Por el lado de los confeccionistas, el dirigente de APEGA, Manuel Salazar también se atribuye un rol protagónico en la marcha:

> "La revista Gamarra nació aquí abajo, en el local de APEGA. La
> marcha de setiembre fue fruto de la unión de todos los gremios
> de Gamarra. Infante coordinó con varios gremios y él determinó
> que la marcha fuera hasta Palacio de Justicia. La gente me dijo que
> vayamos hasta el Congreso *porque yo era un verdadero representante
> de la gente de Gamarra,* Juan (Infante) no estaba de acuerdo pero
> finalmente llegamos hasta el Congreso."

En la medida que en los meses posteriores a la marcha la Coordinadora de Empresarios de Gamarra y Juan Infante adquirían
un mayor protagonismo en los diversos medios de comunicación[45] así como en algunas de las iniciativas emprendidas por el

---

45   En esos meses aparecieron varios reportajes y notas periodísticas tanto en la
     televisión como en la prensa escrita sobre el tema de Gamarra, la crisis por la

gobierno para enfrentar los problemas de Gamarra[46], las críticas a esta organización y su presidente se incrementaban. Uno de los principales grupos que cuestionaban la legitimidad de este liderazgo estaba conformado por dirigentes de asociaciones de confeccionistas. Los principales argumentos para cuestionar la legitimidad de esta organización giran en torno al hecho de que está integrada por medianos y grandes comerciantes, importadores de insumos y propietarios inmobiliarios cuyos intereses son contrarios a los de la pequeña y micro empresa confeccionista. Juan Infante, por ser la cabeza más visible de la coordinadora, es un blanco especial de las críticas, sobre todo porque no tiene ninguna actividad directamente vinculada con la confección textil.

El particular proceso de formación de un complejo industrial y comercial tan importante como Gamarra ha contribuido a generar una imagen especial de este lugar, así como de las personas que allí trabajan. Se lo asocia con la inventiva, la innovación y la capacidad de progreso de sectores sociales "populares"[47], normalmente dejados de lado por la modernidad económica (los inmigrantes, los informales, los pequeños empresarios). En tal sentido se ha generado una especie de "mitología" de Gamarra que sirve como arquetipo positivo asociado al progreso económico y social, y que es recogida en los discursos de diversos sectores e instituciones de la sociedad como el Estado, los medios de comunicación, el mundo académico, las ONGs, la literatura, etc.

Asociarse con esta imagen y reivindicar el monopolio de la "identidad gamarrina" forma parte de los recursos que se pone en movimiento para descalificar a los adversarios o legitimar la

que atravesaba y las medidas que el gobierno iba adoptando para enfrentarla (notas periodísticas sobre visitas de ministros y funcionarios del gobierno a Gamarra, conferencias de prensa, cobertura de las acciones de la Comisión de Lucha Contra el Contrabando, etc.). En esta cobertura periodística aparecía a menudo el nombre de la Coordinadora de Empresarios de Gamarra y la figura de Juan Infante, quien además fue entrevistado en varias ocasiones.

46   Como dijimos, Infante, en representación de los empresarios de Gamarra, participaba como "observador" en la Comisión de Lucha Contra el Contrabando, presidida por el ministro de Trabajo Jorge Mufarech.

47   El título e incluso el contenido del libro de Fernando Villarán *Riqueza popular*, en donde la experiencia de Gamarra tiene un lugar central, es ilustrativo de este fenómeno.

propia posición, en el contexto de un conflicto por la representación de esta zona frente a las instituciones públicas. Como mencionan los directores de la revista *Gamanews*:

"En la actualidad hay en Gamarra ciertos intereses políticos creados por Infante y su grupo, que es un grupo de empresarios que han diversificado sus inversiones y que tratan de beneficiarse con el nombre de Gamarra, *porque Gamarra es como una marca que da cierto prestigio*. Ellos han creado una serie de expectativas con respecto a cosas que el gobierno puede hacer (...) En base a ello se han creado expectativas e intereses políticos."

Para los sectores confeccionistas ser "gamarrino" y, más importante, tener derecho a reclamarse como tal frente al resto de la sociedad, implica desarrollar principalmente una actividad industrial (confeccionar la ropa) y además una cierta dosis de sufrimiento y sacrificio, haber pasado por penurias que les han permitido "salir adelante" y ganarse un "derecho de piso".

Por ejemplo, cuando en una entrevista con un dirigente de una organización de confeccionistas se tocó el tema del vicepresidente de la República Ricardo Márquez y su rol como representante de los empresarios de Gamarra en las altas esferas del gobierno, este dijo:

"El caso de Márquez es diferente, él es el hijo de la dueña de Jeans Kansas, está donde está porque sus padres le dieron lo que tiene. El no ha sufrido como otros. En mi caso, mis padres quebraron y tuve que tomar las riendas de la familia y empezar desde abajo. Empecé como ambulante vendiendo ropa y poco a poco fui acumulando capital y pude formalizarme."

Los mismos ambulantes usan este tipo de argumentos en su discurso. En una reunión donde se discutía sobre el problema del desalojo, una de las participantes exclamó "¡Si nos botan se acabó Gamarra!". Más arriba citaba a Felipe Dávila, dirigente de los informales, cuando decía que fueron los ambulantes que crearon el mercado en Gamarra.

En estos y otros testimonios encontramos la reivindicación del origen e identidad "popular" y "sacrificada" de Gamarra. El no poseer estos atributos descalificaría a los que "quieren irrogarse una representatividad que no tienen", en palabras de otro dirigente de confeccionistas, al referirse a los miembros de la Coordinadora de Empresarios de Gamarra.

Si bien muchos de los miembros de la coordinadora o de los empresarios cercanos a ella han tenido orígenes modestos y "sacrificados", para sectores como los confeccionistas o los ambulantes no son sino un grupo de poder económico que quiere aprovecharse de Gamarra:

"A Juan (Infante) le apoyan personas con mucho poder económico, 3 o 4 millonarios que quieren dominar a Gamarra, como Guizado y Alva. ¿Qué le interesa a Juan lo que le pase a Gamarra si él no es confeccionista?" (Dirigente confeccionista)

Por el lado de los empresarios con mayor poder económico, uno de los argumentos que presentan para legitimar sus demandas y su posición como intermediarios en las negociaciones con las autoridades es justamente el hecho de tener propiedades e importantes sumas de capital invertido en el complejo, tal y como mencionamos al citar a uno de ellos páginas arriba.

Las habilidades empresariales modernas, la eficiencia, los intereses económicos, pero también el origen popular, el sufrimiento, la condición de inmigrantes o de hijo de tales, se combinan para construir una imagen que se moviliza políticamente. En ciertos casos se apela a diferenciaciones de tipo clasista (los poderes económicos versus los modestos y laboriosos confeccionistas / los propietarios versus "las aves de paso" no propietarias) en un contexto donde casi todos los actores involucrados se autodefinen como empresarios capitalistas[48]. Es interesante observar como en los mismos actores hay una combinación de lógicas y pautas para construir y legitimar una identidad y una posición

---

48 Uno de los dirigentes de las organizaciones de confeccionistas decía, al referirse a la competitividad y lógica económica gamarrina, que "antes de que Fujimori liberalizara el mercado, Gamarra ya era libre".

social, que es utilizada como un recurso político importante en la medida que permite reivindicar un rol de mediación tanto al interior del grupo social como hacia afuera.

El desenlace de este conflicto por la representación de Gamarra era bastante predecible y fue finalmente favorable para el sector con mayor poder económico. Básicamente lo que pesó fue su mayor cantidad de contactos políticos y acceso a los medios de comunicación. En este último punto el rol de la revista Gamarra fue un factor importante.

En la coyuntura del desalojo de los informales de Gamarra, se produjeron dos marchas convocadas por los empresarios formales pidiendo el apoyo de las autoridades gubernamentales para que respalden o concluyan las acciones emprendidas por la municipalidad. En esos días, los dirigentes de APIC y APEGA anunciaron por televisión su intención de formar otra coordinadora de empresarios desconociendo la representatividad de Juan Infante. En la segunda marcha de empresarios formales, convocada por las dos coordinadoras, hubo algunos incidentes entre estos grupos. Sin embargo quien a la larga recibió la mayor cobertura mediática y pudo finalmente imponerse como principal interlocutor de los empresarios gamarrinos, tanto frente al gobierno central (en el caso de la participación en la comisión de lucha contra el contrabando) como frente al municipio distrital (en el caso del desalojo y la posterior remodelación de las calles de Gamarra[49]), fue el grupo liderado por Juan Infante.

Si bien la Coordinadora de Empresarios de Gamarra logró ubicarse como la principal "representante" de Gamarra frente al resto de la sociedad, no se trata de una representación consensual al interior del complejo ya que, como hemos visto, hay muchos cuestionamientos por parte de un grupo importante de actores gamarrinos (los confeccionistas) que son conscientes de su posición de subordinación frente los principales poderes económicos

---

49   Días después de la inauguración de las obras de remodelación del complejo Gamarra, la Coordinadora de Empresarios promovió una campaña de relanzamiento comercial de la zona, con desfiles de modas y actividades artísticas, que tuvo cierto eco en la prensa.

de la zona, quienes controlan el mercado de comercialización de insumos y el mercado inmobiliario.

No se trata de un "concurso de popularidad" o una carrera por los votos de los gamarrinos para elegir un representante. Es más bien un conflicto político pero en el que los intereses que están en juego son esencialmente económicos. Se trata principalmente del reconocimiento de interlocutores por parte de actores externos a Gamarra (el Estado, los municipios, la "opinión pública") que consolida una posición de hegemonía económica al interior del complejo, para obtener de estos actores externos los recursos o medidas funcionales a los intereses del grupo que logra convertirse en el principal poder local. En tal sentido, la construcción y movilización política de una identidad social y cultural no basta para hegemonizar los mecanismos de mediación política, es necesario en primer lugar demostrar un poder económico importante que es acompañado por la capacidad de desarrollar contactos políticos con los actores externos para reforzar ese poder. Es por ello que un personaje aparentemente tan distinto del "típico gamarrino", como Juan Infante (limeño, sociólogo de una prestigiosa universidad privada, editor de una revista, etc.), puede aparecer como el principal líder de la zona, tanto frente al resto del país como incluso a nivel internacional[50]. Que posteriormente esta posición hegemónica se relacione con la "identidad gamarrina" puede contribuir a legitimarla, pero no es el elemento fundamental que le da origen.

Apelar a la identidad social y cultural de Gamarra es un recurso fundamentalmente utilizado por los actores que en este conflicto tienen menos poder: los confeccionistas. Esto puede funcionar en cierta medida al interior del grupo social, aunque el contexto de ardua competencia y de individualismo que caracteriza Gamarra es un serio límite para la consolidación de una representación hegemónica y legítima. Sin embargo, ya que el objetivo fundamental de estas disputas por la representación era el reconocimiento por parte de actores externos a Gamarra, la movi-

---

50   Este año, la cadena de noticias CNN en Español incluyó a Juan Infante entre la lista de "líderes para un nuevo milenio" en América Latina.

lización política de la identidad social y cultural de la zona no fue suficiente.

Un corolario de los procesos que he descrito en esta sección es la consolidación más clara del grupo de poder económico de Gamarra que es acompañada por una formulación más precisa de sus intereses y proyectos respecto de esta zona. La Coordinadora de Empresarios de Gamarra es un espacio donde se configura un programa de desarrollo local, destinado a convertir a este complejo en el principal centro textil y de moda del país e incluso de América Latina[51], conquistar nuevas clientelas en la capital (atraer a los famosos sectores "B" y "A" de las encuestas), revalorizar la inversión privada en la zona (esencialmente inmobiliaria), ocupar mejores posiciones y obtener el reconocimiento del empresariado gamarrino en las principales instancias gremiales del empresariado privado nacional. Parte de esos objetivos implica vincularse con las instituciones de gobierno local para que promuevan las medidas necesarias a la revalorización económica del espacio urbano gamarrino. En este proceso de elaboración de un "programa" de desarrollo local, han jugado un rol central personajes vinculados al mundo académico, de las ONGs y los medios de comunicación (como Infante y Villarán) que, retomando la terminología de Gramsci, se han convertido en una especie de "intelectuales orgánicos" de los empresarios gamarrinos.

3. DEL "JIRÓN" AL "BOULEVARD" GAMARRA: EL CONFLICTO POR LAS CALLES

La nueva gestión de Somos Perú en La Victoria, iniciada en enero de 1999, ha significado un cambio importante en la relación del municipio con el complejo de Gamarra. Un mes antes de asumir su cargo, el nuevo alcalde Jorge Bonifaz anunció su voluntad de erradicar a los comerciantes informales de Gamarra como una de

---

51 En la campaña de "relanzamiento" de Gamarra promovida por la Revista Gamarra luego del desalojo de los comerciantes informales, el eslogan enarbolado era "Convertir a Gamarra en la Capital Latinoamericana de la Moda en el 2000".

las primeras medidas de su gestión. Este anuncio, por otro lado, puso en movimiento a las organizaciones de informales, que comenzaron a desarrollar estrategias para enfrentar a esa amenaza. Como mencioné páginas arriba, las organizaciones de comerciantes ambulantes juegan un rol central en el proceso de consolidación de su permanencia en las calles. En un trabajo sobre el comercio ambulatorio en Lima, desde una perspectiva jurídica, Enrique Ghersi[52] desarrolla una reflexión sobre la normatividad que rige en el comercio ambulatorio limeño.

De acuerdo con este texto, entre los vendedores ambulantes se crea un tipo de normatividad extra-legal, basada en mecanismos de derecho consuetudinario, que legitima la posesión y permanencia de un espacio en la vía pública para desarrollar su actividad. Es lo que Ghersi llama "el derecho especial de dominio". Este tipo de "derecho" es un fenómeno que se desarrolla entre los vendedores ambulantes que dejan de ser ambulantes, para instalarse con cierta estabilidad en un espacio determinado, pero sin dejar la informalidad[53].

---

52   Enrique Ghersi, "Normatividad extra-legal en el comercio ambulatorio", en Enrique Ghersi (ed.), *El comercio ambulatorio en Lima Metropolitana*, Instituto Libertad y Democracia, Lima, 1989.

53   Enfocar el tema de la informalidad desde una perspectiva jurídica, donde además intervienen análisis de racionalidades económicas de costo-beneficio desde una óptica de la teoría económica neoclásica, ha sido motivo de un debate importante en las ciencias sociales latinoamericanas. Esta perspectiva ha sido expuesta en varios trabajos, uno de los más importantes es *El Otro Sendero* de Hernando de Soto, cuyo Instituto Libertad y Democracia ha promovido reflexiones similares como las del libro del cual Ghersi es editor. Estos trabajos tienen en común identificar las causas de la informalidad con las barreras institucionales, fundamentalmente del Estado, que impiden el funcionamiento adecuado de los mecanismos del mercado, que son conocidos y utilizados eficientemente por los "empresarios" informales. Una de las críticas más importantes de este enfoque han sido expuestas en un estudio acerca del sector informal urbano en Lima Metropolitana, auspiciado por el Programa Regional de Empleo para América Latina y el Caribe (PREALC) y conducido por Daniel Carbonetto, Jenny Hoyle y Mario Tueros (*Lima: Sector Informal*, CEDEP, Lima, 1998), que relacionan el fenómeno de la informalidad con la heterogeneidad estructural de las economías y sociedades latinoamericanas y no con un problema de normatividad jurídico-administrativa obstructora de las iniciativas empresariales. No es nuestra intención entrar en este debate. A pesar de sus críticas, el enfoque que intelectuales como Ghersi

Los factores que permiten la consolidación de derechos especiales de dominio sobre ciertas áreas de la vía pública tienen que ver con la presencia física de los comerciantes informales en un determinado lugar, el transcurso del tiempo, las organizaciones de ambulantes y su capacidad de negociación, así como con la reacción de las autoridades, fundamentalmente las locales.

Según Ghersi, si bien la invasión de las calles es al principio un hecho individual y espontáneo, una vez instalados los ambulantes en un lugar surge la necesidad de generar acuerdos para asegurar la autodefensa y la permanencia de los puestos en el lugar. Hemos visto, sin embargo, que no siempre se trata de un hecho individual, en muchos casos se trata de estrategias familiares y comunitarias que permiten la ocupación de un lugar, mediante invasiones organizadas, y la permanencia en el mismo a través de la rotación de miembros de la familia nuclear o extensa en el puesto. Esta estrategia colectiva puede dar lugar a que miembros de un mismo grupo familiar (y en algunos casos de una misma comunidad) logren ocupar varios puestos en la calle. Páginas arriba reseñé la experiencia de los comerciantes informales de la cuadra 8 del Jr. Gamarra, relatada por su dirigente Augusto Allca, que ilustra bien sobre estos fenómenos.

La generación de acuerdos entre los informales da lugar a la creación de organizaciones que permitan resolver conflictos de posesión de las calles entre sus miembros, protegerse de la invasión de otros ambulantes ajenos a la organización en la zona ocupada y negociar con las autoridades compromisos que garanticen la permanencia de los puestos en la calle. Para Ghersi, la organización y la permanencia de los ambulantes en un puesto permite asegurar la consolidación de los "derechos especiales de dominio". El proceso de asociación sería posterior al momento en el cual la ocupación ha valorizado una ubicación, y forma parte de un acto racional, en base al cálculo de costos y beneficios, que permitiría proteger una inversión económica.

proponen nos parece interesante para entender las estrategias sociales y políticas de los comerciantes ambulantes en el contexto que pretendemos analizar.

Sin embargo, es preciso anotar que otros elementos, además de las racionalidades económicas, intervienen en la consolidación de los derechos especiales de dominio y en la aparición de organizaciones que los garanticen. Se trata de relaciones de confianza interpersonal, basadas sea en vínculos de parentesco o comunitarios (entre paisanos o vecinos). Frente a la ausencia de mecanismos institucionales que puedan generar sanciones frente al incumplimiento de acuerdos o contratos, los pactos "informales" necesitan de algún nivel de confianza, y por lo tanto de conocimiento cercano entre las personas que puedan sustentarlos. Esta confianza interpersonal, que sustenta a las organizaciones, permite además generar una reputación al interior de un grupo reducido de informales, lo que resulta clave para la consolidación de una ubicación fija en las calles y el funcionamiento de otros tipos de mecanismos económicos, como el crédito informal[54].

Cuando hay conflictos entre los informales o se necesita garantizar el cumplimiento de los acuerdos, uno de los pocos mecanismos con los que cuentan estos actores es la presión del grupo. En este sentido se crean diferentes instancias para la resolución de desacuerdos, estando en primer lugar el rol de los dirigentes y, cuando su mediación no funciona, las asambleas.

La presión del grupo como mecanismo de resolución de conflictos puede manifestarse mediante el cuestionamiento de la buena reputación de quien se aparta de las decisiones comunes (que afecta, por ejemplo la credibilidad ante los potenciales prestamistas de dinero), o bien mediante el hostigamiento. Por ejemplo, en un comunicado aparecido a principios de enero de 1999, firmado por diferentes asociaciones de ambulantes de Gamarra, se especificaron las primeras medidas que se tomarían en previsión del desalojo anunciado por Bonifaz. Estas medidas consistían en una jornada de limpieza de las calles del complejo como una forma de mejorar la imagen del comercio ambulatorio frente a la "opinión pública" y ante las autoridades, mostrando un gesto de buena voluntad. Además se acordaba el cobro de una cotización de 5 soles

---

54   Para que el crédito informal funcione también es necesario que el lugar ocupado en la calle tenga un potencial económico importante en términos de clientela, como sucedía en Gamarra hasta antes del desalojo.

por asociado para solventar los gastos de las acciones a tomar y las negociaciones con la municipalidad. Para controlar el cumplimiento de los acuerdos, el comunicado advertía que:

"7.- La comisión se encargará de inspeccionar que el asociado cumpla con el alineamiento, altura y entre otros a partir del día sábado 9 de enero en forma indefinida.
8.-El asociado que no cumpla con todos estos acuerdos serán suspendidos con 2 días de su sitio de trabajo, *haciéndole escándalo con todos los compañeros.*"[55]

Existen tres diferentes niveles de organización de los comerciantes informales. El primero y más elemental de ellos agrupa a los ambulantes de una misma cuadra o incluso de la mitad de una cuadra, siendo ejemplos de esto la ya citada Asociación 8 de Enero de la cuadra 8 del Jr. Gamarra y la Asociación Juan Velasco Alvarado que agrupa a los informales de la primera mitad de la cuadra 6 del mismo jirón. Es a este nivel donde las organizaciones pueden cumplir con mayor eficacia su rol de mediación de conflictos entre sus miembros, ya que las redes de confianza interpersonal son más fuertes. Sin embargo cuando se trata de negociar con las autoridades municipales son necesarias agrupaciones de mayor envergadura.

Un segundo nivel consiste en la asociación de algunos de estos primeros tipos de organizaciones. En nuestro caso pude conocer y entrevistar a dirigentes de la Central Coordinadora de Asociaciones Autónomas de Comerciantes de Gamarra (CCAACG) creada recientemente en 1997[56]. Otra de estas organizaciones presentes en Gamarra desde hace ya varios años es la Asociación Túpac Amaru II (ATA) que mencioné páginas arriba. Si bien en sus orígenes la ATA agrupaba a ambulantes de Gamarra, poco a poco los miembros pertenecientes al grupo de ambulantes de La Para-

---

55 El subrayado es nuestro.
56 Entre sus bases se encuentran, entre otras la Asociación 8 de Enero y la Juan Velasco Alvarado. Felipe Dávila, presidente de ésta última es el coordinador general de la CCAACG.

da fueron adquiriendo mayor importancia en las bases y en la dirigencia.

El tercer nivel son las centrales o federaciones de asociaciones de informales. En La Victoria existe el Frente Unico de Trabajadores Ambulantes de La Victoria (FUTAVIC) creado en 1997 y producto de la concertación de los ambulantes del distrito frente a los primeros intentos de reorganización del comercio informal por parte de la gestión de Olazábal, que culminaron en un primer acuerdo entre el municipio y los ambulantes. Las bases de la FUTAVIC están compuestas por una serie de asociaciones que hemos llamado de segundo nivel de comerciantes informales, en especial de los alrededores de La Parada y de Gamarra, aunque son los primeros quienes constituyen el contingente de mayor importancia e influencia en ella.

Los mecanismos que pueden crear solidaridad y confianza, así como una presión social mayor del grupo sobre sus miembros, funcionan en grupos no demasiado extensos de personas. Hay que recordar que al igual que otros actores gamarrinos, las actividades de los informales se desarrollan en un clima de ardua competencia (sea por la clientela o por las mejores ubicaciones). Esta es una de las razones por las cuales, salvo en contextos donde la amenaza externa es importante y pone en peligro la estabilidad de todo un sector de informales (como el desalojo de Gamarra), las instancias que centralizan las distintas organizaciones de ambulantes no tienen un funcionamiento continuo o una legitimidad reconocida en forma amplia.

La aparente centralización de las asociaciones de trabajadores informales dista mucho de la realidad y tal como sucede entre las organizaciones de empresarios formales, los conflictos por la representación del comercio informal son muy intensos. Lo que está en juego es la capacidad de los dirigentes de negociar las demandas de los informales frente a la autoridad municipal, así como permitir el acceso de nuevas personas a puestos de trabajo en las calles de las zonas que controlan, funciones que "autorizan" a los dirigentes disponer de las cotizaciones de sus miembros, tanto para sus gastos de representación como para su propio provecho personal. Muchos de los dirigentes han asumido esa actividad como medio de vida. Vendedores ambulantes y empresarios formales me han informado que algunos dirigentes controlan el tráfico de los puestos callejeros mediante una red de allegados o de matones que contratan entre los habitantes de las zonas más peligrosas de La Parada. Ello convierte a algunas agrupaciones de segundo y tercer nivel en organizaciones de tipo mafioso.

En algunos casos los conflictos por el control de estas organizaciones asumen formas claramente delincuenciales. Tuve conocimiento del caso de un secretario de organización de la Asociación Túpac Amaru que fue asesinado en abril de 1996 en circunstancias poco claras, que según algunas versiones tenían que ver con desacuerdos profundos en la forma de negociar con la nueva administración municipal de Olazábal que se instaló en enero de ese año. Otras versiones mencionaban más bien que se trataba de disputas privadas que no tenían nada que ver con la marcha de la organización. Más allá de cuál es la versión correcta, el hecho que se mencione en algunas de ellas los conflictos al interior de la asociación es indicador que se trata de un problema común que puede adquirir proporciones graves en el mundo informal de esta zona.

En ocasiones, el cuestionamiento de las federaciones o los frentes de trabajadores informales provocan la ruptura de los mismos y la conformación de otros. Esto es posible cuando las bases cuentan con una posición privilegiada en el contexto de las calles dedicadas al comercio informal, lo que les permite a sus miembros mayores niveles de autonomía. Este es el caso de los vendedores informales del jirón Gamarra (la calle más "atractiva", comercialmente hablando), cuyas asociaciones por cuadra decidieron separarse de la Asociación Túpac Amaru y formar la Central Coordinadora de Asociaciones Autónomas de Comerciantes de Gamarra (CCAACG), ya que cuestionaban la transparencia de su mediación con el municipio. Augusto Allca, dirigente de la asociación 8 de Enero de la cuadra 8 del jirón Gamarra, nos contó cómo decidieron formar la CCAACG a mediados de 1997:

"Nosotros los de 8 de Enero llegamos a la Central Coordinadora porque antes había una junta directiva Túpac Amaru que centralizaba todo lo que es el comercio informal de La Victoria y abusaba de las asociaciones con cobros de hasta 7 soles por persona. Nos dimos cuenta que el municipio tenía un reglamento para el comercio informal, conversando con el propio Olazábal nos dijo que si queremos trabajar en Gamarra teníamos que cumplir con el reglamento. Me di cuenta que lo que decía Túpac Amaru no era cierto, que no negociaban con el alcalde y más bien se enfrentaban, ellos nos engañaron y por eso me acusaron de amarillo y de chupamedias del alcalde por criticarlo (al dirigente de Túpac Amaru). Entonces decidimos salirnos de Túpac Amaru y formar la central."

En este corto testimonio podemos apreciar también que una de las estrategias de negociación de los dirigentes y de las asociaciones con las autoridades municipales es mostrar ante sus bases un cierto radicalismo y vehemencia que los legitima como defensores de sus intereses. Estas posiciones extremas son a menudo rechazadas por las bases ya que la permanencia en la calle de los informales depende mucho del consentimiento del municipio. Para callar las críticas de sus miembros, las federaciones y centrales utilizan mecanismos de presión que intentan afectar la reputación de los posibles desertores, acusándolos de amarillos y de poner en peligro la unidad de los informales al intentar negociar por su cuenta.

Tuve la ocasión de presenciar una reunión de dirigentes de las asociaciones por cuadras de la Central de Asociaciones Autónoma de Comerciantes de Gamarra 6 días antes del primer desalojo realizado el 18 de febrero de 1999. Allí se discutieron las alternativas que los ambulantes podían negociar con la municipalidad, cuyas autoridades habían accedido a conversar con ellos en una reunión concertada para pocos días después. Uno de los acuerdos fue solicitar por lo menos un plazo adicional para la reubicación luego de la campaña escolar de marzo y abril, momento en el cual se pueden hacer ventas importantes de prendas. Sin embargo, los dirigentes no se atrevieron a llegar a acuerdos definitivos sin que antes se convocara a una asamblea de "todos" los comerciantes ambulantes de Gamarra, cosa que era difícil debido el corto plazo que quedaba y sobre todo porque nadie en la zona sabe quiénes y cuántos son "todos" los ambulantes. El temor era generar la desconfianza de las bases hacia sus dirigentes en la creencia de que se estaba negociando a sus espaldas y obteniendo algún beneficio a cambio de una transacción pacífica. Se quería evitar la acusación de "amarillos" y "chupamedias" del alcalde, lo que podía dar pie a que dirigentes de otras centrales de ambulantes (como la Túpac Amaru) se aprovecharan de la situación asumiendo una actitud más "combativa". El temor de perder la legitimidad de las bases paralizó la capacidad de negociación de las organizaciones y es un indicador de la fragilidad de las iniciativas de centralización.

En una entrevista, un dirigente de ambulantes expresaba este tipo de preocupaciones y problemas en los siguientes términos:

"En cuanto a las federaciones son más de tipo político y no hacen propuestas, ellos plantean simplemente quedarse en la calle. Nosotros no nos caracterizamos por enfrentarnos a la municipalidad, queremos el diálogo con la municipalidad para formalizarnos. Pero los mismos compañeros han trabajado sólo para lo suyo y no han dado confianza a los dirigentes. Yo mismo como dirigente tengo procesos por malversación de fondos. Cuando el dirigente va ha conversar con el alcalde ya piensan que se ha vendido o es un amarillo."

Me parece interesante señalar que argumentos aparentemente contrapuestos aparecieron en la reunión mencionada, cuando se discutía sobre la necesidad de llegar a acuerdos consensuales que no fueran motivo de desconfianza de las bases. Por un lado se hablaba de la necesidad de la "unidad de los hermanos ambulantes y compañeros", que representan "la voz del pueblo que debe ser escuchada por los dirigentes", mientras que al mismo tiempo se reconocía la desconfianza generalizada entre los miembros de la base y entre los propios dirigentes. Se hablaba de la existencia de varios "Pepe el vivo" que sólo buscan beneficiarse de lo que se logra en conjunto, mientras se aseguran un nuevo puesto en otro lado o regresan a los locales que poseen en las galerías de la zona. Es una especie de esquizofrenia que oscila entre la valoración casi mítica de la unidad de las bases y los intereses individuales siempre presentes. Las estrategias resultantes son fruto de esa ambigüedad: apoyar acciones unitarias, incluso radicales, que puedan significar algún beneficio (como un plazo adicional para quedarse en las calles), al mismo tiempo que se ponen en marcha salidas individuales.

Que ciertos grupos negocien con la autoridad por fuera de los canales centralizados es un riesgo para la continuidad de los dirigentes. Como se mencionó, ser dirigente es también un medio de vida que trae beneficios económicos que no dejan de ser importantes en un medio tan precario como el del comercio informal.

Cuando entre febrero y marzo del 1999 se hizo evidente que el municipio no iba a retroceder en su decisión de erradicar el comercio informal de la zona de Gamarra y de la Avenida Aviación, la actitud de los dirigentes de algunas organizaciones de segundo y tercer nivel (en particular la FUTAVIC y la Túpac Amaru) se radicalizó. Las asociaciones de menor nivel que eran conscientes de lo inevitable del desalojo intentaron negociar separadamente alternativas de reubicación con la municipalidad, lo que provocó represalias importantes. Varios dirigentes, en especial de las asociaciones de primer nivel y algunos de las de segundo nivel (como la CCAACG), fueron hostigados por la FUTAVIC, llegándose incluso a atentar físicamente contra dirigentes que intentaron negociar acuerdos por separado.

Hemos visto que hay una amplia gama de formas mediante las cuales las organizaciones generan sistemas que aseguran los "derechos especiales de dominio" entre los ambulantes, resolver conflictos al interior del grupo, así como los beneficios que de ellos puede obtenerse. Estas formas van desde redes de confianza interpersonal, presiones del grupo, hostigamiento y hasta amenazas físicas. Cuanto menos cercanía hay en el grupo de pares, las confianzas se debilitan y se recurre más a elementos coercitivos que pueden llegar al uso de la violencia, como en el caso de las centrales. Ello parece suceder cuando lo que está en juego es la continuidad de la ocupación de las calles y las alternativas en las negociaciones con la autoridad municipal se van agotando, lo que puede radicalizar las posiciones de quienes tienen en las asociaciones un medio de vida.

Si bien estos son algunos de los mecanismos que se utilizan en la negociación de acuerdos y reglas entre los propios ambulantes, cuando se negocia con la municipalidad, las estrategias son distintas. Aquí de lo que se trata, como bien señala Ghersi, es extraer del Estado elementos de seguridad para la continuidad del uso de la vía pública como recurso económico y de sobrevivencia. En tal sentido, a diferencia de lo que sucede dentro del grupo donde la confianza interpersonal es un elemento importante, el reconocimiento "formal" de una situación "informal" resulta central.

Los acuerdos que se llegan entre los dirigentes y los municipios deben traducirse en documentos o medidas que aparenten una cierta legalidad y por lo tanto legitimen la situación de informalidad. Un ejemplo de ello es lo que ocurre con las impuestos municipales que pagan los ambulantes tales como la sisa o el "Derecho de Ocupación de la Vía Pública".

Por otro lado, los dirigentes de los ambulantes tienen siempre el cuidado de llevar a todas sus reuniones copias de las actas y los documentos que son producto de las negociaciones con la municipalidad y al interior de las mismas asambleas de informales. Entre estos documentos tienen un valor especial aquellos que contienen las ordenanzas municipales que regulan el comercio informal, como un reglamento que publicó el municipio de La Victoria a fines de 1996 donde se establecían los "módulos ambulantes" en la zona de Gamarra.

Estos documentos son enarbolados como símbolos de reconocimiento y legitimidad en toda reunión. En algunos casos se interpreta en forma positiva algunas disposiciones que van en contra de los intereses de los vendedores informales, como ocurrió con la ordenanza que publicó el municipio de La Victoria en enero de 1999, en la cual se anunciaba el desalojo de los comerciantes ambulantes de la zona de Gamarra y la Avenida Aviación. En esa ordenanza la municipalidad daba un plazo de seis meses para reordenar el comercio informal. Los dirigentes de los ambulantes, aconsejados por los abogados que contrataron, interpretaron que tenían seis meses más para quedarse en sus puestos y en la acción de amparo que presentaron al Poder Judicial para evitar el desalojo argumentaron que la propia municipalidad violaba su ordenanza al proceder con el desalojo 5 meses antes de culminado el plazo. Obviamente, lo que la administración local quería decir es

ROL DE ORGANIZACIONES DE INFORMALES EN LA CONSOLIDACIÓN DE LOS DERECHOS ESPECIALES DE DOMINIO

TIPO DE ORGANIZACIÓN	FUNCIONES	MECANISMOS
Primer nivel: Base: por cuadra o media cuadra	■ Reforzar cohesión y resolver conflictos al interior del grupo. ■ Regular acceso a los puestos en la calle. ■ "Aguantar" presiones de comerciantes formales y vecinos. ■ Negociar con autoridades de nivel inferior.	■ Redes de confianza interpersonal (familiares, paisanos, allegados, vecinos) ■ Dirigentes de base como mediadores o acuerdos de asambleas. ■ Formas de presión grupal para hacer acatar los acuerdos (desprestigio, escándalo). ■ Negociar acuerdos con vecinos o comerciantes formales (acceso libre, limpieza, seguridad) ■ Acuerdos o corrupción de funcionarios de menor nivel (coimas, jornadas de limpieza).
Segundo Nivel: Centrales o federaciones	■ Regular acceso a la calle. ■ Resolver conflictos entre grupos de ambulantes (p.ej. org. de base) ■ Extraer del Estado elementos de seguridad para el uso de la vía pública.	■ Dirigentes como mediadores ■ Formas de desprestigio entre dirigentes ("amarillos" o "vendidos"). ■ Mecanismos de presión grupal o de tipo "mafioso" (amenazas, violencia). ■ Negociación de ordenanzas, reglamentos o impuestos con las autoridades municipales de mayor nivel (alcalde, regidores, directores munic.)

que en el transcurso de esos seis meses debía reordenarse el comercio ambulatorio.

Este tipo de utilización de mecanismos institucionales para legitimar prácticas que son informales tiene alguna semejanza con lo que Merton describe como conducta ritualista[57] en su teoría de la anomia. Según Merton, este fenómeno es un tipo de conducta desviada que representa un mecanismo de adaptación frente a una situación de incompatibilidad entre las normas institucionales, los valores culturales y los medios que la estructura social deja a disposición de las personas para llevarlos a cabo. El ritualismo es una situación donde "se abandonan las aspiraciones culturalmente definidas mientras se sigue acatando en forma casi compulsiva las normas institucionales"[58]. Sin embargo, Merton agrega que el ritualismo "es consecuencia no tanto de la superidentificación con las reglas y la habituación a las prácticas consagradas, *como de la falta de seguridad en las relaciones sociales importantes dentro de la organización*"[59], en consecuencia el ritualista social es quien "reacciona a una situación que parece amenazadora y provoca desconfianza aferrándose todo lo más estrechamente posible a las rutinas seguras y a las normas institucionales"[60].

Al hacer referencia a la teoría de la anomia de Merton es necesario tener cuidado de no identificar mecánicamente conductas observadas con conceptos teóricos. Para ello es necesario considerar el contexto de normas y procesos estructurales que provocan la aparición de este tipo de conductas. En nuestro caso estamos en una situación de heterogeneidad y multiplicidad de los principios que organizan el orden social, donde si bien existen marcos de normas institucionales, éstos son frágiles y son sólo uno de los referentes que pueden ser escogidos para construir y dar sentido a las estrategias de los actores. Mencioné en la introducción la propuesta de Catalina Romero acerca la sociedad peruana como

---

57 Robert K. Merton, *Teoría y estructura sociales*, Fondo de Cultura Económica, 2da. Ed. México, 1964, p. 191-194.
58 Ibid, p. 191.
59 Ibid, p. 192, el subrayado es nuestro.
60 Ibid, p. 193.

fruto de "arreglos" entre diversos órdenes heterogéneos y contradictorios a partir del cual se habría configurado una idiosincrasia, normas y reglas de juego comunes, que nos da un principio de unidad, pero con la dificultad que ello implica para generar consensos duraderos. En tal sentido, según Romero, la anomia en el Perú estaría "institucionalizada", lo que nos remite a una condición estructural de la sociedad más allá de la descripción de conductas individuales[61].

Frente a una situación caracterizada por sistemas y principios heterogéneos pero interrelacionados, surge el problema de la falta de confianza en las relaciones sociales y de la estabilidad de los acuerdos. Sin embargo, en nuestro caso las conductas que podrían calificarse como anómicas —como el ritualismo— no representan, a diferencia de lo que plantea Merton para la sociedad norteamericana de los años 30, un tipo de conducta desviada, ya que no existe un orden tanto de valores culturales como de mecanismos institucionales de acción que sea hegemónico y claro para todos y que imponga una regla estable. Las conductas que he observado deben considerarse como estrategias de adaptación o de tránsito, que utilizan algunos de los recursos que les ofrece su relación con la institución municipal (los reglamentos y ordenanzas) para generar nuevos tipos de arreglos entre situaciones donde las reglas son ambiguas, con el objetivo de buscar seguridades para las estrategias sociales de más largo plazo, sean éstas de sobrevivencia o de movilidad social. Los "derechos especiales de dominio" que menciona Ghersi, pueden ser una de las formas que expresan este tipo de arreglos en el contexto del comercio in-

---

61 Para Durkheim, uno de los teóricos clásicos de la anomia, ésta es una condición de la sociedad y no de los individuos. En realidad, hablar de "anomia institucionalizada" es una forma de ir más allá del concepto mismo (que ha sido desarrollado en sociedades y contextos históricos diferentes) y hacer preguntas más profundas acerca de las características del orden social en el Perú. En un trabajo publicado en 1991 junto con Juan Carlos Carrillo, hicimos un balance crítico del debate acerca de la anomia como concepto para explicar procesos de la sociedad peruana en el cual participaron desde diversos artículos, además de Catalina Romero, Hugo Neira y Nicolás Lynch. Ver: Juan Carlos Carrillo y David Sulmont, "¿Teoría de la anomia o anomia de la teoría?", en: *Debates en Sociología*, No. 16, PUCP, Lima 1991.

formal. No es, por lo tanto, un problema de ausencia o presencia de normas, sino de la seguridad que las negociaciones que éstas representan puedan otorgarle a las estrategias de los actores.

De esta forma, las estrategias deben combinar y hacer uso de los recursos y principios de los diferentes órdenes sociales donde se desenvuelven los individuos simultáneamente. En las negociaciones entre los comerciantes informales y las autoridades municipales, estas estrategias de "geometría variable" se ponen en juego. Se buscan seguridades mediante el reconocimiento formal con actas, documentos, pago de tasas municipales, o reglamentos sobre el comercio ambulatorio; se realizan campañas para mejorar las relaciones públicas y crear climas de confianza como las de limpieza de calles por parte de los informales; pero también se recurre al soborno de los policías municipales. Otro mecanismo es la articulación con redes clientelistas que puedan garantizar la protección de políticos necesitados de una legitimidad social, como en el caso de las vinculaciones de algunos comerciantes ambulantes con el movimiento Vamos Vecino de La Victoria, cuyo candidato Miguel Angel Mufarech[62], ofrecía no expulsarlos de Gamarra.

Del mismo modo, hemos visto que al interior del grupo funcionan combinaciones de reglas y principios múltiples para resolver los conflictos y asegurar la cohesión social en distintos niveles: la confianza interpersonal, las relaciones de parentesco, paisanaje o vecindad, la presión comunitaria, la formación de redes clientelistas o mafiosas al interior de las organizaciones para acceder o permanecer en los puestos, hasta la coerción con amenaza de uso de la violencia (que puede llegar hasta la concreción de esa amenaza).

En las estrategias múltiples de negociación entre los informales y la autoridad, una característica central es la búsqueda de

---

62   "*No sacaré a los ambulantes. Tampoco los quiero dejar como están. Los quiero ayudar a modernizarse, a que se formalicen (...) se ubicará en módulos y por rubros a los ambulantes, por ejemplo, polos en la cuadra 5, pantalones en la 6, o la gente que vende comida en las esquinas. Con este sistema los ambulantes quedarán registrados.*". Entrevista con Miguel Angel Mufarech, *Revista Gamarra*, No. 59, setiembre de 1998.

acuerdos mediante mecanismos que intentan excluir en lo posible el recurso a la confrontación directa, siempre y cuando las correlaciones de fuerza y los proyectos de los diferentes actores no provoquen situación de ruptura como fue el caso en la coyuntura del desalojo de Gamarra.

En el trabajo de Carbonetto y otros sobre el comercio informal en Lima[63], hay una sección dedicada al comportamiento político de los informales. Allí se hace un balance acerca de las reflexiones de distintos autores sobre las "motivaciones de los pobres en la ciudad" y sus consecuencias en las acciones políticas:

> "(...) el afán de integrarse a los circuitos económicos urbanos, la perspectiva de obtener apoyo gubernamental, los riesgos inherentes a las actividades políticas no reconocidas, entre otros factores, alientan un comportamiento político no violento. Dietz (1975) indica que, siendo los principales objetivos de sus reivindicaciones los de tipo material, las formulaciones de sus demandas tienden a orientarse por el camino de la petición y el arreglo burocrático."[64]

Para que la ruptura no se produzca, la autoridad debe tener la voluntad de negociar. Esta voluntad puede aparecer por diversas razones. Una tiene que ver con el problema de gobernabilidad y capacidad de gestión, hemos visto los graves problemas administrativos y de corrupción al interior del municipio victoriano que son un motivo por el cual, en gestiones anteriores, no ha sido posible tomar acciones más enérgicas con respecto al comercio informal. Otro elemento es el cálculo político, la posibilidad de enajenarse o de atraer sectores sociales electoralmente importantes que pueden ser seducidos por actitudes de reconocimiento o medidas "populistas". Por otro lado, no hay que olvidar intereses económicos de funcionarios o autoridades municipales que tienen en los impuestos cobrados a los ambulantes una fuente de recursos económicos relativamente sencilla de obtener. Esto último

---

63   Daniel Carbonetto *et al.*, *op. cit.*, Tomo II.
64   Ibid., p. 405.

es un argumento utilizado por los informales para negociar. Al respecto, un dirigente ambulante nos decía:

"El municipio tiene plata para hacer obras, pero no tiene buena administración. Fíjese que en Gamarra hay como 10,000 ambulantes, si a cada uno se le cobra un sol diario por ocupación de la vía pública se tiene un montón de plata para hacer obras."

En la coyuntura del desalojo de febrero y marzo de este año, la correlación de fuerzas entre los diferentes actores involucrados cambió de tal forma que se produjo una confrontación directa entre las autoridades municipales y los vendedores informales.

En primer lugar, Somos Perú, quien ganó la alcaldía por una diferencia de más de 20,000 votos sobre su más cercano rival, Vamos Vecino, tenía una línea mucho más definida con respecto al problema del comercio ambulatorio y no iba a aceptar compromisos que significaran una permanencia adicional de los informales en las calles del complejo de Gamarra y los alrededores del mercado mayorista. La trayectoria de esta agrupación y de sus líderes, desde la municipalidad de Miraflores a la de Lima Metropolitana, ha estado marcada por una decisión firme de reordenar el comercio informal y ofrecer programas de paulatina formalización. El equipo de la municipalidad provincial que dirigió el proceso de reordenamiento del comercio informal en el centro histórico, fue quien asesoró a la municipalidad de La Victoria en su plan respecto a la zona de Gamarra y La Parada.

Hay que tomar en cuenta que esta línea de conducta hacia el comercio ambulatorio ha tenido repercusiones políticas positivas en la opinión pública, creando una imagen de eficiencia y firmeza del grupo de Somos Perú para enfrentar problemas que otras administraciones municipales no han podido solucionar. Esta firmeza en la llamada "recuperación del principio de autoridad" fue uno de los argumentos utilizados en la campaña electoral de 1998, y tuvo importantes impactos, sobre todo en sectores medios de la capital, los cuales son, según lo muestran los sondeos de opinión, el electorado más favorable hacia Somos Perú. Evidenciar la misma firmeza y determinación en La Victoria, un distrito tradicionalmente visto como problemático, es parte de una estrategia política destinada a demostrar que los líderes de Somos Perú, en especial Alberto Andrade, son también capaces de enfrentar eficazmente los problemas, haciendo uso, cuando es necesario, de la "mano dura". La necesidad de imponer "mano dura" en la solución de los problemas ha sido utilizada por el presidente Fujimori como argumento para justificar su estilo político y que ha tenido eco en el electorado nacional.

En el caso particular de la zona de Gamarra y La Parada, tampoco hay que olvidar otro tipo de consideraciones en la decisión del municipio distrital y provincial para proceder al desalojo de los ambulantes, que tienen que ver con una visión de más largo plazo en el desarrollo urbano de Lima Metropolitana. La avenida Aviación es parte de un eje vial que, junto con la Vía de Evitamiento y la Circunvalación, conecta el centro, el cono este y el cono sur de la ciudad con los distritos del sur. El "tapón" que significa la presencia de los mercados mayoristas y los puestos informales en las primeras cuadras de la Av. Aviación restringe la circulación entre estas zonas de la capital y contribuye al congestionamiento de las demás vías. En su primera gestión, el gobierno de Alberto Andrade había emprendido ya algunas medidas para aliviar esta situación, procediendo al desalojo de los comerciantes de Tacora, en las cuadras de la Av. Aviación que corresponden a la jurisdicción del Cercado de Lima. Por otro lado, la construcción y el éxito del nuevo mercado mayorista de Santa Anita, promovido por la municipalidad provincial y que debe sustituir a los viejos y saturados mercados mayoristas de La Parada, implica que los comerciantes ubicados en estos últimos tengan los incentivos necesarios para trasladarse a la nueva infraestructura. Un primer paso es desincentivar el comercio informal en la zona que atrae a nuevos negociantes a La Parada, para luego proceder a la reubicación de los comerciantes mayoristas. Finalmente no hay que olvidar los beneficios que en términos de impuestos municipales y la economía local, significa la consolidación de un núcleo comercial y productivo atractivo en Gamarra.

Por otro lado, como vimos en la sección anterior, la consolidación entre los empresarios más importantes de Gamarra de un grupo de interés económico con capacidad de ejercer presión política, ha sido un elemento central en la decisión del municipio de

La Victoria de proceder a la reubicación de los ambulantes en los primeros meses de la nueva gestión. Es en los últimos meses de la campaña electoral municipal que la Coordinadora de Empresarios de Gamarra comenzó a tener una visibilidad mayor en los medios de comunicación, y una capacidad de negociación importante con las autoridades del gobierno. De esta forma, como ya hemos visto, la Coordinadora de Empresarios de Gamarra logró hegemonizar la representación de los intereses de los empresarios de la zona, desplazando a otros grupos como las organizaciones de pequeños y medianos confeccionistas.

Cuando a inicios de enero de 1999 tuve la ocasión de entrevistar al nuevo alcalde de La Victoria, Jorge Bonifaz, y a algunos de sus funcionarios municipales, me manifestaron que el plan inicial del municipio respecto al reordenamiento del comercio informal en el distrito era desalojar primero a los comerciantes informales de la avenida Aviación y la zona de La Parada, ya que era allí donde se encontraban las instalaciones más consolidadas (los kioscos de madera, algunos de dos pisos y con base de cemento en la berma central de la Av. Aviación), pero por presión de la Coordinadora de Empresarios de Gamarra, se decidió comenzar por esta zona.

Como se mencionó páginas atrás, en febrero de 1999, aparece el comunicado de la Coordinadora, firmado por su presidente Juan Infante, apoyando decididamente el desalojo producido el 18 de ese mismo mes, e instando a la municipalidad a no ceder frente a los intentos de los comerciantes informales de mantenerse en la zona. Como gesto de apoyo, algunos empresarios de la coordinadora ofrecieron ubicar a los vendedores informales en puestos vacíos de las galerías de su propiedad, con facilidades interesantes en el pago de alquileres[65]. Sin embargo varios comerciantes informales no aceptaron esta propuesta ya que los puestos ofrecidos se ubicaban en los pisos superiores de las galerías, donde la afluencia de clientes es mucho menor.

Como se sabe el desalojo de los comerciantes ambulantes se llevó a cabo en dos intentos. El primero ocurrió el 18 de febrero de

---

65   También donaron uniformes para los miembros del serenazgo de La Victoria.

1999, lo que motivó una batalla campal que causó graves destrozos en la vía pública. Luego durante casi un mes, ante la inacción de la policía[66], varios comerciantes informales ocuparon nuevamente las calles. El segundo y definitivo desalojo se produjo casi un mes después.

En el intermedio los empresarios formales de Gamarra realizaron dos marchas hacia Palacio de Gobierno, demandando el apoyo del gobierno para desalojar definitivamente a los ambulantes y restablecer el orden, ya que se estaban perjudicando seriamente las actividades comerciales, las cuales estaban ya bastante afectadas por la recesión económica. Recordemos que todo esto ocurría en vísperas de la campaña escolar, un momento importante en la venta de prendas de vestir. Incluso se llegó a solicitar la intervención del Ejército[67].

Frente a las presiones del municipio, los empresarios y los medios de comunicación, que demandaban una acción enérgica, el 15 de marzo la policía decidió finalmente intervenir conjuntamente con el personal municipal el 15 de marzo y desalojar definitivamente a los informales del complejo de Gamarra, cuyas calles de acceso principal fueron bloqueadas con contenedores para evitar nuevas "infiltraciones" y permitir los trabajos de remodelación que la municipalidad realizó durante casi 4 meses. Esos trabajos, entre otras cosas, convirtieron las cuadras 5 hasta la 8 del jirón Gamarra en el "boulevard Gamarra", que es ahora una calle peatonal rodeada por galerías y locales comerciales. El "Nuevo

---

66 Atribuida a la confrontación política entre el ejecutivo y el líder de Somos Perú, Alberto Andrade, potencial rival de Fujimori en el 2000.

67 En una noticia publicada en el diario *El Comercio* el 24 de febrero de 1998, se informaba que en la marcha realizada el día anterior por los empresarios formales de Gamarra que llegó al Congreso de La República, los manifestantes "obtuvieron, por parte del legislador Carlos Blanco, segundo vicepresidente del Congreso, la promesa de que hoy contarían con protección policial para efectuar sus labores normalmente. Sin embargo, este compromiso no satisfizo a la mayoría, que prefiere al Ejército para que restituya el orden en la zona comercial más importante de La Victoria". Esto es un indicador de hasta qué punto, para ciertos sectores de la población, la firmeza y "mano dura" (características asociadas con las instituciones armadas) pueden ser identificadas con el orden social y la eficacia de las acciones de las instituciones públicas.

Gamarra" fue inaugurado el 1 de Julio, en un acto que contó con la presencia de los principales empresarios de la zona, autoridades municipales de Lima, e incluso el vicepresidente de la República Ricardo Márquez (en ese entonces el presidente Fujimori se encontraba de viaje).

Es en esta coyuntura cuando los actores involucrados intensifican y diversifican sus estrategias de negociación o de salida. En el caso de los informales hay que distinguir a los dos grupos antes mencionados, por un lado los directamente perjudicados por el desalojo, es decir los informales de Gamarra, y por el otro aquellos que se convertirían en el siguiente blanco de la municipalidad, los comerciantes ambulantes de La Parada.

Los segundos, que hegemonizaban la dirección de la FUTA-VIC (organización de tercer nivel) empujaban a las organizaciones de los informales de Gamarra como la CCAACG a radicalizar su enfrentamiento con la municipalidad, como una forma de ganar tiempo y buscar sus propias alternativas. El conflicto entre ambos grupos de ambulantes condujo finalmente a su separación para poder seguir sus propias estrategias de negociación con el municipio.

La CCAACG se distanció de la FUTAVIC y decidió tomar acciones por su cuenta. Asesorados por una abogada que se presentaba como precandidata a las elecciones parlamentarias del año 2000 por el movimiento Solidaridad Nacional, de Castañeda Lossio[68], algunos miembros de la CCAACG inician una huelga de hambre, ocupando el 2 de marzo la iglesia matriz de La Victoria, a media cuadra de la municipalidad, demandando ser atendidos directamente por el alcalde para negociar un plazo adicional (quedarse durante la campaña escolar) antes de ser reubicados. La misma noche que ocuparon la iglesia fueron desalojados de ella por la policía.

Además de las presiones que los empresarios formales ejercieron sobre el gobierno local y nacional, me parece interesante mencionar algunos de los mecanismos que utilizaron para socavar los esfuerzos de los ambulantes por mantenerse en el lugar.

---

68 Como vemos, Gamarra atrae a todo el mundo.

Por un lado está la imagen que se intentó difundir de ellos en los diferentes medios de comunicación: los ambulantes eran responsables del caos, la inseguridad y la delincuencia; además su actividad económica se caracterizaba por una competencia desleal ya que no pagaban impuestos y vendían mercadería de contrabando perjudicando a la industrial nacional y los niveles de empleo del sector textil.

Pero también hay otras estrategias que dan cuenta de la diversidad de redes políticas con las que cuentan los empresarios. Cuando algunos de los dirigentes de la Coordinadora de Empresarios de Gamarra (CEG) se enteraron que la abogada que asesoraba a la CCAACG se presentaba a sí misma como perteneciente a las filas del movimiento Solidaridad Nacional, se contactaron con un familiar cercano de Castañeda Lossio (que resultaba ser también familiar de un miembro importante de la CEG) para verificar esta información y que por su intermedio, el dirigente de Solidaridad Nacional presionara a esta abogada para que se aleje del problema. Finalmente se averiguó que la asesora de la CCA-ACG no pertenecía a las filas de este movimiento político.

El 15 de marzo se produjo el desalojo final de los ambulantes de la zona de Gamarra. Esta coyuntura, que gozó de una cobertura periodística casi cotidiana, tuvo como una de sus consecuencias el debilitamiento de las facciones más radicales de la dirigencia de los ambulantes. En los meses siguientes la municipalidad procedió al desalojo paulatino de los puestos de la Av. Aviación, sin mayores incidentes, lo que es indicador de un proceso de negociación más exitoso y discreto entre los informales y las autoridades locales. La importancia de la zona de Gamarra y los intereses económicos y políticos que ello genera (tanto entre los empresarios formales, los vendedores informales como las autoridades políticas), su especial visibilidad en el contexto nacional, así como la "mitología" que la rodea, han sido factores importantes en la forma que tomaron las confrontaciones.

Sin embargo un hecho que muestra las limitaciones del municipio de La Victoria para enfrentar el problema de la informalidad, cuyas causas son demasiado complejas como para ser solucionadas por un gobierno local, es que un buen número de comerciantes informales desalojados de Gamarra y La Parada se instalaron muy cerca de la zona, en el Jirón América, a escasas tres cuadras del corazón del complejo comercial. Para el grupo de poder de Gamarra esta cercanía de los ambulantes es menos molesta que tenerlos justo a la puerta de sus locales, pero sigue siendo un problema para la valorización económica de este espacio urbano[69].

4. "ELLOS HACEN LAS COSAS COMO NOSOTROS QUEREMOS": EL MERCADO DE LA POLÍTICA.

En las dos últimas secciones he intentado describir las estrategias que impulsaron los diferentes actores en dos tipos de conflictos y que han tenido como resultado la consolidación de un grupo de poder local que ha sido capaz de hegemonizar primero la representación de los intereses de Gamarra frente a los actores externos y, luego, ejercer presión para que el gobierno local ponga en marcha una medida puntual, el reordenamiento del comercio informal, que resulta funcional al proyecto de desarrollo que este grupo quiere imprimirle al complejo victoriano.

Hemos visto también, cómo los acontecimientos analizados dan cuenta de cambios en las correlaciones de fuerza de los actores de manera que se transformen los acuerdos que habían configurado un orden local particular, construido mediante la combinación de principios y lógicas heterogéneas.

En esta sección quisiera desarrollar algunas reflexiones en torno a los mecanismos de mediación política que han sido empleados por los actores de los conflictos estudiados, en especial en relación a las instituciones de gobierno local. Ello implica concentrar brevemente nuestra mirada en los intermediarios políticos

---

69 No olvidemos que en sí, toda la zona es sumamente complicada. Gamarra está rodeada por El Porvenir, La Parada y los cerros El Pino, San Cosme y El Agustino, lugares cuyos problemas urbanísticos, económicos, sociales y delincuenciales crean un ambiente calificado por muchos como "lumpen", que hace difícil que en el corto plazo se generen las condiciones para un espacio comercial atractivo para clientes de estratos sociales más pudientes.

que aparecen en escena, sus relaciones con los actores y sus formas de articulación con diferentes instancias del sistema político. En el texto de Friedberg citado en la introducción[70], *se menciona la importancia que tienen lo que denomina los "relevos" (relais)* entre diferentes sistemas de acción organizada para la negociación de los ordenes locales. Este tipo de relevos pueden ser los mediadores políticos.

La consolidación de mediadores políticos implica desde mi punto de vista tres elementos. Por un lado la acumulación por parte de algunas personas de un "capital de intermediación" entre la esfera social y la política, a partir de su trayectoria dentro de diferentes grupos sociales de pares. Me parece que ello está relacionado con las experiencias personales que ponen en contacto a ciertos individuos con distintos niveles de decisión sobre asuntos que resultan conflictivos y relevantes para los actores sociales del medio en el que se desenvuelven.

En segundo lugar un cierto nivel de legitimidad que les permite mantenerse como mediadores, que puede basarse tanto en la capacidad pragmática de los actores políticos para ser "eficientes" en su función de intermediación, como en su capacidad de "representación" social, ligada a la construcción de identidades e intereses colectivos.

Y finalmente, en tercer lugar, la articulación con organizaciones políticas que expresan procesos de acumulación de mecanismos de intermediación entre las esferas social y pública, y que permiten el acceso a los recursos públicos y a diferentes niveles de la política más allá del espacio local.

A lo largo del trabajo de campo tuve la oportunidad de conocer una serie de personajes que han vivido experiencias que les ha permitido acumular el "capital de intermediación" arriba mencionado. Los más visibles son los dirigentes de las diferentes organizaciones de empresarios, confeccionistas y ambulantes que he reseñado. Es conocido que los miembros de una organización eligen a sus dirigentes entre las personas que tienen una importante experiencia de negociación con instituciones políticas o co-

70   Erhard Friedberg, *Le pouvoir...*, *op. cit.*

nocen sus reglas de juego, es decir, habilidades para comunicarse con ámbitos diversos y negociar con ellos, porque se ha experimentado el tránsito por distintos contextos sociales.

Felipe Dávila, por ejemplo, dirigente ambulante de la Central Coordinadora de Asociaciones Autónomas de Gamarra, ha sido asistente de un secretario de juzgado. Por otro lado, como ha sido mencionado, Manuel Salazar antes de ser presidente de APEGA, fue dirigente de la Asociación Túpac Amaru II de los informales de Gamarra. Beltrán Suárez, presidente de la Sociedad de Consorcios de Exportación de Gamarra (SCG) fue gerente de una empresa estatal, cuando formó su empresa de confecciones en Villa El Salvador fue dirigente del parque industrial de ese distrito, y más recientemente, además de su cargo en la SCG fue vicepresidente de la Coordinadora de Empresarios de Gamarra.

En Gamarra, como en otros lugares, encontramos muchas personas que tienen este tipo de "cualidades". Algunas de ellas han decidido dar un paso adicional e iniciar una carrera política. Entre estas últimas no sólo encontramos a dirigentes gremiales sino también a personas que en cierta medida se identifican con los intereses, demandas y preocupaciones de sus grupos de referencia (empresarios, confeccionistas o informales), adquieren cierto liderazgo y reconocimiento, para lo cual es importante la creación de vínculos de confianza interpersonal que contribuyen a legitimarlos en el sentido de que pueden "representar" distintos tipos de identidades e intereses sociales. Estos vínculos se desarrollan de diversas formas: mediante relaciones familiares o comunitarias, o participando en las diferentes organizaciones sociales de su medio, donde se comparten y discuten los problemas y van adquiriendo forma los intereses comunes.

En la decisión de iniciar una carrera política, además de las características mencionadas, intervienen motivaciones de tipo personal que pueden ir desde un compromiso genuino y altruista con su comunidad, una legítima aspiración por reconocimiento o prestigio social y la búsqueda de un status más elevado, hasta el simple interés económico, que en algunos casos puede convertirse en afán de lucrar con los cargos públicos, ya que estos pueden proporcionar una seguridad material difícil de obtener en el mercado de trabajo.

Algunos de los empresarios del complejo económico victoriano, luego de haber alcanzado cierto éxito económico han pasado a la arena política tanto local como nacional. El ejemplo más visible es el de Ricardo Márquez, vicepresidente de la República y propietario de Jeans Kansas.

En el ámbito de la política local, podemos mencionar a Juan Olazábal, propietario de una tienda de venta de telas, alcalde entre 1996 y 1998, elegido inicialmente por el Movimiento Somos Lima de Alberto Andrade y que pocos meses después de haber asumido el cargo decidió pasarse a las filas de Cambio 90.

Otro es Lucio Morales, propietario también de una tienda de telas en la Galería San Miguel, construida por un grupo de comerciantes de origen puneño (departamento del cual Morales es originario), que inicialmente formaban parte de una asociación de comerciantes informales. Fue regidor entre 1993 y 1995 por un grupo independiente y posteriormente reelegido en 1995 en la lista de Somos Lima. Su historia es parecida a la de los "pioneros" de Gamarra, viene a Lima en los años 70, se instala con sus familiares en el Cerro el Pino, trabaja en el mercado de La Parada como vendedor de frutas y posteriormente comienza a dedicarse a las confecciones hasta que junto con algunos paisanos llegan a comprar un corralón donde se guardaban triciclos de vendedores ambulantes, para construir allí las Galerías San Miguel.

También encontramos a Orlando Vásquez, confeccionista y promotor de galerías comerciales, el propio Manuel Salazar de APEGA que postuló como teniente alcalde en una lista independiente[71] en 1998 y más recientemente José Ford, comerciante gamarrino, actual teniente alcalde del distrito.

Varios de estos personajes han utilizado sus redes de contactos y su conocimiento cotidiano de la problemática local como medio de construir una legitimidad política que sirve como recurso para una estrategia de movilidad social y de reconocimiento de status que puede traducirse en una carrera política. En este

---

71   En las elecciones municipales de 1998, Manuel Salazar postuló como candidato a teniente alcalde en la lista independiente "Juntos Sí Podemos", encabezada por Pelayo Urquiza, que quedó en octavo lugar con el 2% de los votos válidos.

proceso no importa demasiado la identidad política o el programa del movimiento al cual se vinculan (si es que tales cosas existen), sino más bien el hecho de que estas organizaciones brindan un espacio para la realización de las aspiraciones de una carrera política. Por ejemplo, Olazábal fue candidato por Somos Lima y luego en el cargo se pasó a Cambio 90; Morales participó en la lista del Alcalde Caamaño (OBRAS) cuando fue regidor por primera vez en 1993, luego repitió el cargo con Somos Lima y siguió a Olazábal a Cambio 90. La acumulación de este tipo de experiencias, más allá de las identidades o programas políticos, es reconocida por estos actores como un recurso importante en la continuación de una trayectoria política:

"Yo participé en las elecciones municipales en la lista independiente Juntos Sí Podemos, que encabezaba Pelayo Urquiza. Fui invitado por el señor Urquiza para ser teniente alcalde (...) El Sr. Urquiza es dirigente de la U y yo soy también socio de ese club, de ahí es que nos conocemos. Antes nunca había participado en política, es la primera vez y tal vez la última que lo hago. *Aunque ser candidato me ha servido porque ahora hay varios partidos que me están buscando en vista al 2000*, como por ejemplo el de Castañeda Lossio y Poder al 2000 de Marco Arrunátegui, pero yo les he dicho que no". (Manuel Salazar, presidente de APEGA).

En varios casos son las propias organizaciones políticas las que buscan a estos personajes, como parte de una estrategia de captación de liderazgos locales en el marco de un proceso de acumulación de mecanismos de mediación política. Un ejemplo es lo que nos relata Manuel Salazar en el testimonio citado en el párrafo anterior. Otro es la experiencia de un dirigente empresarial de Gamarra:

"(...) a mí me propusieron para ser alcalde, me propuso Cambio 90 pero no acepté. Después de eso vinieron otros partidos políticos para ser candidato al Congreso, pero quienes eran más insistentes eran los de Cambio 90 y luego para ser alcalde. Dije que si no voy a ser congresista, peor alcalde, porque tengo mucho que hacer por acá. Después me propusieron otras personas pero yo ya no participé en esas reuniones".

Los procesos de articulación de mediadores, a través de su incorporación a movimientos políticos, es central ya que posibilita la negociación entre diferentes campos de acción y la construcción de arreglos entre ellos. Como señala Friedberg:

"La idea de sistema de acción concreto supone (...) un mínimo de conocimiento mutuo, de circulación de información (...) que permite la anticipación correcta de los comportamientos de los otros, así como un mínimo de control mutuo. Dicho de otra forma, supone una estructuración no homogénea, en la cual una parte importante implica *núcleos fuertemente integrados* que puedan negociar en su seno los comportamientos y las reglas que se aplicarán al sistema en su conjunto"[72].

Y escribe luego:

"Todo sistema (...) dispone de sus 'integradores', es decir, genera actores que se encuentran en una posición de árbitros entre los intereses conflictivos de los participantes y que, reforzados por esa posición, aseguran de hecho, sino de derecho, una parte de la regulación operando los ajustes y equilibrios entre los actores (...)"[73].

El sistema de partidos políticos que funcionó hasta fines de la década de los 80 constituyó una manera de canalizar la acción de los mediadores políticos, construyendo estos "núcleos fuertemente integrados" con ciertos referentes ideológicos y que en algunos casos buscaban expresar orgánicamente los intereses de determinados sectores sociales. Existe consenso en afirmar que este sistema fracasó en la representación de los intereses y expectativas de la población, en parte porque no supo integrar las de-

---

72   Erhard Friedberg, *Le Pouvoir...*, *op. cit.*, p. 158. Traducción propia, el subrayado es mío.
73   Ibid., pp. 159-160.

mandas de los nuevos actores sociales que surgieron en las dos últimas décadas y porque no fue capaz de gestionar de manera eficiente ante los ojos de la ciudadanía la crisis que vivió el país a lo largo de la década del 80. Frente a estos cambios, varios autores hablan de la des-institucionalización de los mecanismos de representación y participación política.

Las nuevas formas de articulación de los actores políticos pasan por la participación en redes que se convierten en maquinarias políticas fuertemente dependientes de la figura de un líder y que buscan incorporar algunos liderazgos locales (los procesos de "captación" que he mencionado).

En la construcción de estas redes y maquinarias políticas intervienen diferentes lógicas. Por un lado se puede recurrir a los contactos cercanos (sustentados en sistemas de confianza interpersonal y relaciones familiares[74]) entre individuos con una trayectoria y experiencia política importante, fruto de su participación en el sistema de partidos políticos anterior. Ello sería el caso de la agrupación Somos Perú, algunos de cuyos integrantes y líderes han sido militantes de partidos como Acción Popular o el PPC, que han participado en gestiones locales con cierto grado de reconocimiento y legitimidad en la ciudadanía y la opinión pública. A esto se añade la existencia de un núcleo dirigencial de confianza cercano al líder de la agrupación que, como hemos visto, tiene entre sus miembros a personas de su entorno familiar. También se pueden desarrollar acuerdos y alianzas entre otras redes similares, tales como algunos líderes vinculados a experiencias municipales exitosas de Izquierda Unida en la década de los 80[75] que participan ahora en Somos Perú.

---

74 José Ford, por ejemplo, actual teniente alcalde de La Victoria, ha sido compañero de colegio de Jorge Bonifaz y ha colaborado en las gestiones municipales de Miraflores y Barranco con personas ligadas a la agrupación de Alberto Andrade.

75 Entre los miembros más notorios de Somos Perú que alguna vez estuvieron vinculados a la Izquierda Unida, encontramos a Michel Azcueta, regidor metropolitano y ex-alcalde de Villa el Salvador, Gloria Jaramillo, alcaldesa del Rímac, Arnulfo Medina, alcalde de Comas, Esther Moreno, candidata a alcaldesa en Independencia.

Mecanismos parecidos han sido utilizados en la organización de Vamos Vecino. Se habla del grupo de los "apristas" ligados a Absalón Vásquez, uno de los principales promotores de este movimiento, quien mantiene una estrecha relación personal con el presidente Fujimori desde tiempos en que ambos trabajaban en la Universidad Nacional Agraria.

No sería de extrañar que el movimiento Solidaridad Nacional de Castañeda Lossio tenga bases similares, posiblemente en torno a personas relacionados con su gestión en el IPSS o su trayectoria en Acción Popular. En todo caso, un denominador común es que en el núcleo dirigencial de las nuevas maquinarias políticas, encontramos a mediadores políticos que cuentan con experiencias importantes en este campo.

A partir de estos núcleos se comienza a captar a nuevos miembros, como parte de una estrategia de hegemonía y control de los canales de mediación política. En este proceso, también pueden constituirse redes clientelistas que ofrecen a los liderazgos locales recursos para satisfacer las demandas de sus grupos de referencia. Ello resulta central cuando la agrupación que busca acumular los mecanismos de mediación política tiene los recursos suficientes para llevarlo a cabo. La estrategia municipal de Vamos Vecino es un indicador de estos fenómenos. Mediante el control de la distribución del fondo de compensación municipal entre los concejos distritales, y del resto de instituciones que implementan las políticas sociales del Estado (FONCODES, PROONA, PRONAMACH, etc.), el gobierno tiene herramientas para generar redes de este tipo. De esta forma se asignan recursos para que los liderazgos locales que aparecen tengan un cierto nivel de legitimidad al interior de sus grupos de referencia, a cambio de integrarse a la clientela de los núcleos centrales. Las disputas y cambios en la correlación de fuerza al interior de la Asociación de Municipalidades del Perú después de las elecciones de 1998, así como la serie de renuncias de alcaldes de provincias a Somos Perú u otros movimientos "más" independientes puede interpretarse como un resultado de esta lógica.

Más allá de los diferentes medios de captación de liderazgos locales, tampoco hay que dejar de lado las motivaciones que tienen estos líderes para "hacer carrera" política, que los pueden conducir a articularse con aquellas maquinarias que les den cabida, sin hacerse demasiado problema con las orientaciones programáticas o ideológicas de fondo.

Edison Nunes, en la introducción a un trabajo sobre municipios y democracia en América Latina[76], sostiene que estos procesos de acumulación de canales de mediación política, tienen preeminencia sobre el "horizonte ético" de la democracia y la política. Según este autor, las maquinarias políticas descuidan los aspectos programáticos y de gobierno, ya que a fin de cuentas lo más importante para ellas es reproducir los mecanismos de control político. Ello, continúa Nunes, tiene consecuencias en la representatividad de las instituciones políticas como los gobiernos locales, puesto que las funciones de las administraciones municipales no se ejercen en razón de las demandas y problemas de la ciudadanía, sino en relación a su eventual inserción en procesos de acumulación o articulación política. Esta situación puede generar en la esfera pública local la exclusión de actores que no se someten a las máquinas políticas, además de obstaculizar el surgimiento de demandas de sujetos sociales autónomos o no incorporados a ellas.

En La Victoria, dirigentes de los ambulantes se quejaron de no ser tomados en cuenta durante la campaña electoral de Somos Perú:

"Durante la campaña electoral nos visitaron candidatos. Mufarech dijo que iba a apoyar al comercio ambulatorio si era elegido, nos iba a apoyar para un paso paulatino a la formalización si salían los proyectos, incluso nos regaló bolsitas con propaganda política para envolver la mercadería que vendemos. Otros candidatos que nos visitaron fueron los de 'Juntos Sí Podemos' y de 'Todos por La Victoria'. Todos ellos nos dijeron que nos iban a dar un plazo para pasar a la formalidad. Bonifaz no quiso participar en esas reuniones." (Dirigente de la CCAACG)

---

76 Fernando Carrión *et al.*, *Municipio y democracia: Gobiernos locales en ciudades intermedias en América Latina*, Colección Estudios Urbanos, Ediciones Sur, Santiago de Chile, 1991.

"(...) como asociación apoyamos la candidatura de Salazar al municipio de La Victoria, su mira era apoyar a la formalización paulatina y no erradicarnos, nosotros le hicimos campaña y fuimos portavoz de su movimiento Juntos Si Podemos. También tuvimos acercamientos con Vamos Vecino. Pero con Somos Perú nos han marginado, no aceptaron ninguna reunión con nosotros porque ya se sentían ganadores." (Dirigente de una asociación afiliada a la CCAACG)

Incluso cuando hay cierta inserción en estos procesos de acumulación política, los actores con menores niveles de acceso a los núcleos fuertemente integrados pueden ser dejados de lado. Aquí podemos observar el rol que tienen en la gestión de los mecanismos de integración y exclusión de los actores sociales en el sistema político las "redes particulares y jerarquizadas" que mencionan Altamirano y otros en el texto citado en la introducción[77]. Como ejemplo podemos mencionar la experiencia de algunos dirigentes de organizaciones de comerciantes informales, especialmente de los alrededores de La Parada, que participaron activamente en la organización de Vamos Vecino en La Victoria y que luego fueron dejados de lado en la campaña electoral municipal de 1998, cuando la dirigencia nacional de Vamos Vecino decidió imponer desde arriba su propio candidato. A pesar de esta exclusión los dirigentes involucrados no abandonaron la organización puesto que su participación en ella continuaba siendo conveniente, ya sea porque representaba un mecanismo útil de acceso a recursos públicos o porque otros espacios de participación política, relacionados a otras redes jerárquicamente menores (y otros espacios locales) permanecían aún abiertos. En una entrevista, Eliseo Arce, presidente de la Asociación de Propietarios de Kioscos de La Victoria[78], confesaba tener vínculos importantes con algunos funcionarios y autoridades del gobierno:

77 Teófilo Altamirano *et al.*, *op. cit.*, p. 51.
78 El Sindicato de Kioscos es una de las agrupaciones más antiguas de comerciantes informales de La Victoria, es una organización de las que hemos denominado de "primer nivel" de un grupo de los "informales de La Parada". Fue fundado en 1954 y agrupa principalmente a los informales que constru-

"El Sindicato está buscando terrenos baldíos con FONCODES. Voy a conversar con una congresista (de la mayoría) porque nos han dicho que hay una partida del FONCODES para el sindicato. Tenemos gente que está dentro del gobierno. Yo por ejemplo he apoyado en la campaña de Vamos Vecino en la provincia Daniel Alcides Carrión. Me llamaron porque he sido secretario de Vamos Vecino en La Victoria. Acá en la Victoria teníamos 14 pre-candidatos. Uno era Mufarech, pero Vamos Vecino se rompe en La Victoria porque no se respetó a la organización y se impuso a Mufarech, por eso se rompe el apoyo de los vecinos y yo me fui a apoyar en provincia".

El secretario de la base de Vamos Vecino de La Victoria era un comerciante de pescados que tiene su puesto informal en el terminal pesquero de La Parada. La disputa por ser el candidato de esta organización en La Victoria fue bastante intensa. Poco antes de la inscripción de los candidatos oficiales, había paneles de propaganda en el distrito de dos o tres candidatos de Vamos Vecino a la vez.

Como se dijo, la candidatura de Mufarech fue impuesta por la dirigencia nacional de Vamos Vecino. En cierta medida se buscaba la imagen de alguien menos comprometido con escándalos policiales o de corrupción, que sea un empresario exitoso y que tenga cierta experiencia política. No olvidemos que la candidata de Cambio 90 en las elecciones de 1995 fue María Luisa Paredes, una de las dueñas del camal de Yerbateros y que ha sido acusada de ser autora intelectual del asesinato de su madrastra y hermanas-

yeron kioscos de madera en la berma central de las primeras cuadras de la Avenida Aviación. Con los años estos kioscos se convirtieron en permanentes, desarrollándose un mercado de transacciones informales. El señor Arce es radiotécnico, repara televisores y radios, y tenía un kiosco en la cuadra 5 de la Av. Aviación donde se ubicaban gran parte de las personas que se dedicaban a esta actividad: "Al principio alquilaba mi kiosco y recién hace 4 años compré el kiosco a una tercera persona. No hubo una compra formal, fue una compra de confianza". Parte importante de la clientela del señor Arce y de los radiotécnicos de la zona era personas que venían y regresaban del centro del país para negociar en La Parada (Junín o Cerro de Pasco, departamento del cual Arce es originario), o que enviaban sus aparatos con los camioneros que hacen continuamente el viaje de ida y vuelta.

tra en la disputa que mantiene su familia por el control del camal. Por otro lado la desastrosa gestión de Olazábal dio muy mala imagen de Cambio 90 en La Victoria.

Hay que recordar, sin embargo, que en el contexto que estamos analizando sí existen actores que pueden demostrar márgenes de autonomía importantes respecto de las agrupaciones políticas debido al volumen de recursos, tanto de poder económico como de mediación política que ellos mismos han generado en forma independiente. Me refiero al grupo de poder económico de Gamarra y a la Coordinadora de Empresarios de Gamarra que, como vimos, tuvo un rol importante en la decisión del municipio de proceder con el desalojo de los ambulantes poco después del cambio de la administración. En una entrevista con uno de sus dirigentes, éste manifestó:

> "La coordinadora ha logrado que se dicten medidas en torno a la ropa usada, que el gobierno central renueve 14 cuadras de Gamarra, el adelanto de la gratificación por fin de año a los estatales[79] es en parte sugerencia de Gamarra.
> La marcha ha sido un hito para convertirse en un actor político protagónico con una independencia política intachable. Los contactos con el gobierno han sido diversos (se ha conversado con Joy Way, con los ministros, etc.) Un mediador importante ha sido Ricardo Márquez.
> En cuanto a las elecciones municipales, con quien sea que hubiese salido nos teníamos que acomodar. *Los de Somos Perú hacen las cosas que nosotros queremos que se haga.* Los primeros meses del 99 serán una prueba para ver si Bonifaz merece la confianza de Gamarra."

Este tipo de actores más autónomos pueden constituirse en grupos de presión organizados que manejan una amplia gama de relaciones con diferentes actores políticos que compiten entre sí, por lo tanto su articulación con procesos de acumulación política

---

79   En octubre de 1998, como una de las medidas dictadas por el nuevo gabinete Joy Way para promover la reactivación económica se dispuso el adelanto de la gratificación de Navidad para los trabajadores estatales.

se realiza dejando márgenes de maniobra importantes (incrementan su imprevisibilidad, en términos de Friedberg) que a su vez pueden reforzar su poder en la negociación de acuerdos en la esfera política.

Las relaciones entre los empresarios poderosos de Gamarra y los actores políticos en la esfera del gobierno local no han estado exentas de conflictos y problemas. La articulación más funcional de los intereses económicos del primer grupo con la municipalidad que, aparentemente se ha conseguido (aunque sea en forma parcial) en la actual administración, ha sido un proceso de ensayo y error, como si los empresarios gamarrinos estuvieran probando los diferentes "productos" que les ofrece el "mercado electoral". En estos vaivenes podemos apreciar varios fenómenos que caracterizan el actual sistema político. En primer lugar se aprecia la dificultad que tienen los actores de este sistema (ya sea los movimientos políticos como los mismos mediadores) para representar ciertas demandas sociales (incluso las de grupos de poder). Seguidamente, su incapacidad de articularse internamente alrededor de ciertas orientaciones programáticas mínimas, lo que provoca el des-eslabonamiento de los niveles locales con los más amplios (el metropolitano o el nacional) y la pérdida de un horizonte político de mediano o largo plazo, generando un incremento de la distancia y una desvinculación casi total entre la micropolítica local y "la política en grande" nacional e incluso internacional.

Sin embargo, a pesar de estos problemas, también es posible observar cómo los actores que han ido acumulando un poder económico y social importante, pueden controlar hasta cierto punto estos elementos de incertidumbre y construir acuerdos favorables que reflejan el margen de autonomía, que se deriva de ese poder, frente a los procesos de acumulación política.

A partir de la postulación de Olazábal al municipio de La Victoria parecía que un sector de los empresarios poderosos en Gamarra comenzaba a articular más directamente sus intereses con los actores y las instituciones políticas locales. Olazábal fue dirigente de ACOTEX (Asociación de Comerciantes Textiles) y según algunos informantes entrevistados contó con el apoyo de varios empresarios importantes de Gamarra para su postulación como candidato por Somos Lima. Una de nuestras fuentes mencionó específicamente que su candidatura fue apoyada por los hermanos Guizado, con quienes tenía una relación de confianza. Hay que tomar en cuenta que en esa época no existían todavía ni la Coordinadora de Empresarios de Gamarra (formada a fines de 1998) ni el Patronato de Gamarra, su antecesor más directo (fundado a fines de 1996).

Su elección como alcalde generó importantes expectativas entre los empresarios de Gamarra, en especial por su compromiso de erradicar el comercio informal. Durante el primer año de su gestión la revista Gamarra, vocera del grupo más interesado en que el municipio realice cambios importantes en la zona, mantuvo una actitud hasta cierto punto favorable, aunque exigiéndole el cumplimiento de sus promesas. Su repentino pase a las filas de Cambio 90, que causó sorpresa entre la mayoría de regidores de Somos Lima, no provocó críticas demasiado agudas en esta revista, ya que podía significar un mayor apoyo del gobierno central a las medidas que eventualmente tomaría el municipio a favor de Gamarra, cosa que nunca sucedió[80] ya que el Ejecutivo no proporcionó recursos a la municipalidad de La Victoria y cuando el ejército rehabilitó algunas calles en el complejo comercial en 1998, lo hizo por mediación del Patronato de Gamarra y en vistas a la campaña electoral de Vamos Vecino.

A inicios de 1997, las relaciones entre Olazábal y los empresarios de Gamarra comienzan a hacerse más tensas debido al incumplimiento de las promesas electorales[81], especialmente después de un frustrado anuncio de desalojo de los ambulantes a fines de 1996 que nunca llegó a concretarse. En su lugar, el municipio negoció con los comerciantes informales un reglamento de comercio ambulatorio que en cierta medida legitimaba la presen-

---

80 Como dijo uno de mis informantes, empresario gamarrino, Olazábal "la cagó".

81 Precisamente la fundación del Patronato de Gamarra a fines de 1996 es una forma de reacción de algunos de los empresarios más importantes del conglomerado ante la inacción de Olazábal, y en cierta medida buscaba promover obras a favor de la zona que el municipio, aparentemente, no tenía la intención de realizar, en especial después del acuerdo al que llegaron los informales con el alcalde de La Victoria por la misma época.

cia de los ambulantes en la zona de Gamarra a condición de que cumplan ciertos requisitos como un tamaño estándar de los puestos en la calle, llamado "módulos ambulantes" de cuatro metros cuadrados.

Finalmente, la inacción del municipio creó un repudio abierto de los empresarios de Gamarra con respecto a Olazábal que se expresó, por ejemplo, en una sección especial de la revista Gamarra en junio de 1998 donde algunos de los empresarios manifiestan que a Olazábal "se le ha debido de sacar en burro de la alcaldía, tapiar la puerta de su negocio y declararlo enemigo público de Gamarra"[82].

Para las elecciones municipales de 1998, los empresarios más interesados en un cambio político favorable para ellos en la municipalidad de La Victoria comienzan a buscar contactos con las diferentes agrupaciones políticas. El candidato de Somos Perú, Jorge Bonifaz, es uno de los que recibe el apoyo más importante. En la entrevista citada párrafos atrás, realizada a fines de diciembre de 1998 (dos meses después de las elecciones) uno de los dirigentes de la Coordinadora de Empresarios de Gamarra manifestaba que el estilo de Somos Perú era el más acorde con las expectativas de los empresarios de Gamarra, ya que desde su gestión en la municipalidad de Lima, Alberto Andrade había demostrado su capacidad de enfrentar el problema del comercio ambulatorio en el Cercado de Lima. Como vimos, según este dirigente: "Los de Somos Perú hacen las cosas como nosotros queremos que se hagan". Si bien en la misma entrevista se reconocía que de haber salido Vamos Vecino, igual hubieran tenido que negociar, los márgenes de autonomía y los contactos que poseen con esta agrupación podrían haberles sido favorables.

En contraste a estos acercamientos paulatinos entre el poder económico de Gamarra y el gobierno local, los grupos cuya posición en un contexto de negociación resulta más precaria, como el caso de los ambulantes, se ven obligados a participar de relaciones más dependientes con aquellos que pueden ofrecerles recursos importantes para sus propios objetivos (tolerancia frente a la ocupación de la vía pública). Sin embargo, a pesar de esta dependencia, las estrategias múltiples que estos actores desarrollan demuestran que se trata de una dependencia relativa, ya que están destinadas a negociar e incrementar su propio margen de autonomía.

5. REFLEXIONES FINALES

A lo largo del texto he resaltado la necesidad que los actores tienen de construir sus estrategias políticas haciendo uso de lógicas y recursos que provienen de ámbitos que mantienen entre sí relaciones a veces contradictorias. Es de esta manera que se construyen los órdenes locales que posibilitan la acción social. El resultado es un arreglo, muchas veces inestable que se modifica conforme cambian las correlaciones de fuerza de los actores.

Para utilizar los recursos de estos campos heterogéneos, los actores se insertan en una serie de redes que se encuentran jerarquizadas en función de la asimétrica distribución del poder de sus miembros.

Hemos visto cómo en el caso de los empresarios y los ambulantes de Gamarra, sus diferentes activos y su participación en distintos tipos de redes configuran la utilización de determinados recursos. Los primeros tienen un acceso mayor a las altas esferas de decisión política (el Poder Ejecutivo, el Congreso de la República, la Comisión de Lucha Contra el Contrabando, las dirigencias de los movimientos políticos nacionales) y a los medios de comunicación (donde, por ejemplo, pueden difundir una imagen negativa de los ambulantes). Los segundos participan en las bases distritales de los movimientos políticos, lo que no necesariamente implica que sean tomados en cuenta, ejemplo de ello fue la designación de Miguel Angel Mufarech como candidato de Vamos Vecino, impuesta por la dirigencia nacional al margen de la organización local que se estaba formando. A veces deben insertarse en redes clientelistas para obtener algún beneficio, tanto respecto de las instituciones políticas (promesas electorales de no desalojarlos) como al interior de su mismo grupo, para acceder, por ejemplo, a mejores puestos en la calle.

Las formas que adquieren las negociaciones y acuerdos realizadas a partir de estas redes expresan en cierta medida el carácter jerarquizado de las mismas. Para los empresarios, el reconocimiento formal de sus intereses tiene una forma más "institucional" (la ley que prohibe la importación de ropa usada). Para los ambulantes, los acuerdos negociados con la autoridad municipal pueden tener la "forma" de un reconocimiento "institucional" (las ordenanzas de ordenamiento del comercio informal, o el pago de impuestos municipales), pero son arreglos entre ordenes y principios conflictivos (la "formalización de la informalidad") que pueden ser puestos en cuestión más fácilmente.

Vimos también cómo las diferentes redes en las cuales participan los actores analizados condicionan los diferentes niveles de acceso que pueden tener a la esfera política, ya sea una participación en un ámbito local restringido (dirigentes de base "exiliados" en provincia cuando lo que está en juego es algo "más grande"), o a una articulación más estrecha con movimientos políticos que los acerca a los "núcleos fuertemente integrados". Pasar de una red a otra supone a veces disponer de un activo importante de contactos personales o familiares.

Si bien entre los grupos más vulnerables como los ambulantes, especialmente aquellos con menos recursos para "reubicarse", participar en redes jerarquizadas en forma subordinada restringe su autonomía como actores políticos, la dependencia no siempre es total y pueden haber salidas. Los conflictos entre las centrales y federaciones de informales y las asociaciones menores de Gamarra son una expresión de esto último. Quienes al final apoyaron las acciones por separado de la Central Coordinadora de Asociaciones Autónomas de Comerciantes de Gamarra, eran aquellos informales que no habían logrado acumular un capital suficiente como para alquilar un local en una galería o trasladarse a puestos en otros centros comerciales de la ciudad, pero que tampoco estaban dispuestos a ser utilizados en las maniobras de las federaciones que los empujaban a la confrontación (que podía significar una pérdida importante si su mercadería era decomisada por la municipal) para retrasar el desalojo de los otros sectores de La Parada.

Al hacer un balance de las estrategias sociales y las diferencias de los activos y capital sociales de los actores, llegamos a la
conclusión que la extensión del abanico de recursos que se movi-
lizan está jerárquicamente condicionado, sin que ello deje de significar que los actores disponen de varias alternativas para transi-
tar de un orden a otro y generar nuevos arreglos. Desarrollar esta
capacidad en forma relativamente eficiente contribuye a legitimar a los mediadores políticos.

Estamos frente a una imagen parecida a la que proponía Fernando Fuenzalida acerca de la estructura social peruana hasta fines de los años 60. En un trabajo publicado en 1971[83], afirmaba
que la sociedad peruana estaba compuesta por una gama de situaciones escalonadas. Se trata de un enfoque que nos permite
aproximarnos a los diferentes niveles y redes de pertenencia social, donde las posiciones sociales se definen de manera jerarqui-
zada, pero formando parte de un conjunto más grande. A partir
de ello, es posible entender el rol y la importancia de los grupos
de intermediarios específicos de cada contexto particular y que
aseguran la comunicación entre los diferentes niveles. En tal sentido, la sociedad peruana podría concebirse como:

"(...) una sucesión de mediadores que, escalonándose y jerarqui-
zándose controlan ámbitos cada vez más restringidos de poder y
se constituyen en filtros obligados del sistema informativo."[84]

Sin embargo un elemento que diferencia nuestro tiempo de
aquel en el que escribe Fuenzalida es que varios mecanismos je-
rarquizadores que funcionaban en esa época como las discrimi-
naciones étnicas o culturales, han perdido fuerza y legitimidad
aunque no hayan desaparecido del todo.

---

83   Fernando Fuenzalida, "Poder, etnia y estratificación social en el Perú actual",
      en: José Matos Mar et al., Perú: Hoy, 2da edición, Siglo XXI, México, 1971.
84   Ibid. p. 67. Fuenzalida entiende como "información" todo objeto material o
      ideal susceptible de ser intercambiado. Puede tratarse del poder, las influen-
      cias, bienes económicos, servicios, etc. El "sistema de información" es enton-
      ces un sistema de intercambio de este tipo de objetos.

Una peculiaridad de estas redes jerarquizadas es que expresan fenómenos de exclusión y de integración social a la vez. Esta es una tensión permanente que caracteriza el proceso de construcción de las sociedades latinoamericanas contemporáneas, tal y como lo señalaban Touraine y Figueroa y otros en los textos citados en la introducción. Las redes, al estar configuradas en forma jerárquica por los desequilibrios en la distribución de los recursos que confieren poder en una relación social, reproducen la exclusión de determinados grupos sociales. Sin embargo el hecho que a su vez permiten el acceso a medios importantes para la construcción de estrategias sociales y políticas, significan también una fuente de poder, una capacidad de integrarse a otros niveles mayores o en todo caso de protección para los más vulnerables. Las reglas construidas para asegurar el intercambio al interior de las mismas pueden representar las desigualdades de sus participantes, aunque también expresar procesos de movilidad social que amplían el acceso a ciertos recursos sociales, en especial aquellos producidos en una esfera pública, aquellas a las que hacían alusión Figueroa y otros cuando se referían a un nivel de redes ciudadanas y democratizadoras, producto de los procesos de construcción de Estados Nacionales modernos en la sociedad peruana.

Un problema que tiene en sus orígenes la coexistencia de los diferentes niveles y lógicas de las redes jerarquizadas a través de las cuales se desarrollan las estrategias que negocian acuerdos entre los participantes, es su capacidad para construir ordenes con un cierto nivel de institucionalización que aseguren un contexto estable donde los actores puedan controlar la imprevisibilidad inherente de cualquier proceso de negociación política. Construir reglas que al formalizarse den sustento a las instituciones sociales y políticas supone en primer lugar poder, pero a la vez legitimidad. Para que exista legitimidad, más allá que los acuerdos negociados representen distribuciones asimétricas del poder en la sociedad, es necesario que exista un mínimo de acceso a los recursos que los actores necesitan para desarrollar sus estrategias. Un orden democrático puede garantizar ese acceso, pero para ello es necesario ciertos mecanismos de re-equilibrio entre los actores que contrarresten las tendencias de los grupos más poderosos a la concentración del poder. Niveles de desigualdad social demasiado elevados hacen difícil la construcción de este tipo de mecanismos.

Un contexto así es fuente de gran incertidumbre para los proyectos de los actores sociales, puesto que los arreglos entre los diversos ordenes y las estrategias para negociarlos se vuelven inestables y poco predecibles. Pueden reforzarse entonces conductas o fenómenos de adaptación que representan la búsqueda de algún nivel de seguridad para las estrategias de los actores, como aquellas que hemos descrito utilizando el concepto de "ritualismo" prestado de Merton, o la legitimación de actitudes autoritarias desde la política que permitan imponer un orden social estable[85].

Tales fenómenos están acompañados de una profunda frustración y desconfianza de la capacidad de la acción política de generar consensos y acuerdos duraderos por parte de los actores sociales. Al igual que en otros trabajos sobre el mismo tema, entre las personas entrevistadas en el trabajo de campo encontramos casi constantemente estas actitudes negativas hacia la política. Ello también puede servir como mecanismo para deslegitimar la pretensión de otros actores de disputar los canales de mediación que ya están ocupados y se intenta hegemonizar. Iniciativas que expresan conflictos o cuestionamientos al *statu-quo* y que quieren llevarse a la esfera política son calificadas como "politización", negándole a este espacio su capacidad de crear acuerdos mínimamente consensuales.

Cuando la acción política pierde legitimidad, los mecanismos y actores que permiten la mediación entre los intereses sociales con las acciones provenientes de las instituciones públicas pueden comenzar a articularse de forma que se reproduzcan o generen procesos de concentración hegemónica del poder y de exclusión social.

* * * * *

---

85   Recordemos a los empresarios formales exigiendo la intervención de las fuerzas armadas en el desalojo de ambulantes de Gamarra.

Deseo hacer explícito mi agradecimiento al Instituto de Estudios Peruanos que me dio la oportunidad de realizar este trabajo. Fueron de especial importancia las sesiones de discusión de los avances de las investigaciones con los participantes de este proyecto: Martín Tanaka, Carlos Vargas, Patricia Ames, Francesca Uccelli, y que contaron con la presencia de Romeo Grompone, Carlos Iván Degregori, Julio Cotler y Cecilia Blondet, cuyos comentarios y críticas han sido sumamente valiosos. Además agradezco a Rolando Ames y Fernando Romero quienes comentaron una versión preliminar de este trabajo. También quiero agradecer el dedicado y eficiente trabajo de Omar Molina, estudiante de sociología de la Pontificia Universidad Católica del Perú, quien fue mi asistente de investigación en la etapa del trabajo de campo. No puedo dejar de mencionar a todas las personas que accedieron a ser entrevistadas para este trabajo: los empresarios formales e informales de Gamarra y las autoridades municipales de La Victoria, sin cuya gentileza y disponibilidad no tendría nada interesante sobre qué escribir.

Anexo
CRONOLOGÍA RESUMIDA DE ALGUNOS DE LOS EVENTOS DESCRITOS

Setiembre 1998	■ Cierrapuertas de locales comerciales en Gamarra y marcha de comerciantes formales al Palacio de Justicia y el Congreso de La República en protesta por importación de ropa usada, el contrabando y demandando medidas que alivien la crisis del sector textil (Fenómeno del Niño y recesión). ■ Consolidación del grupo de empresarios más importante de Gamarra como principales interlocutores de los intereses de la zona y de una organización que los representa: Coordinadora de Empresarios de Gamarra (CEG).
Octubre 1998	■ Gabinete Joy Way. Jorge Mufarech, Ministro de Trabajo es designado presidente de la Comisión de Lucha Contra el Contrabando en la que participa la CEG. ■ Elecciones municipales. Victoria de Somos Perú y su candidato Jorge Bonifaz que promete el desalojo de ambulantes de Gamarra y La Parada como una de sus primeras medidas.
Febrero 1999	■ Primer desalojo en Gamarra, batalla campal ■ Reocupación de las calles por los informales ■ División entre las organizaciones de ambulantes ■ Protestas de comerciantes formales exigiendo firmeza en el desalojo al municipio y al gobierno central (policía).
15 de Marzo 1999	■ Desalojo definitivo de los comerciantes informales de Gamarra.
Marzo Julio 1999	■ Desalojo de comerciantes informales de la Av. Aviación y de la zona de La Parada. ■ Obras de remodelación de Gamarra efectuadas por la municipalidad
Julio 1999	■ Inauguración de las obras de remodelación de la zona de Gamarra.

BIBLIOGRAFÍA

CARBONETTO, Daniel, Jenny HOYLE y Mario TUEROS
1998   Lima: Sector Informal. Lima: CEDEP.

CARRIÓN, Fernando et al.
1991   Municipio y democracia: Gobiernos locales en ciudades interme-
        dias en América Latina. Santiago de Chile: Colección Estudios
        Urbanos, Ediciones Sur.

CARRILLO, Juan Carlos y David SULMONT
1991   "¿Teoría de la anomia o anomia de la teoría?". En: Debates en
        Sociología No. 16. Lima: PUCP.

CROZIER, Michel y Erhard FRIEDBERG
1977   L'acteur et le Systeme: Les contraintes de l'action collective. Paris:
        Seuil.

COUFFIGNAL, Georges (ed.)
1992   Réinventer la démocratie: Le défi latino-américain. Paris: Presses
        de la Fondation Nationale des Sciences Politiques.

DIETZ, Henry A.
1986   Pobreza y participación política bajo un régimen militar. Lima:
        CIUP, Universidad del Pacífico.

FIGUEROA, Adolfo, Teófilo ALTAMIRANO y Denis SULMONT
1996   Exclusión social y desigualdad en el Perú. Lima: OIT-Oficina Re-
        gional para América Latina y el Caribe.

FRIEDBERG, Erhard
1993   Le Pouvoir et la Règle: Dynamiques de l'action organisée. Paris:
        Seuil.

FUENZALIDA, Fernando
1971   "Poder, etnia y estratificación social en el Perú actual". En:
        José Matos Mar et al., Perú: Hoy, 2da. edición. México: Siglo
        XXI.

GHERSI, Enrique
1989   "Normatividad extra-legal en el comercio ambulatorio". En
        Enrique Guersi (ed.), El comercio ambulatorio en Lima Metropo-
        litana. Lima: Instituto Libertad y Democracia.

INSTITUTO NACIONAL DE ESTADÍSTICA E INFORMÁTICA
1994   III Censo Nacional Económico. Lima: INEI.

1997   *La actividad económica en Lima Metropolitana*. Lima: INEI.

MARQUES PEREIRA, Bérengère e Ilán BIZBERG (coord.)
1995   *La citoyenneté sociale en Amérique Latine*. Paris: L'Harmattan-CELA.IS.

MATOS MAR, José
1977   *Las barriadas de Lima 1957*. Lima: IEP.

MERTON, Robert K.
1964   *Teoría y estructura sociales*, 2da. ed. México: Fondo de Cultura Económica.

PONCE, Carlos Ramón
1994   Gamarra: formación, estructura y perspectivas. Lima: Fundación Friedrich Ebert.

ROMERO, Catalina
1987   "Violencia y anomia: comentarios sobre una reflexión". En: *Socialismo y Participación* No. 39, Lima.

SALCEDO, José María
1993   *El Jefe: de ambulante a magnate*. Lima: FIMART, Lima.

SOTO, Hernando de
1986   *El Otro Sendero*. Lima: El Barranco.

SULMONT, David
1997   "Ciudadanos por dentro y por fuera". En: *Cuestión de Estado* No. 20. Lima: IDS, abril.

TOURAINE, Alain
1989   *América Latina Política y Sociedad*. Madrid: Espasa Calpe.

Fernando VILLARÁN
1998   *Riqueza popular: Pasión y gloria de la pequeña empresa*. Lima: Congreso de la República.

DIARIOS Y REVISTAS

Revista Gamarra
Revista Gamanews
Diario El Comercio
Diario Expreso
Diario La República
Diario Ojo

LA PARTICIPACIÓN SOCIAL Y POLÍTICA DE LOS POBLADORES POPULARES URBANOS: ¿DEL *MOVIMIENTISMO* A UNA POLÍTICA DE CIUDADANOS?
El caso de El Agustino

Martín Tanaka[1]

INTRODUCCIÓN[2]

En este trabajo analizo los cambios en las relaciones entre socie-dad y política, a nivel de los pobladores populares urbanos, to-mando como referencia el caso del distrito de El Agustino en los últimos años. Sostengo que se han producido profundos cambios en esas relaciones, resultado de la relativa consolidación de los es-pacios urbanos (pese a la precariedad y la pobreza), de los nuevos perfiles de las instituciones estatales (como el gobierno central y los municipios), y de la crisis de los actores que cumplían funcio-

1   Sociólogo de la Pontificia Universidad Católica del Perú, Maestro en Ciencias Sociales y Doctor en Ciencias Sociales con especialización en Ciencia Política de la Facultad Latinoamericana de Ciencias Sociales (FLACSO), sede México. Actualmente es investigador del Instituto de Estudios Peruanos y profesor del Departamento de Ciencias Sociales de la Pontificia Universidad Católica del Perú. E-mail: mtanaka@iep.org.pe
2   La investigación de campo que alimenta este trabajo fue llevada a cabo por Ricardo Caro. Tenemos que agradecer a los amigos de *Servicios Educativos de El Agustino* (SEA), especialmente a Percy Andía, por su ayuda para la realización de ésta. Agradezco los comentarios de Romeo Grompone, Rolando Ames, Fernando Romero, Patricia Ames, Francesca Uccelli, David Sulmont, Carlos Vargas, Percy Andía y a versiones preliminares de este trabajo. La responsabilidad por las ideas aquí expuestas es mía, por supuesto.

nes de intermediación política (principalmente los partidos), producidos en el contexto de las reformas estructurales impulsadas por el gobierno actual. Como consecuencia de esto, la búsqueda de bienes públicos y el involucramiento en formas institucionalizadas y politizadas de acción colectiva (expresadas en organizaciones y sus dirigentes), dentro de esquemas *movimientistas* pierden centralidad. En la actualidad, grupos de interés particular, acciones colectivas esporádicas y formas individuales de relación entre sociedad y Estado cobran mayor importancia, en el marco de un renovado espacio político local, en el que las autoridades son evaluadas en función a su eficacia. Sostengo que estos cambios configuran un patrón estable y medianamente eficaz en cuanto a su dimensión representativa, y que esto ayudaría a explicar la mayor legitimidad relativa del fujimorismo a nivel de los sectores populares, pese a la crisis. Todo esto hace posible pensar en la *posibilidad* de la configuración de una *política de ciudadanos*, en la que el pluralismo, la competencia y formas de *accountability* horizontal resultan fundamentales. Esto nos debe conducir, a mi juicio, a revisar las maneras tradicionales en las que hemos pensado categorías como participación, sociedad civil, o representación. Sin embargo, manejos políticos de naturaleza autoritaria y clientelar atentan contra el desarrollo de estas posibilidades.

1. ¿POR QUÉ EL AGUSTINO?

El distrito de El Agustino, en Lima, es un caso muy interesante porque puede ilustrar con claridad algunos de los cambios sociales y políticos ocurridos en el Perú en los últimos tiempos, y en particular los cambios en las relaciones entre sociedad, "sectores populares" y política, durante los años del fujimorismo.

En primer lugar, en términos "estructurales", el distrito tiene una diversidad muy interesante. Se trata de un distrito popular "antiguo"[3], producto de las primeras invasiones de terrenos en la

---

3   El distrito de El Agustino fue constituido legalmente el 6 de enero de 1965, por ley n° 15353. Ver Cotera, 1996.

ciudad de Lima en los años cuarenta; por ello, puede mostrar el resultado del proceso de "consolidación" (y "degradación", incluso) de los asentamientos urbanos precarios con el paso del tiempo. Además, en tanto las invasiones han continuado, aunque con intensidad decreciente hasta estos años, en el distrito podemos ver ejemplos de las distintas "etapas" por las que pasa este proceso de consolidación del espacio urbano, empezando por las invasiones precarias[4] y terminando en una configuración de corte "mesocrático" (con acceso a todos los servicios básicos)[5].

Esta diversidad está ilustrada por Vilela (1991, p. 49), quien distingue cuatro grandes zonas en el distrito: un "área degradada", la más antigua del distrito, ubicada en las faldas de los cerros, resultado de las primeras invasiones; un "área consolidada", y un "área en consolidación", ambas en las zonas planas; y finalmente un "área incipiente", ubicada básicamente en la margen izquierda del río Rímac, con asentamientos humanos relativamente nuevos. Con todo, el distrito muestra una progresiva consolidación con el paso de los años. Si tomamos como indicador de ello la evolución en cuanto al acceso a alumbrado eléctrico y al servicio de agua en el domicilio, encontramos cifras elocuentes que muestran avances, pese a una crisis económica que empieza hacia mediados de los años setenta. Datos en el mismo sentido los podemos encontrar en Dietz (1998), cuando analiza el pueblo 28 de Julio, en la Avenida Riva Agüero. Dietz sigue la evolución de ese pueblo en varios momentos (1970, 1982, 1985 y 1990), y constata su progresiva consolidación.

De otro lado, El Agustino es un distrito de extremos también en términos políticos, que ilustran claramente la profundidad de los cambios ocurridos en el país. Me refiero a que durante la década de los ochenta, El Agustino fue considerado un "bastión" político de la izquierda, mientras que en los noventa podría serlo del "fujimorismo". La Izquierda Unida ganó en la primera elección

---

4   En la actualidad existen en el distrito unos 62 asentamientos humanos (Cotera, 1996).

5   Es importante mencionar que el área más consolidada del distrito fue recortada, formándose el distrito de Santa Anita, en octubre de 1989; ello afectó seriamente las rentas municipales: como consecuencia del recorte, el presupuesto municipal disminuyó en un 20% (SEA, s/f).

	1972	1981	1989	1993
Total de viviendas*	19,882	27,440	36,400	25,239
Viviendas con alumbrado eléctrico	11,819 (59%)	21,030 (76.6%)	26,527 (78.4%)	21,094 (84%)
Viviendas con servicio de agua	7,991 (40%)	11,150 (40.6%)	15,797 (46.7%)	14,852 (59%)

*Los datos de 1972, 1981 y 1989 son tomados de Vilela, 1991, p. 48. El dato de 1993 es tomado de SEA, 1994. El uso de fuentes distintas explica la caída en el número de viviendas para 1993, sin embargo me parece válida la comparación entre porcentajes, que confirma una tendencia positiva.

municipal después de la transición a la democracia en noviembre de 1980, y el alcalde electo fue Alberto Gamarra (IU-UNIR), para el período 1981-1983[6]. El alcalde Jorge Quintanilla (IU-PUM) fue electo en 1983, y reelecto en dos ocasiones (1986 y 1989), terminando su tercer período en 1992[7].

Sin embargo, en enero de 1993, el ganador de la elección municipal en el distrito fue el candidato del movimiento OBRAS, Jesús Cisneros[8], en el contexto de la crisis de la izquierda y de los partidos en general, extremos niveles de violencia política y agravados niveles de pobreza. Sin embargo, en 1995 fue electo como alcalde Francisco Antiporta, de Cambio 90–Nueva Mayoría[9], y recientemente reelecto en 1998 por el movimiento Vamos Vecinos[10],

6   La candidatura municipal de IU a nivel provincial obtuvo el 41.41% de los votos, y la de AP el 29.47%, en el distrito de El Agustino. Ver Tuesta, 1994.

7   En las elecciones municipales de 1983, la candidatura provincial de IU obtuvo en El Agustino más del 55% de los votos, y la del APRA sólo el 24.35%. En las de 1986, la candidatura provincial de IU obtuvo el 48.28% de los votos, y la del APRA el 41.75%. En las de 1989, la candidatura distrital de IU obtuvo el 26.52% de los votos, frente al 22.67% del FREDEMO, siendo Quintanilla reelecto por segunda vez (datos tomados de Tuesta, 1994, y Roncagliolo, 1990, para 1989).

8   El candidato provincial del movimiento OBRAS obtuvo más del 50% de los votos en El Agustino. Tuesta, 1994.

9   La votación del candidato distrital de Cambio 90 – Nueva Mayoría, Francisco Antiporta, fue de 56.61%, y la del candidato de Somos Lima fue de 40.08%. Datos del JNE.

10   Francisco Antiporta obtuvo el 38.58% de los votos, frente al 22.95% del

consolidándose una suerte de hegemonía gobiernista que logró superar el embate del movimiento Somos Lima en 1995 y posteriormente de Somos Perú en 1998. Podría decirse que El Agustino resulta un ejemplo ilustrativo de una política "exitosa" de relación entre sectores populares y Estado desarrollada en el marco del fujimorismo.

Una tercera razón por la cual el caso de El Agustino es especialmente revelador está referida a la dinámica de las organizaciones populares. En lo que respecta a las formas de participación y a las relaciones entre sociedad y política, El Agustino es también un distrito de extremos. Durante los años ochenta experimentó una dinámica política, social y organizativa muy importante. En lo estrictamente político, tuvimos allí la acción de diversas organizaciones de izquierda, así como una importante presencia de Sendero Luminoso. A nivel social, funcionó una muy amplia y activa gama de organizaciones populares, desde las vecinales hasta las de sobrevivencia que nucleaban a las mujeres. Estos grupos contaron además con el apoyo de los partidos de izquierda mencionados, pero también con el de diversas ONGs y diversas iglesias (en particular de la iglesia católica, de orientación progresista). Es más, de la convergencia entre municipio, ONGs, iglesia, partidos y organizaciones sociales, surgió una de las iniciativas más interesantes de relación entre sociedad y política a nivel local registradas en esos años en el país, que además reflejaba muy claramente las concepciones imperantes sobre lo que debería ser ese tipo de articulación desde el ángulo de la izquierda. Me refiero a la constitución de las MIADES (Micro Áreas de Desarrollo).

Sin embargo, este proyecto y este movimiento social se desarticularon rápidamente entre fines de los ochenta e inicios de los noventa; pasándose de unas prácticas "basistas" y "participativas" hacia formas "pragmáticas" de relación entre sectores populares y la esfera pública y política. Así encontramos, por ejemplo, que la distritalización del programa del Vaso de Leche, hacia fines de 1996, si bien fue criticada al inicio por los comités de El

candidato de Somos Perú (el exalcalde por el movimiento OBRAS, Jesús Cisneros). Datos del JNE.

Agustino, y si bien éstos se unieron a las protestas de la Coordinadora Metropolitana, en la actualidad las dirigentas expresan su conformidad con los cambios, que les ha permitido mayor participación (por medio de la constitución de un Comité Administrativo conformado por representantes del municipio y de los comités del distrito), y ampliar la cobertura del programa.

¿Cómo explicar todos estos cambios? ¿Qué sentidos y consecuencias tienen? ¿Qué conclusiones podemos extraer de ellos? Para responder estas preguntas empezaremos por analizar los antecedentes.

2. ANTECEDENTES: LA IZQUIERDA, LAS ORGANIZACIONES POPULARES Y LA PARTICIPACIÓN (1980-1992)

Durante los años ochenta, el distrito de El Agustino aparecía como un "bastión" de la izquierda, como expresión de la opción mayoritaria por la izquierda de los pobladores de sectores populares[11]. Algunos autores han llamado la atención sobre la presencia de una conciencia "radical" entre los pobladores populares urbanos en esos años[12]. La gestión de la izquierda y en particular del alcalde Jorge Quintanilla (IU-PUM) cubre prácticamente toda la década de los ochenta, desde 1983, y sus dos reelecciones sucesivas (1986 y 1989) parecen confirmar esta hegemonía.

En el marco de esta hegemonía de izquierda, a los esfuerzos de los partidos de IU dentro y fuera del municipio, se sumaron también los esfuerzos de diversas ONGs y de sectores de la iglesia católica, que buscaban convertir ese respaldo electoral en organización, buscando lograr mayor capacidad de influencia y poder político para los pobladores de sectores populares. Este apoyo, por supuesto, potenciaba esfuerzos espontáneos surgidos "desde abajo", de la acción de los propios pobladores, como in-

---

11 Para un análisis de los factores que intervienen en la determinación del voto por la izquierda entre pobladores de sectores populares ver Dietz y Dugan, 1996.

12 Ver Stokes, 1995.

Cuadro 1
Votación de partidos en El Agustino, 1978-1989

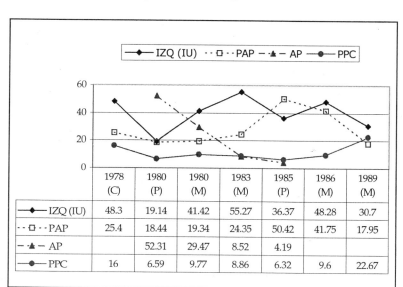

	1978 (C)	1980 (P)	1980 (M)	1983 (M)	1985 (P)	1986 (M)	1989 (M)
IZQ (IU)	48.3	19.14	41.42	55.27	36.37	48.28	30.7
PAP	25.4	18.44	19.34	24.35	50.42	41.75	17.95
AP		52.31	29.47	8.52	4.19		
PPC	16	6.59	9.77	8.86	6.32	9.6	22.67

Todos los datos son tomados de Tuesta, 1994, salvo los de 1989 (tomados de Roncagliolo, 1990). (C) corresponde a la elección de Asamblea Constituyente; (M) corresponde a elección municipal; y (P) a elección presidencial. Los datos de las elecciones municipales muestran los votos obtenidos por los candidatos al municipio metropolitano de Lima a nivel del distrito de El Agustino, salvo para 1989. En ese año, se muestran los votos alcanzados por los candidatos distritales: dentro del voto de la izquierda, hemos sumado los votos obtenidos por IU (26.52%) y por ASI (4.23%); y el porcentaje del PPC corresponde al candidato del FREDEMO. En esa misma elección, a nivel de Lima metropolitana, la IU alcanzó el 16.33%, el FREDEMO el 14.53%, el PAP el 11.70%, el ASI el 2.33%, y OBRAS el 50.90%. En 1978 y 1986, AP no participó en las elecciones. En 1989, participó como parte del FREDEMO. En 1978, la votación de la izquierda corresponde a la suma de los votos del FOCEP (Frente Obrero, Campesino, Estudiantil y Popular), UDP (Unidad Democrática Popular), PSR (Partido Socialista Revolucionario) y PCP (Partido Comunista Peruano).

tentos de satisfacer necesidades consiguiendo bienes públicos (y también privados) por medio de la acción colectiva. Esta convergencia de iniciativas tuvo su expresión más acabada en la propuesta municipal de las MIADES, (Micro Áreas de Desarrollo), de 1987, planteadas por sus organizadores como "gérmenes de auto-gobierno" y de "poder popular"[13].

Se establecieron ocho micro áreas de desarrollo, con un criterio espacial, basándose en las características geográficas y sociales de las zonas. Con las MIADES se buscaba, entre otras cosas, "centralizar" a las organizaciones populares existentes[14], y que el conjunto de la población se organizara con criterios territoriales y funcionales, para hacerla participar en la gestión y planificación urbanas. Así, participarían organizaciones vecinales, pero también las organizaciones de mujeres, vinculadas a los Comités de Vaso de Leche y Comedores Populares. El proyecto empezó a gestarse hacia 1985, con el apoyo del Concejo Metropolitano durante la gestión de Alfonso Barrantes. Participaron también en este proyecto los partidos de Izquierda Unida (IU), especialmente el PUM (Partido Unificado Mariateguista), partido del alcalde Quintanilla. Esto condujo a una suerte de confusión de planos, en los que se cruzaban la militancia partidaria con el trabajo municipal. También participaron en este proyecto varias ONGs, a través de comisiones técnicas (de saneamiento físico-legal y planificación urbana, por ejemplo)[15].

Podríamos decir que la propuesta de las MIADES condensaba una concepción y una apuesta política por parte de la izquierda sobre lo que debieran ser las relaciones entre sociedad y política, entre sectores populares, instituciones y autoridad política, enmarcadas dentro de una estrategia más amplia de conquista del poder del Estado, en la que la participación, la auto-gestión y el auto-gobierno aparecen como elementos centrales. El alcalde Quintanilla, por ejemplo, relacionaba hacia 1991 el proyecto de las MIADES con el de la Asamblea Nacional Popular, llamada a con-

---

13 Ver Romero, 1993.
14 Es decir, que se expresaran a través de una sola instancia representativa, buscándose evitar la dispersión.
15 Ver Vilela, 1991.

vertirse en un "parlamento del pueblo" (Romero, 1993). Por ello Tovar señala que

"Este proyecto [el de las MIADES] surge como corolario de un esquema ideológico de los partidos de la izquierda radical, al momento de asumir una responsabilidad gubernativa a nivel de los municipios. La idea motivadora era llevar a la práctica la consigna de 'generar los factores de poder popular', que dentro de la lógica marxista-leninista peruana significa el esfuerzo por construir un eje de poder alternativo al oficial, sustentado en la organización del pueblo" (Tovar, 1996, p. 32).

Este proyecto era compartido en lo básico por las ONGs que se involucraron en el mismo, por ello puede ser tomado como expresión de un universo de ideas de izquierda compartido por actores diversos. Es interesante constatar que las MIADES se pensaron también como una estrategia para reactivar y potenciar ("desde arriba", cabe señalar) a organizaciones sociales percibidas como débiles, y que esa debilidad era atribuida a la consolidación del espacio urbano, una vez que se obtuvieron los servicios básicos (Romero, 1993). Así, las MIADES contrarrestarían esta tendencia al retraimiento en espacios privados, estimulando la participación por medio de organizaciones y de mecanismos de centralización; para ello, se estableció que el municipio sólo atendería reclamos de la población si es que éstos era encauzados a través de las juntas de gobierno de las respectivas micro áreas, desatendiéndose demandas particulares. En palabras del alcalde Quintanilla,

"no se trata simplemente de pensar en el agua, desagüe, electrificación; sino en una solución integral. Porque, en tanto esta instancia superior (la Junta de Gobierno de la MIADE) se genera como un embrión de un gobierno popular, de lo que en el futuro será el autogobierno, obviamente tienen que encarar la solución de todos los problemas" (Romero, 1993, p. 55).

Para caracterizar a este tipo de concepciones y prácticas he recurrido en otro texto al término *movimientismo*[16]. Este consiste en un tipo de expresión colectiva de los actores sociales populares en la arena política, en el que se hace racional maximizar y politizar las demandas por bienes públicos, tomando ventaja del respaldo de un conjunto de grupos de apoyo (básicamente partidos y ONGs), para negociar ante el Estado. En un escenario marcado por la centralidad del Estado en la distribución de recursos, que construye su legitimidad sobre la base de esa capacidad, y con el respaldo de grupos de apoyo fuertes, se hacía racional el desarrollo de acciones colectivas, la constitución de organizaciones y un discurso reivindicativo. Todo esto ayuda a entender la hegemonía de la izquierda entre los pobladores de sectores populares en esos años.

El municipio aparecía como una institución privilegiada para convertir en realidad un proyecto que potenciara estas prácticas, desde el propio Estado. Sin embargo, hubo muchos problemas para una gestión municipal de izquierda exitosa. En primer lugar, tenemos la debilidad del gobierno municipal como institución, tanto financiera, como administrativamente. En segundo lugar, la inexperiencia de la izquierda en cuanto a capacidades de gestión, y su exagerado ideologismo. A pesar de todo, estos problemas lograban ser superados, siendo Quintanilla reelecto en 1986. Sin embargo, a partir de ese momento se presentaron obstáculos más serios. A nivel provincial la IU perdía el municipio, y lo asumía el APRA con el alcalde Jorge del Castillo. Hacia fines de 1986 el APRA y la IU empezaron a marcar mayor distancia a nivel político nacional, y esto se tradujo a nivel local en que un distrito administrado por la izquierda como El Agustino dejara de contar para muchas cosas con el apoyo del municipio provincial, decisivo para su funcionamiento. Con todo, Quintanilla pudo lograr una segunda reelección en 1989, en un contexto sumamente difícil. Las dificultades que se presentaron alrededor de esa elección son las que condujeron a la debacle de la izquierda en el distrito, y eran también expresión de la crisis de la izquierda a nivel general[17].

---

16   Ver Tanaka, 1999. En ese texto señalo que tomo prestado el término de Alberti (1991), pero usándolo en un sentido ligeramente diferente.

Tenemos en primer lugar el proceso de división de la izquierda, que empezó con la división del PUM en 1988, y se consumó con la de IU en 1989. La división de la izquierda hizo que las disputas partidarias bloquearan la capacidad de acción del municipio, y que los diversos grupos se neutralizaran mutuamente. A esto hay que sumar la extrema crisis económica, que prácticamente quebró al Estado en el período 1989-1992, y melló muy seriamente las finanzas municipales; y por si fuera poco debemos considerar además la presencia de Sendero Luminoso en el distrito, que llegó a asesinar a algunos dirigentes populares[18].

Así, la gestión de Quintanilla terminó muy mal, intentando infructuosamente un cuarto período en 1993. La propuesta de las MIADES terminó fracasando, aunque la demarcación territorial mantenga todavía cierta vigencia nominal. Más aún, Quintanilla no ha "regresado" a la vida política del distrito como lo han hecho Esther Moreno en Independencia, Arnulfo Medina en Comas o Michel Azcueta en Villa el Salvador, todos ellos exalcaldes de izquierda reelectos en los ochenta, que perdieron posiciones de liderazgo al igual que Quintanilla, pero que las han recuperado recientemente, esta vez dentro del movimiento Somos Perú.

En medio de los factores que determinaron la crisis de la gestión municipal de IU en El Agustino, sostengo que las cosas fueron mucho más allá de los sucesos de la coyuntura inmediata. En realidad, la crisis de la izquierda fue expresión de una grave incomprensión del sentido de la participación social y política para los pobladores urbano populares[19]. La sección siguiente analiza estas cuestiones.

---

17   Como señalé más arriba, Quintanilla fue reelecto con apenas el 26.52% de los votos, frente al 22.67% del candidato del FREDEMO. Un excelente análisis sobre los problemas de la izquierda para desarrollar una gestión municipal exitosa, en términos generales, puede verse en Parodi, 1993.
18   Sobre la debacle de la izquierda en El Agustino ver Schönwälder, 1998.
19   Este punto es sugerido, pero no explícitamente desarrollado, en Larrea, 1989, Vilela, 1991, Romero, 1993, y Tovar, 1996.

3. LA "TRANSICIÓN": NUEVOS SENTIDOS
   DE LA PARTICIPACIÓN

Entender el súbito declive de las formas de participación propuestas por la izquierda en El Agustino, requiere entender la dinámica y sentidos de ésta, y cómo es que se produjeron los cambios hacia fines de los ochenta e inicios de los noventa. Para esto
me parece imprescindible superar algunos supuestos "ingenuos", provenientes desde dos planos a menudo superpuestos en
exceso, el político y el académico, desde los cuales se ha contemplado la participación y a los movimientos sociales. Se ha tendido
a asumir sin más que el involucramiento en acciones colectivas y
en organizaciones centralizadas, ordenadas jerárquicamente, resulta el medio natural y privilegiado de expresión política de la
población popular, dentro de esquemas corporativos. En lo político, la izquierda manejó un discurso de relación entre organizaciones populares y política parecida a la formación de *soviets*,
como el expresado en el proyecto de la Asamblea Nacional Popular al que hicimos referencia. En lo académico, el discurso de los
nuevos movimientos sociales consideraba a las organizaciones
sociales como manifestación de un proceso de democratización,
en el que la participación era un valor deseado intrínsecamente,
por su valor expresivo, y por su contribución al desarrollo de las
identidades sociales populares. Como puede verse, se trata de
ideas gruesamente inscritas dentro del *paradigma de la identidad*, dentro del estudio de los movimientos sociales.

En otra parte he defendido la idea de que gran parte de la incomprensión del tema de la participación y el rol de los movimientos sociales viene de haberse asumido apuestas políticas sin
asidero en la realidad, y por haberse asumido sin crítica el paradigma de la identidad sin considerar otros enfoques, como los
provenientes desde la teoría de la *movilización de recursos*, entre
otros. No se trata de oponerlos, ciertamente, sino de complementarlos, siguiendo los consensos prevalecientes en los últimos
tiempos[20]. A continuación recurriré a herramientas conceptuales

---

20 Ver Tanaka, 1994 y 1995, donde desarrollo con extensión estas ideas. Sobre
    los principales paradigmas de análisis de los movimientos sociales ver Fowe-

de distintos paradigmas, para analizar los cambios producidos en los últimos años.

Los pobladores urbano populares[21] enfrentan diversas necesidades y demandas. En las primeras etapas del proceso de asentamiento urbano, son centrales las demandas por bienes públicos (servicios básicos), provistos por un Estado que busca construir su legitimidad ubicándose en el centro de las pugnas distributivas[22]. Pero las necesidades y demandas por bienes públicos no generan de manera natural ningún tipo de acción organizada. Es más, por tratarse de bienes públicos se presenta un problema de acción colectiva, a la clásica manera de Olson (1965), es decir, lo racional, aunque no óptimo en términos paretianos[23], es más bien no participar en acciones colectivas, y beneficiarse del esfuerzo de otros. Para que éstas se den, es necesario romper con el problema del *free-rider*[24]. El problema de la acción colectiva se resuelve de varios modos; entre ellos, considero que resulta decisiva la intervención de agentes externos, que asumen sus costos e inyectan re-

raker, 1995; McAdam, McCarthy Zald, 1996; Rucht, ed., 1991, entre otros.

21 Hablo de pobladores urbanos populares para poner énfasis en que son actores individuales que toman decisiones en contextos específicos; por ello trato de evitar el uso del término "sectores populares", término bastante impreciso. Habría que hacer un esfuerzo colectivo por dotar de un sentido preciso a este término en el vocabulario de las ciencias sociales. En este texto, "sectores populares" es usado como sinónimo de ciudadanos individuales signados por diversas formas de exclusión.

22 La definición de bien público puro es aquel que tiene dos características, la primera es que el disfrute de sus beneficios no puede ser excluyente; y la segunda, que su disfrute no puede ser dividible, o afectar el consumo de los otros. En este sentido, público *no es* sinónimo de provisto por el Estado (hay bienes públicos provistos por el sector privado). Ahora bien, los servicios públicos (ahora sí en el sentido de provistos por el Estado) básicos (como luz, agua, reconocimiento legal), por lo general no son bienes públicos puros (su consumo puede ser excluyente, aunque no siempre divisible). Sin embargo, en las primeras etapas de la vida de los barrios, cuando lo que se está jugando es el acceso *del barrio* al sistema eléctrico, o al sistema de distribución de agua, o el evitar ser desalojados de un terreno, los servicios básicos funcionan como bienes públicos puros.

23 "No óptimo en términos paretianos" significa que la situación puede mejorar para todos o algunos sin perjudicar a nadie.

24 Una versión actual que discute los problemas de la acción colectiva relacionados con bienes públicos puede verse en Sandler, 1992.

cursos imprescindibles (desde tiempo hasta dinero). Se trata de
partidos, ONGs, e instituciones como la iglesia. Militantes y promotores permiten en gran medida la acción colectiva y la aparición de organizaciones, y además les dan proyección política, al
vincularla con organizaciones e instituciones de carácter nacional. Este es justamente uno de los puntos centrales de la teoría de
la movilización de recursos para analizar a los movimientos sociales. Como dicen McCarthy y Zald (1977), las necesidades en
realidad son secundarias para explicar el desarrollo de organizaciones, porque "las carencias y el descontento pueden ser *definidas, creadas y manipuladas* por agentes externos y diversos acti-
vistas" (p. 1215, traducción y énfasis mío)[25].

Las organizaciones que se forman, además, enfrentan un orden institucional que establece incentivos para favorecer o no a la
participación, se enfrentan a un Estado con mayor o menor nivel
de apertura, y ésta es fundamental para entender la lógica y los
ciclos de la movilización social[26]. Las organizaciones tenían un escenario más favorable cuando se enfrentaban a un Estado distri-
bucionista e interventor, que proveía gran parte de los bienes públicos demandados, y que buscaba ganar legitimidad por este
medio. Así, en gran medida, las organizaciones sociales dependen y son resultado de los incentivos establecidos por el Estado,
como lo señala Touraine (1989) para América Latina. A los incentivos que establecía el Estado central hay que sumar la intervención de los municipios, ocupados por la izquierda, que estimula-
ban diversas formas de participación. Todo esto hacía que fuera
racional la politización de las demandas y la exacerbación de los

---

25 Esta perspectiva, que enfatiza la importancia de agentes externos para dar
    cuenta de la dinámica de las organizaciones puede verse en los trabajos de
    Pásara y Delpino, en Pásara *et al.*, 1991; también en Blondet, 1995. Otra lectura
    de los movimientos sociales, que enfatiza las identidades democráticas y la
    autonomía de las organizaciones puede verse en Lora, 1996; y García Naranjo,
    1994.
26 Sobre el punto ver Tarrow, 1994, quien modela los incentivos institucionales
    que enfrenta la acción colectiva, y que ayudan a explicar su dinámica,
    empleando la categoría de *estructura de oportunidad política*. Un trabajo recien-
    te que utiliza un marco teórico similar al que defiendo aquí (aunque con
    énfasis distintos) puede verse en Yashar, 1997.

conflictos, la intervención de otros actores, para lograr una mejor posición en la pugna distributiva, configurando la dinámica *movimientista* a la que hice referencia. También cobraba sentido la ideología radical que imperó desde los años setenta hasta mediados de los años ochenta (Stokes, 1995).

Así puede entenderse el ciclo de participación y movilizaciones intensas que vivieron muchos barrios de Lima hacia los años setenta y comienzos de los ochenta. Pero en la medida en que ellas resultaban de la confluencia de los factores mencionados anteriormente, el cambio de éstos alteró los sentidos de la participación. Para empezar, en las últimas dos décadas se ha producido un proceso muy importante que, por coincidir con la crisis, pienso que no ha sido suficientemente ponderado, pese a ser harto conocido y evidente, y de importantes consecuencias políticas. Se trata de un proceso de *consolidación del espacio urbano* (Tanaka, 1999). El logro de servicios básicos y la consolidación en general del escenario urbano altera drásticamente las prioridades de los pobladores, y configuran un patrón enteramente nuevo del sentido de la participación, la acción colectiva y la pertenencia a organizaciones. Deja de tener centralidad el logro de bienes públicos y se abren paso con creciente importancia las necesidades referidas a bienes privados[27]. La crisis ha acentuado esta tendencia, no debilitarla[28]. La demanda por bienes públicos es la que genera la po-

---

27 En etapas posteriores del proceso de consolidación del espacio urbano, servicios provistos por el Estado como agua y luz dejan de ser bienes públicos y se convierten en bienes privados, por ejemplo, en el momento de las conexiones domiciliarias. Más, con la privatización de algunos servicios, dejan de ser provistos por el Estado.

28 Por ejemplo, cuando aparece fuertemente la demanda por empleo o por mayores ingresos. Ciertamente, se puede decir que en última instancia el acceso a estos bienes no depende estrictamente de iniciativas individuales sino de políticas estatales macro, que para ser alteradas requieren de presiones y acciones colectivas, pero otra vez, para que ellas se den, primero, tendrían que hacerse evidentes (no lo son en absoluto) las relaciones entre las situaciones individuales y las políticas macro; segundo, debería superarse el problema del *free-riding;* tercero, deberían conseguirse los recursos necesarios para la movilización; cuarto, las organizaciones deberían enfrentar un contexto socio-político que hiciera racional la acción colectiva... es decir, volvemos a lo mismo.

sibilidad de una acción colectiva representativa, forma un grupo virtual, que concierne a todos los pobladores[29]. Si este tipo de necesidades y demandas pierden centralidad entonces la participación y el involucramiento público generalizado también pierden sentido, o en todo caso dejan de tener la importancia que tenían antes.

Este cambio de prioridades se registra en muchas comunidades populares, se convierte en una evolución típica[30], ha sido registrado por muchos autores, pero pienso que no se han asumido todas las consecuencias que esto conlleva. Hasta podría decirse que el declive al menos un tipo de vida organizativa de los barrios es signo de su consolidación y avance, y no lo contrario. En el caso particular de El Agustino, el punto es señalado indirectamente por Romero (1993). Más explícitamente el punto es expuesto por Dietz (1998), para el caso de la comunidad de 28 de Julio en el distrito. Dietz muestra cómo con el paso de los años las formas de participación por vía de organizaciones dejan su lugar a otras formas de participación ciudadana, en las que la participación formal por la vía electoral en una de las más importantes. De hecho, como ya vimos, la propuesta de las MIADES buscaba precisamente contrarrestar de alguna forma la tendencia al declive organizacional, estimulando voluntaristamente desde arriba la participación y fortaleciendo las organizaciones existentes.

Sostengo que estamos ante una tendencia constante, irreversible, y ya bastante generalizada en la actualidad. Tomando como referencia el acceso a los servicios de electricidad y desagüe, ya vimos cómo en El Agustino se registra una tendencia constante de ampliación de la cobertura de estos servicios. De los 43 distritos de la provincia de Lima, 30 poseen entre un 76 y un 100% de cobertura de servicio de electricidad en sus viviendas; y

---

29 Para ponerlo en términos sociológicos, la presencia de demandas por bienes públicos conforma un ""movimiento social" (en los términos de McCarthy y Zald, 1977), o un "cuasi-grupo" (Dahrendorf, 1962). Desaparecida la búsqueda de bienes públicos, el movimiento social o cuasi-grupo también desaparece.

30 Ver por ejemplo, entre muchos otros, Degregori, Blondet y Lynch, 1986, quienes toman como referencia el caso de San Martín de Porres; para el caso de Villa el Salvador, ver Zapata, 1996; para Huaycán, ver Chávez, 1998.

12 entre el 51 y el 75%. En cuanto a cobertura de servicio de desagüe, 17 distritos poseen una cobertura entre el 76 y el 100%, y 16 entre el 51 y el 75% (INEI, 1997). Además, estas tendencias no sólo se registran en Lima, y pueden generalizarse para el conjunto de pobladores populares a nivel nacional. En efecto, en Carrión *et al.* 1991, encontramos que, a nivel nacional, los niveles de participación en organizaciones sociales y en diversas actividades comunales es mayor entre quienes se encuentran en diversas situaciones de precariedad socioeconómica, verificándose además la diferencia entre quienes poseen o no conexión domiciliaria de agua en sus casas: quienes no las tienen participan más en organizaciones y actividades comunales.

A los logros y avances producidos en la vida de los barrios, que desincentivan acciones colectivas que implican un gran y generalizado involucramiento público, hay que sumarle el cambio en el carácter del Estado producido al compás de las reformas orientadas hacia el mercado ocurridas en los últimos años, que reducen la esfera de lo político. Por ello, las acciones colectivas que se dan a nivel popular en los últimos años pierden proyección política, crecientemente tratan temas que se ubican en el ámbito privado o a lo sumo en la esfera de lo público-local, sin mayores repercusiones políticas nacionales. A todo esto hay que sumar por supuesto la crisis de los partidos y de las ONGs, que impulsaban a las organizaciones y les daban la proyección que hoy carecen[31]. Si asumimos que la participación es un recurso que emplean los actores populares para enfrentar por medio de la acción colectiva determinadas carencias, y no un valor *per se*, y si asumimos que las necesidades que dieron origen a gran parte de ésta ya fueron satisfechas, y que los agentes externos que en gran medida la hacían posible se han replegado, entonces entendemos mejor la situación actual. El declive en la participación en organizaciones, como veremos más adelante, no implica en absoluto un declive en la vida social de los barrios, sólo que ésta se expresa de nuevas maneras.

---

31   Ver al respecto el texto de Carlos Vargas en este volumen.

Los cambios en los sentidos de la participación y de las relaciones entre lo privado y lo público no han podido ser asumidas en toda su extensión porque la dinámica de la vida asociativa y de las organizaciones sociales no necesariamente decayó en los ochenta y los noventa, sino que pareció más bien renovarse, ampliarse, expandirse, en torno a la proliferación de organizaciones femeninas de sobrevivencia. Algunos autores han señalado que después del ciclo de los servicios básicos, se produjo otro ciclo expresado a través de "organizaciones funcionales", en las que destacaban las organizaciones de mujeres (vaso de leche, clubes de madres y comedores populares)[32]. Si bien esto es innegable e importante, sostengo que es un error asumir que hay una suerte de continuidad entre las organizaciones vecinales formadas alrededor de las demandas por bienes públicos elementales con estas "organizaciones funcionales". Las nuevas organizaciones resultan cualitativamente distintas porque se constituyen alrededor de la obtención de bienes *privados*, es decir, de bienes cuyo disfrute se restringe *a un grupo*, por más amplio que éste sea. De allí que no sea raro encontrar en este tipo de organizaciones problemas agudos de representación en relación con el conjunto de la población de sus comunidades. No es extraño encontrar la sospecha de prácticas clientelares en torno al reparto de los recursos (lo que demuestra que son bienes excluyentes y divisibles), o de un aprovechamiento doloso de los mismos.

Los comités del vaso de leche y los comedores populares se constituyen con un número definido de beneficiarios, y como instancias de intermediación frente a los municipios o al PRONAA, el programa gubernamental de reparto de alimentos. En este caso estamos ante una forma de acción colectiva, que se traduce en una organización, en la que se obtiene un bien privado: por ello no se presentan los problemas que se dan en la acción colectiva que busca un bien público (el *free-riding*). Los participantes reciben un beneficio específico, apropiados de manera particular. Esto por supuesto no quiere decir que la acción colectiva deje de tener costos: tiempo y dinero. El asunto crucial que explica enton-

---

32   Ver por ejemplo Zapata, 1996, para el caso de Villa el Salvador.

ces la constitución de organizaciones es nuevamente la disponibilidad de recursos movilizables para constituir los comités o comedores, por ello éstos no agrupan necesariamente a la población más necesitada o precaria[33]. En todo esto, por ello, la intervención de agentes externos es también decisiva. La aparición y el desarrollo de estas organizaciones está estrechamente vinculada a las políticas estatales, que proveen los recursos que justifican su funcionamiento, y a la intervención de ONGs que asumen parte de los costos de la acción colectiva. Diversos trabajos han resaltado la dependencia de las organizaciones de supervivencia de recursos estatales y de la intervención de agentes externos[34].

Por todas estas razones, propongo pensar este tipo de organizaciones más como *grupos de interés* particular, antes que como "movimientos sociales" término que, como ya vimos, está muy cargado ideológicamente, al menos en algunas versiones. Así puede entenderse mejor los conflictos que se observan en la actualidad entre diversos grupos de estas organizaciones, de orientaciones políticas distintas (unas pro gubernamentales y otras de oposición, por ejemplo). Ello es así porque estas organizaciones no tienen prácticamente nada en común unas con otras, más allá de la búsqueda de la apropiación de un bien privado. Así, las diferencias resultan naturales. Esto permitiría además entender algunos problemas de representación de las organizaciones existentes, las distancias entre éstas y la población en general. Por ejemplo, en Carrión *et al.* (1999) notábamos que si bien existe un tejido relativamente denso de organizaciones a nivel de base, ellas concitan una adhesión parcial solamente, por consideraciones críticas de las personas que no participan en ellas. Estas últimas no se sienten representadas por las organizaciones, y quienes participan formalmente en ellas sienten que no poseen mayor capacidad de influencia en las decisiones que se toman. Tenemos

---

33   Sobre el punto ver Cotler, 1999.
34   Ver nota 25; ver también Kajatt, 1999. Todo esto no quita que haya importantes procesos democratizadores *al interior* de las organizaciones, por supuesto. Sobre el punto ver Cotler, 1999. Pero también puede darse lo contrario, como puede verse en otros trabajos, que llaman la atención de la prácticas autoritarias entre dirigentas y bases; ver al respecto Yanaylle, 1991 y 1993.

que estar alertas frente a un discurso que habla de la importancia de la sociedad civil y de la participación de manera ingenua, que toma como referencia sin más, acríticamente, a las organizaciones sociales realmente existentes, como supuestamente expresivas de las bondades innatas de la sociedad civil. De allí las enormes distancias entre las prácticas reales y algunos discursos[35].

Estos discursos "ingenuos" se entienden cuando tomamos nota de que las organizaciones "realmente existentes" cumplen la función, entre otras, de legitimar la acción de actores tan diversos como el Estado, los partidos políticos, las ONGs y hasta algunos programas de televisión, que intentan construir su legitimidad con base en la promoción de estas organizaciones, en el entendido de que ellas son representativas del mundo popular en su conjunto[36]. Un discurso crítico no tiene mucho espacio para desarrollarse. En realidad, postulo que lo más notorio de la mayoría de las organizaciones existentes es constituir la base sobre la cual se proyectan un conjunto de *"dirigentes"* populares, cuya presencia es imprescindible tanto para los actores mencionados como para la propia población, pero que en realidad no *dirigen* ni *representan* propiamente, sino que cumplen una función de intermediación, sirviendo como *brokers*[37].

Estos *brokers* asumen gran parte de los costos de la acción colectiva (tiempo y recursos), a cambio de incentivos selectivos de carácter simbólico (status) y material (retribución a su función de intermediación), y a cambio de integrarse en complejas y extensas redes gracias a su relación con agentes externos. Frente a ellos, los constituyentes de las organizaciones sociales entablan una relación principalmente instrumental; los *brokers* se legitiman mayormente en función a su *eficacia*, por encima de otras considera-

---

35 Sobre el punto ver, además de Carrión *et al.*, 1998, Roncagliolo, 1999.

36 Se ha hecho costumbre, por ejemplo, invitar a miembros de comedores populares o comités del vaso de leche a *talk shows* o programas de concurso para dar la imagen de un compromiso con los pobladores de sectores populares.

37 Uno de los primeros en analizar a los dirigentes sociales y políticos como *brokers* es Valenzuela (1977), para el caso chileno. En los términos de McCarthy y Zald, 1977, resultan siendo "empresarios políticos" (*political entrepreneurs*).

nes. Los dirigentes son personajes especiales, excepcionales, surgidos de un mundo popular signado por la precariedad, en donde
la atención a lo familiar e inmediato suele por lo general imponerse. Por ello, el dirigente se relaciona con una población crítica,
pero en cierto modo "pasiva"; así, tienden a desarrollarse dinámicas "delegativas", en el sentido más estricto, en la relación entre
representantes y representados, en el que el componente participativo se relaja, pero nunca deja de estar presente un componente
de vigilancia y rendición de cuentas a *posteriori*[38]. El dirigente lo
es en virtud del manejo de una serie de complejas capacidades,
contactos y relaciones, que implican una muy alta calificación y
especialización, que la mayoría difícilmente posee. Por ello, resulta siendo una actividad casi (por fuerza) profesionalizada[39].

Los dirigentes populares poseen intereses propios, tienen una
lógica propia, y cumplen una función de *intermediación* entre la
población y los agentes externos, y por lo tanto se justifica anali-
zarlos por separado. Esto no pretende desmerecer su trabajo ni la
importancia de la función que cumplen. Por el contrario, creo que
es necesario dar cuenta de manera más precisa la naturaleza de su
contribución para poder potenciarla. La tarea del dirigente es sumamente compleja y tiene que lograr en su desempeño la maxi-
mización de los resultados a obtener en varias arenas, de orientaciones divergentes[40]: primero, tiene que lograr su sobrevivencia
personal, cosa difícil considerando que su trabajo por el grupo lo
obliga a descuidar espacios personales; por ello, tiene que asegu-
rarse el acceso a incentivos selectivos. Segundo, tiene también
que ser eficiente ante algún agente externo, en términos de su capacidad de constituir grupos; y por último, tiene que ser capaz de

---

38   La relación entre dirigentes y dirigidos parece paradójica desde el punto de
     vista de la *representación*, pero se entiende desde el punto de vista de la *eficacia*.
     Interesantes análisis de estas situaciones en ámbitos rurales pueden verse en
     Fuentes (1998) y Diez (1998).
39   Los textos de Ames y Uccelli en este volumen podrían servir como un análisis
     micro, desde el escenario de la escuela, de lo difícil y excepcional que resulta
     la aparición de "líderes" o "dirigentes" en un mundo popular signado por la
     precariedad y prácticas autoritarias.
40   La referencia teórica es Tsebelis, 1990. Ver también el texto de Sulmont en este
     volumen.

representar mínimamente, pero ante todo, ser eficaz ante ese grupo particular de la población (sin que ello signifique que el grupo sea representativo más allá de él mismo, respecto al conjunto de la comunidad). Estos objetivos, antes de ser confluyentes, muchas veces constituyen un juego de suma cero: asegurar la relación con el agente externo (partido político, ONG o institución religiosa) puede llevar a una mala relación con los grupos o la población en general (al imponerse criterios o prioridades ajenas), y viceversa (seguir sin más las demandas de la población puede llevar a romper con las posibilidades de intervención de los agentes externos); o también puede lograrse una buena relación ante agentes externos y ante grupos de la población, pero con costos sobre la vida personal del dirigente.

La complejidad de las funciones de intermediación de los "dirigentes" requiere de ellos una gran calificación, que muchas veces deviene en una suerte de profesionalización, como ya vimos. Por ello se suele encontrar que algunos líderes barriales mantienen su protagonismo a través de los años y a pesar de los cambios en cuanto a las necesidades y demandas existentes; por eso no es de extrañar tampoco que, en términos políticos, no sea raro encontrar antiguos militantes de izquierda trabajando hoy con el municipio de Vamos Vecinos, por ejemplo. Juzgar esto de manera inmediata como oportunismo o como una búsqueda de protagonismo por cualquier medio sería profundamente equivocado, a mi entender. Si asumimos la tesis de la intermediación, por el contrario, veremos que siguen cumpliendo una función útil y necesaria en la vida de sus comunidades (la misma de siempre, por lo demás); los dirigentes se mueven con una lógica en la que prima la relación entre el barrio y los agentes externos relevantes en el momento para la satisfacción de necesidades, antes que una "fidelidad" a dichos agentes. Por supuesto que también podemos encontrar otro tipo de dirigentes, "ideológicos", pero por lo visto son más bien la excepción antes que la regla, en tanto esta actitud atenta contra la eficacia, y los termina deslegitimando como tales[41]. Finalmente, una corroboración adicional a la tesis de la pro-

---

41 En términos de Stokes (1995), se trata de dirigentes que siguen una lógica "radical", como contraposición a quienes siguen una lógica "clientelar". En

fesionalización es encontrar frecuentemente que muchos dirigentes se convierten luego en promotores de ONGs, desempeñan diversos cargos públicos (electivos y nombrados), o planean incursionar en la política formal de manera abierta (postulando a cargos dentro y fuera de sus comunidades). Todas estas son maneras de aprovechar valioso el "capital social" acumulado con los años[42]. Sostengo que esta concepción de las organizaciones y dirigentes sociales, de un carácter que podríamos llamar "realista", es clave para repensar el trabajo con ellos, y el trabajo de promoción del desarrollo en general[43]. Volveremos a este punto en la parte final.

Ahora, si bien he enfatizado que se puede registrar una suerte de declive en la vida de las organizaciones sociales en los barrios una vez que se obtienen los servicios básicos, es decir, bienes públicos provistos por el Estado, y que no debe perderse de vista que los grupos de interés surgidos en los últimos años al compás de bienes privados (en el sentido de que son de apropiación privada), provistos por los programas de emergencia del Estado, reciben incentivos selectivos de los que no participa el conjunto de la población de sus comunidades, esto no quiere decir en absoluto que la vida asociativa a nivel de base se haya empobrecido. Mas bien sostengo que ésta se expresa de otros modos. En Carrión *et al.* (1999) tenemos datos que muestran una generalizada y activa participación de la población en diversas actividades comunales, aunque ellas no requieran la formación de organizaciones, en tanto se enfrentan problemas puntuales. Diversos autores proponen que la herramienta conceptual más apropiada para dar

términos de Romero (1993), se trataría de la oposición entre dirigentes "programáticos" y "pragmáticos". Para seguir la trayectoria de algunos dirigentes en El Agustino ver SEA, 1995 y 1996.

42   Este paso del "movimiento social" al "movimiento político" no hace sino seguir una tendencia registrada en muchas otras partes, en la que el primero se agota rápidamente y requiere, para el logro de sus objetivos, convertirse en lo segundo. Ver al respecto Offe, 1992, entre otros.

43   Algunos trabajos recientes enfocan desde esta perspectiva "realista" a la relación entre instituciones del Estado, agentes promotores como ONGs y organizaciones sociales. Un interesante análisis puede verse en Grompone, 1998.

cuenta de esta dinámica social es el análisis de redes sociales, de carácter más difuso pero no por ello menos efectivas[44].

Quiero ilustrar esto con la presentación de un par de trayectorias personales de dirigentes de El Agustino, que me parecen elocuentes. Tomemos primero la trayectoria de una dirigente, y luego la de un dirigente[45].

Ella es una dirigente de unos cincuenta años, actualmente posee un cargo dirigencial en la junta directiva del barrio en el que vive, y es participante de un programa de crédito comunitario promovido por una ONG. Posee una larga trayectoria como participante en organizaciones y como dirigente social. Anteriormente ha pertenecido a una comunidad religiosa de base, ha sido militante de un partido de izquierda y también funcionaria del municipio distrital, durante la gestión del alcalde Quintanilla. Pertenece a la junta directiva de su barrio precisamente por su experiencia y relaciones. Su conexión con el programa de crédito comunitario fue como participante y como promotora. En realidad, la ONG la buscó por sus contactos en el distrito, y ella cumplió la función de hacer operativo el programa; reunió a un grupo de mujeres, dedicadas al comercio informal, y sirvió de vínculo entre este grupo formado por ella y la ONG. Su rol fue estrictamente de intermediación, y resulta crucial tanto para el agente externo como para las beneficiarias del programa.

Cuando se le pregunta por su experiencia participativa, ella declara que los "líderes nacemos". Desde muy joven se vio involucrada en actividades de promoción social, y desde entonces no ha dejado de estar relacionada con ese mundo. Gracias a él desarrolló su personalidad y autoestima, y logró labrarse un modo de vida, combinando sus tareas de dirigente con diversas actividades, para las cuales las primeras le resultaron útiles.

---

44 Ver al respecto Chalmers *et al.*, 1997; para el caso peruano, ver Panfichi y Twanama, 1997.

45 Las trayectorias de ambos dirigentes han sido construidas sobre la base de una serie de entrevistas. Los nombres de los entrevistados los mantengo en reserva; he modificado ligeramente algunos detalles de sus vidas para evitar que sean identificados.

Por supuesto que su experiencia como dirigente no ha estado exenta de algunas rupturas. La división de la izquierda la afectó, y en general una mala experiencia como militante partidaria hizo que en los años noventa asumiera actitudes claramente pragmáticas. Es así como tiempo después se volvió a vincular al municipio, pero esta vez durante la gestión del alcalde Antiporta. Volvió a tener una mala experiencia, que por ahora la ha alejado otra vez de esos espacios.

En la actualidad, participa además en un curso de capacitación de dirigentes organizado por una ONG. A la edad que tiene, se siente segura de sus capacidades, y siente una vocación de servicio que la está llevando a considerar la posibilidad de incursionar en la política de manera formal, como una forma de hacer útiles sus habilidades y capacitación a favor de los demás. Está contemplando incursionar ya sea en la política local o en la nacional, dentro de alguna lista parlamentaria, en las próximas elecciones. Dado que es una dirigente conocida, distintas agrupaciones políticas (cercanas tanto al gobierno como a la oposición) le han hecho propuestas.

Otro caso interesante es el de un dirigente. Tiene treintaitantos años, y es actualmente dirigente barrial (aunque esa organización está prácticamente desactivada), y dirigente de un grupo de deudores del Banco de Materiales, que buscan la condonación de sus deudas. Tiene también una experiencia larga como participante en organizaciones y como dirigente social. Ha sido también militante de un partido de izquierda. Sus inicios en estas actividades se remontan a su participación, cuando era joven, en programas de bibliotecas populares, en diversos grupos culturales, que contaban con el apoyo de la iglesia, de ONGs y del municipio distrital. Su experiencia lo llevó a ser funcionario municipal durante una de las gestiones del alcalde Quintanilla. La división de la izquierda también lo afectó bastante, lo volvió más pragmático, pero no por eso lo hizo dejar las actividades de promoción social, y es así como terminó siendo regidor en el municipio después de Quintanilla, pero dentro de una lista independiente.

Este dirigente constata, como todos, el decaimiento de la vida organizacional, una vez satisfechas algunas demandas básicas. Sin embargo, en la actualidad es dirigente de un grupo de deudores del Banco de Materiales, organización formada en torno a una necesidad muy concreta y de corta duración, un típico grupo de interés particular. Dada su formación de izquierda, busca politizar las demandas por condonación de la deuda, y tiene estilos que privilegian la movilización y la confrontación. Esto lo hace ser visto con algo de desconfianza por algunos pobladores y otros dirigentes también involucrados en problemas con el banco, aunque de otra índole. Existe, por ejemplo, otra organización de pobladores en problemas con el banco, pero debido a la mala calidad de algunas obras realizadas por los técnicos de éste. Los dirigentes de este grupo asumen claramente que están involucrados en una forma de acción colectiva por un tema puntual, y no expresan ningún interés por politizar sus reclamos, o por seguir una "carrera de dirigente". A diferencia del primero, privilegian estrategias de negociación.

* * * * *

Como conclusión de esta parte, todas estas cuestiones nos ayudan a entender de qué manera fue posible el desplome tan abrupto de la izquierda en El Agustino, y en el país en general. La izquierda apostó a un tipo de relación voluntarista entre los pobladores de los sectores populares y una política que no tenía una base estructural firme de sustento (dados los cambios en las necesidades de las personas), y que dependía en exceso de los incentivos y estímulos establecidos desde el municipio y otros agentes externos que, replegados por la crisis, hicieron que perdiera sentido ese tipo de relación entre sociedad y política. Lo que esta sección muestra es que la relación entre los pobladores urbanos populares y el Estado por medio de la participación en organizaciones y formas de acción colectiva, funciona a través de la mediación de diversos agentes externos e intermediarios, pero que hace de esa relación una llena de discontinuidades y fracturas. La relación entre sociedad y Estado puede darse de otros modos, no por distintos menos estables y eficaces, y eso es lo que creo que está sucediendo en los últimos años, cambios ahondados además por las profundas transformaciones ocurridas en la estructura social como consecuencia de la reformas liberales[46].

4. LA REESTRUCTURACIÓN (1995-1998)

En esta sección sostengo que hacia mediados de la década de los noventa se consolida un nuevo conjunto de relaciones entre los sectores populares y el Estado, en el que el mecanismo más importante deja de ser aquel que pasa por organizaciones, sin que esta forma deje de tener importancia. A la base de esto está el nuevo rol del Estado, en el contexto de las reformas hacia una economía de mercado, que a la vez implican una reconstitución de sus capacidades institucionales (después del colapso del Estado interventor), y un nuevo tipo de intereses y demandas presentes en los pobladores urbano-populares. Estamos ante un modelo en el que el Estado se relaciona con intereses populares individualizados y en el peor de los casos fragmentados, pasando por encima y en ocasiones desarticulando instancias de intermediación. Incluso así, creo que estamos ante cambios muy profundos que seguirán más allá de la vigencia del actual gobierno. A pesar de sus límites, sostengo que esta forma de relación concuerda en gran medida con el tipo de situación en la que se encuentran en la actualidad gran parte de los pobladores urbanos populares, y que no necesariamente debe ser considerada un "retroceso" respecto al pasado precedente; en todo caso, la naturaleza y alcances de los cambios todavía esperan una evaluación precisa.

Estamos ante formas de relación que vinculan a individuos-ciudadanos con el Estado, por diversos mecanismos, plurales, y que configuran la *posibilidad* del desarrollo de una *política de ciudadanos*, distinta a la política *movimientista* del pasado[47]. En

---

46 No debería ser necesario decirlo, pero parece que lo es: todo lo que expongo pretende situarse al margen de nuestras preferencias particulares. Podemos evaluar con agrado o desagrado estos procesos, pero ellos existen, más allá de nuestros deseos. Esa es la discusión pertinente aquí.

47 La discusión sobre la "política de ciudadanos" y la "política movimientista" es trabajada por Palermo y Novaro (1996) para el caso argentino, aunque en un sentido distinto al presentado aquí. Me he inspirado en estos conceptos y

la *política de ciudadanos* los mecanismos de participación pasan por la relación electoral (la principal forma de *acccountability* vertical), por medio de grupos de interés particular, y por la intermediación de unas elites en un contexto pluralista, que actúan dentro de un formato de competencia, y dentro de un ordenamiento institucional que permite formas de *accountability* horizontal[48]. Que esta *política de ciudadanos* llegue efectivamente a hacerse realidad depende de un proceso efectivo de democratización, que ojalá pueda darse a mediano plazo; atentan contra éste prácticas clientelares y antidemocráticas que lamentablemente se registran en muchas partes, y en muchas ocasiones promovidas o amparadas por el propio aparato del Estado.

* * * * *

En la sección previa vimos cómo el Estado se replegaba, en medio de las reformas orientadas hacia el mercado. Esto es cierto, pero no lo es menos que, respecto al pasado inmediato el Estado *ha crecido*, ha recuperado su presencia después del colapso fiscal de fines de los ochenta. Se ha "reducido" en el sentido de que interviene menos en el mercado, pero ha crecido significativamente en el sentido de que ha recuperado presencia respecto al Estado quebrado del pasado precedente[49]. A nivel local esto se expresa en la reconstitución de las finanzas municipales, especialmente notorias a nivel distrital después del D.L. 776, de diciembre de 1993, como veremos.

El Estado se recupera notablemente en el contexto de las reformas neoliberales, hecho que muchas veces es pasado por alto. Por ejemplo, el Presupuesto General de la República aumentó 4.8 veces entre 1992 y 1998, pasando de 6'107,494 soles en 1992 a 29'523,775 soles en 1998. El Presupuesto como porcentaje del PBI ha ido de un 11.6% en 1992 hasta un 15.1% en 1998; además, al es-

---

un poco en el tratamiento de estos autores, pero aquí los desarrollo en un sentido distinto.

48 Un análisis de las dimensiones horizontal y vertical de la rendición de cuentas (*accountability*) se encuentra en O'Donnell, 1998.

49 Ver al respecto Kay, 1995.

tar el PBI "inflado" aproximadamente en un 20%, según muchos analistas, este porcentaje podría en realidad estar bordeando el 18% del PBI (Adrianzén, 1999)[50]. La recuperación de las finanzas estatales ha permitido un aumento significativo del gasto social en los últimos años. En 1992 el gasto social implicó el 19.2% del presupuesto, mientras que en 1998 este porcentaje llegó hasta el 40%. El gasto social per cápita también aumentó de manera notable: en 1990 fue de 23.9 dólares de 1979; en 1995, llegó a 61.3 dólares. A pesar de ser uno de los niveles más bajos de la región, lo importante en términos políticos es que aumentó en términos absolutos a nivel nacional[51]. Desde este punto de vista, el Estado no ha hecho sino crecer y hacerse más presente en la vida de los peruanos, lo que por supuesto le permite construir sus bases de legitimación.

El gráfico 1 muestra la evolución del gasto social como porcentaje del PBI entre 1980 y 1997[52]. Podemos ver cómo en el segundo gobierno de Fujimori se registran los niveles más altos de las últimas dos décadas.

El gráfico 2 muestra la evolución del gasto social entre 1980 y 1998, en millones de soles constantes de 1994[53]. Puede verse una tendencia sistemática de caída desde 1987, que se detiene recién en 1992, y que muestra una muy importante recuperación entre 1994 y 1998.

Los mayores niveles de gasto social se traducen en obras y en beneficios tangibles para los pobladores de sectores populares. Esto no es apreciado en toda su magnitud por un discurso que enfatiza los límites del gasto social; si bien ha habido una recuperación importante, respecto al pasado precedente, no deja de ser cierto que estamos ante uno de los índices de gasto social más bajos de América Latina; y que los criterios de asignación del mismo

---

50   El Presupuesto como porcentaje del PBI fue de 11.6 en 1992, 12.3 en 1993, 14.6 en 1994, 16.6 en 1995, 14.8 en 1996, 14.6 en 1997 y 15.1 en 1998. Datos tomados de Adrianzén, 1999.

51   Datos tomados de Adrianzén, 1994.

52   Los datos de 1996, 1997 y 1998 son datos presupuestados. La fuente es O'Brien y Guevara, 1998.

53   Los datos de 1996, 1997 y 1998 son presupuestados. La fuente es O'Brien y Guevara, 1998.

no son los mejores, al concentrarse en el Ministerio de la Presi-dencia y soslayar a los ministerios de línea (ver por ejemplo Adrianzén, 1999). Pese a todas estas limitaciones, pienso que es bastante claro que el impacto político es muy grande, y finalmen-te es lo que cuenta en lo que respecta a la relación entre el Estado y los actores sociales a nivel de los sectores populares. Esto nos permite entender que, desde que se produce la recuperación de los niveles de gasto social, la base social de apoyo político más fuerte del fujimorismo se encuentre en los pobladores de sectores populares, claramente desde el inicio de su segundo período.

Esta apertura del Estado, en un contexto de estabilidad y cre-cimiento (al menos hasta 1997[54]), en un nuevo escenario de econo-mía de mercado, de debilidad de actores sociales y grupos de in-termediación, no generó una dinámica reivindicativa. La situación general tendió, por el contrario, a desincentivar formas de la acción colectiva expresadas a través de las organizaciones, así como discursos y prácticas de confrontación. Se hizo más ra-cional una lógica pragmática de negociación con un Estado a su modo distribuidor, que atiende selectivamente a demandas parti-culares, dentro de una lógica "neoclientelar", por así decirlo[55]. Además, hay esfuerzos premeditados por parte del gobierno para desincentivar expresiones organizadas centralizadas y poli-tizadas. Tenemos por ejemplo los incidentes en torno a la distri-talización del programa del vaso de leche, de junio de 1996, en el

54 La evolución del PBI en esta década ha ido de la siguiente manera: en 1990, fue de -5.4%; en 1991, 2.8%; 1992, -1.4%; 1993, 6.4%; 1994, 13.1%; 1995, 7.3%; 1996, 2.5%; 1997, 7.2%; 1998, 0.7%, y la proyección para 1999, 1.0%. Datos tomados del INEI.

55 Hablamos de "neoclientelismo" y no de clientelismo a secas porque creo que hay una diferencia decisiva en cuanto a las lealtades que pueden suscitar los recursos del Estado. En la actualidad, la autonomía de los actores populares es sustancialmente mayor a la del pasado. De allí que, vistas las cosas desde el ángulo del Estado, haya una lógica neoclientelar, que combina los viejos mecanismos de control político con una retórica tecnocrática; pero vistas las cosas desde el punto de vista de la población sostengo que más bien hay una lógica pragmática, que se beneficia de los recursos del Estado, pero sin comprometerse necesariamente con sus proyectos políticos más amplios. Sobre el "neoclientelismo" en América Latina en los últimos tiempos ver Fox, 1994.

Gráfico 1
Evolución del gasto social, 1980-1998 (% del PBI)

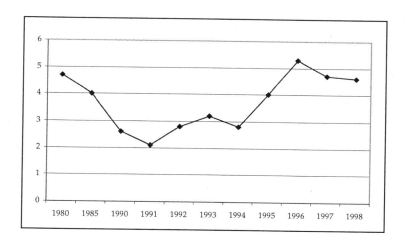

Gráfico 2
Gasto social en el Perú, 1980-1998 (millones de nuevos soles de 1994)

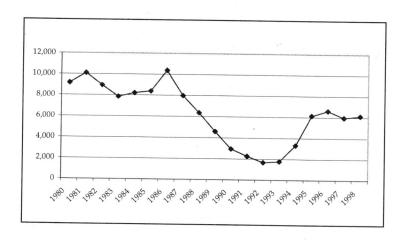

Gráfico 3
Aprobación presidencial promedio y en sector d, en el segundo gobierno de Fujimori

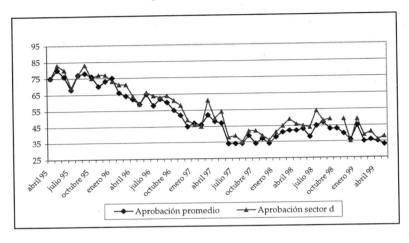

Fuente: APOYO.

Gráfico 4
Ingresos de gobiernos locales, 1985-1997

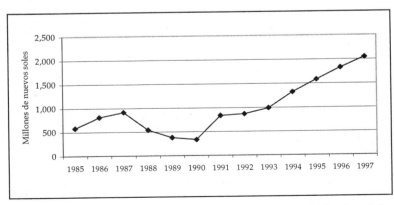

Las cifras toman como referencia nuevos soles de 1994. Entre 1985 y 1994, los datos de los ingresos son del presupuesto ejecutado; entre 1995 y 1997 se trata de ingresos estimados. Fuente: Propuesta, 1996.

contexto del nombramiento de Alfonso Barrantes como director del programa y de los enfrentamientos entre el Ejecutivo y el alcalde Andrade.

Pero, puntualizando lo que nos interesa, encontramos que junto con el fortalecimiento general del Estado, también se fortalecen las finanzas municipales. Nuevamente, esto no es apreciado en toda su magnitud porque los análisis han tendido a enfatizar la concentración del gasto en el Ejecutivo, la reticencia a descentralizar, la escasa proporción del presupuesto que, en términos comparativos, manejan los gobiernos locales. Sin que ello deje de ser cierto, el dato políticamente más importante por sus consecuencias es, a mi juicio, un notable y constante aumento de los recursos de los municipios en términos absolutos, en especial desde 1994. A nivel de los gobiernos locales distritales, el cambio importante en este sentido se dio con el D.L. 776 (diciembre de 1993). Si bien el polémico decreto 776 tiene que ser enmarcado en el contexto del enfrentamiento de corto plazo del gobierno con el alcalde Belmont, me parece indudable que ha tenido efectos interesantes, tal vez no buscados por el gobierno.

Esto tiene efectos políticos importantes, los gobiernos locales son cada vez más significativos, lo que lleva a una activación de los espacios políticos locales en los últimos años, aunque esta no pase por organizaciones políticas nacionales[56]. El mayor acceso a recursos hace que los municipios tengan posibilidad de hacer obras y de hacer sentir su presencia en la vida de los vecinos, cosa nunca antes vista. En el caso específico del distrito de El Agustino, en 1993 los recursos propios eran apenas el 16.9% de los recursos totales, lo que muestra su dependencia de las transferencias del gobierno central; las transferencias corrientes del gobierno central constituyeron el 57.6% de sus ingresos totales (Araoz y Urrunaga, 1996). En el mismo año, lo recibido por el Fondo de Compensación Municipal en El Agustino resultó siendo el 73.7% del total de impuestos, y el 25.5% de sus ingresos totales. Las cosas empezaron a cambiar entre 1993 y 1994. En 1993, El Agustino recibió 766 mil soles por el Fondo de Compensación Municipal, el

56 Ver al respecto Roncagliolo, 1999, quien analiza algunos distritos de Lima, ilustrando una tendencia que es nacional.

0.49% de lo que recibían en conjunto los distritos de Lima Metropolitana; en 1994, en cambio, recibió 2 millones 169 mil soles por ese concepto, el 1.94% del total asignado a Lima Metropolitana, un aumento de 183% en sus ingresos por ese concepto. El fortalecimiento del Estado y de las finanzas municipales desde 1994 ayuda a explicar la reelección de Fujimori en 1995, pero también el buen desempeño electoral a nivel de distritos populares de Cambio 90-Nueva Mayoría en 1995, y de Vamos Vecinos en 1998, y la elección y reelección de Francisco Antiporta en El Agustino[57]. Creo que una lectura sesgada de estos resultados los interpretó como una derrota gubernamental, cuando las cosas resultan mucho más matizadas. Si bien los candidatos identificados con el gobierno perdieron en Lima metropolitana en 1995 y 1998, también es cierto que a nivel de cifras absolutas las diferencias se acortan, y que los candidatos identificados con el gobierno tuvieron un buen desempeño en los distritos populares. En las elecciones municipales de 1995, en Lima Metropolitana, a nivel distrital, Cambio 90 obtuvo más votos que Somos Lima (41.13% contra 39.72%), a pesar de que a nivel provincial el resultado se invierte (47.93% contra 52.07%). Cambio 90 ganó en esa oportunidad en casi todos los distritos populares: Ate, Carabayllo, Comas, El Agustino, Independencia, Lurigancho, San Juan de Lurigancho, San Juan de Miraflores y Villa María del Triunfo. El único distrito popular que ganó Somos Lima fue Villa el Salvador. Y en las elecciones de 1998, si bien a nivel provincial Somos Perú obtuvo el 58.75% contra el 32.66 de Vamos Vecinos, a nivel distrital, Somos Perú obtuvo el 35.37%, contra el 28.57% de Vamos Vecinos, ganando este último grupo en los distritos populares de El Agustino, Independencia, San Juan de Lurigancho y San Juan de Miraflores.

---

57   Obviamente, esta consolidación de las finanzas municipales llegó tarde para la consolidación del Movimiento OBRAS. Su líder Ricardo Belmont, alcalde provincial de Lima electo en 1989 y reelecto en enero de 1993, postuló a la elección presidencial de 1995, obteniendo apenas el 2.6%. En el caso de El Agustino, lo mismo podría decirse de la gestión del alcalde Cisneros (1993-1995).

El relativamente buen desempeño de los candidatos identificados con el gobierno creo que es un indicador de la relativa consolidación del tipo de relaciones que se establecen entre el Estado y la ciudadanía, al menos entre los pobladores urbano-populares; relación en la que la legitimidad se construye sobre todo en torno a la eficacia en la realización de obras y provisión de servicios. En El Agustino, esto se expresa en obras como construcción de escaleras en las zonas altas, pistas y veredas, construcción de colegios, etc. Obras que se hacen posibles por la reconstitución de las finanzas estatales, tanto a nivel nacional como local. Puede afirmarse que este tipo de legitimación cuenta para todo tipo de autoridades a nivel local, y constituye una forma de legitimidad política nueva

Cuadro 2
Elecciones en El Agustino, 1989-1998

	1989 (M)	1990 (P)	1990 (P2)	1992 (CCD)	1993 (M)	1993 (R)	1995 (M)	1998 (M)
OBRAS	57,81				50,9			
Fujimori		49,72	70,15	57,57		56,71	56,61	38,58
Somos							40,08	22,95

Fuentes: Tuesta, JNE.

En 1989 (M), se trata de los votos obtenidos por los candidatos a la alcaldía provincial en el distrito.

En 1990 (P), se trata de los resultados de la primera vuelta de la elección presidencial en el distrito; 1990 (P2) es el resultado de la segunda vuelta de la elección presidencial en el distrito.

En 1992 (CCD) se trata de los votos obtenidos por Cambio 90-Nueva Mayoría en la elección de Congreso Constituyente Democrático en el distrito.

En 1993 (M) se trata de los votos obtenidos por los candidatos a la alcaldía provincial en el distrito. El gobierno retiró su candidato.

En 1993 (R) se trata de la votación por el "Sí" en el referéndum de aprobación de la nueva Constitución en el distrito.

En 1995 (M) se trata de los votos obtenidos por los candidatos a la alcaldía distrital de El Agustino.

En 1998 (M) se trata de los votos obtenidos por los candidatos a la alcaldía distrital de El Agustino.

en cuanto a la centralidad del criterio de eficacia por encima de
cualquier otra consideración. Si bien es cierto que la eficacia siempre ha sido importante, también lo es que antes contaban también
otros criterios: identificaciones partidarias, políticas, ideológicas,
culturales. En los últimos tiempos la eficacia ocupa un lugar central en el contexto del quiebre de estos otros tipos de identificaciones. Y esto no necesariamente constituye un retroceso.

Esta forma de relación entre sociedad y Estado, vía provisión
de servicios, se complementa con aquella que establecen las instituciones estatales con diversos grupos de interés[58], que se movili-
zan en torno a demandas específicas, apartándose de los esquemas *movimientistas*. Es decir, se interrumpe una dinámica con-
frontacional y una dinámica politizada por la intermediación de
actores políticos, dentro de esquemas de centralización. Ahora,
las organizaciones aparecen claramente como grupos de interés
particular, con intereses específicos en torno a un objetivo concreto, y con orientaciones pragmáticas para lograr dicho objetivo.
Una expresión clara de estas situaciones la encontramos en la evolución de los problemas en torno a la decisión de distritalizar el
Programa del Vaso de Leche, cosa que se produce hacia fines de
1996. En el corto plazo, como ya vimos, es cierto que este hecho
hay que enmarcarlo en el contexto del enfrentamiento entre el gobierno y el alcalde Andrade, y la presencia de la izquierda en la
coordinadora metropolitana. Sin embargo, no deja de ser cierto
que el programa, en manos de la coordinadora metropolitana y
del municipio provincial de Lima, mostraba deficiencias, y que la
decisión tenía cierto sentido dentro de un esquema de descentralización.

Dice más de la situación real de las organizaciones del vaso
de leche pensarlas como grupos de interés particularizados, no
existiendo nada sustancial que los una o que justifique su centralización, salvo identificaciones políticas o proyectos políticos, que
hoy no existen. Así, la distritalización del programa pudo avanzar sin mayor oposición, y a la fecha los cambios parecen estar
funcionando, lográndose una mayor eficiencia con incluso mejo-

---

58 Que no son movimientos sociales, no al menos en el sentido *tourainiano* del
     término.

res niveles de participación a nivel de base. En la actualidad encontramos evaluaciones positivas del desempeño del programa a nivel distrital, algo extensivo para el caso de El Agustino. Pensar a estas organizaciones como grupos de interés, que obtienen un bien privado, ayuda también a entender algunos problemas de representación que tienen, en relación al conjunto de la población. En el distrito y en muchas otras partes es frecuente oír quejas porque siempre es un mismo grupo de señoras las beneficiarias, las miembros en los cargos directivos son generalmente las mismas, rotando de alguna forma cada cierto tiempo, permaneciendo en las organizaciones muchos años, hasta el punto en que ya sus hijos dejaron de ser beneficiarios al pasar la edad escolar.

Este tipo de relaciones entre el Estado y los grupos de interés es impulsado por supuesto desde el gobierno central, básicamente a través del Ministerio de la Presidencia. Así, otras formas en las que el Estado aparece en el ámbito local para los pobladores urbanos populares es por medio de diversas agencias, que proveen servicios específicos, y que establecen relaciones que esporádicamente dan lugar a la formación de grupos, pero sólo en casos de emergencia, por así decirlo. Como ejemplos podemos citar a la COFOPRI y al Banco de Materiales. En el primer caso, la regularización de la propiedad de las viviendas es una necesidad cuyo trámite es bastante complicado en el distrito, sobre todo para las viviendas ubicadas en los cerros. Pero la acción de COFOPRI vincula a los pobladores con el Estado de manera individual, y sólo esporádicamente las organizaciones vecinales cumplen tareas de intermediación. Además, pese a que la situación legal de muchas viviendas en el distrito es irregular, no se registra en el distrito una dinámica intensa en torno al reconocimiento de la legalidad de las viviendas. En palabras de un poblador entrevistado, "¿qué nos pueden hacer? No nos pueden botar". Una vez conseguido el reconocimiento genérico del asentamiento, que es un bien colectivo, la titulación resulta un bien privado, frente al cual además muchos pobladores se muestran relativamente indiferentes, seguros de que la posesión de facto les asegura la propiedad, pese a que esté mal definida en términos legales.

Respecto al Banco de Materiales, como ya hemos visto más arriba, en el distrito se han registrado en los últimos tiempos acciones colectivas de protesta por diversas irregularidades relacionadas a obras financiadas por este banco. Es interesante registrar que en la organización de estas acciones encontramos antiguos líderes de izquierda, quienes continúan cumpliendo la función de intermediación a la que ya hicimos referencia, así como nuevos líderes incidentales, que no conciben su participación más allá de la solución de su problema específico.

El tipo de dinámica descrito, de relación entre pobladores urbano-populares y la esfera político-institucional, puede entenderse mejor si asumimos que, con la consolidación de los barrios, estos muestran cada vez más una suerte de dinámica "mesocrática", en la que la acción colectiva y la pertenencia a organizaciones es menos intensa, y donde los problemas se vinculan mayormente a seguridad y ornato. Según una encuesta realizada por el SEA (1998), para los pobladores de El Agustino los principales problemas del distrito son:

Problemas	porcentajes
Delincuencia y pandillaje	81.7
Drogadicción	45.2
Basura y contaminación	29.1
Desocupación	22.6
Falta de servicios básicos	21.7
Alcoholismo	19.6
Abandono de la niñez	17.4
Transporte	15.7
Ambulantes/ falta de mercado	9.1
Desunión / falta de diálogo	6.1
Falta de servicios de salud	5.2
Otros	13.5
No sabe / no opina	0.9

Como puede verse, los principales problemas se relacionan con la seguridad del distrito, y con la salubridad, problemas que aparecen junto con la falta de servicios básicos, problema más "tradicional" de los barrios populares. Preguntados los encuestados sobre qué le hace falta a El Agustino para que sea un distrito mejor, responden:

Problemas	porcentajes
Erradicar la delincuencia y el pandillaje	65
Mejora de la educación	30
Generación de empleo	30
Mayor atención a los pobres	28
Tener autoridades idóneas	26.1
Acabar con la contaminación	25.7
Trabajo unido y solidario	17
Otros	18.7

La mayoría de las respuestas están referidas a problemas estructurales, que van más allá de la problemática local y que muy excepcionalmente dan lugar a acciones colectivas. Pero lo resaltante es que, de los problemas locales, nuevamente los relacionados con seguridad y salubridad aparecen como centrales. En la encuesta se preguntó también por los medios que podrían usarse para mejorar las cosas en el distrito, y las respuestas fueron:

Problemas	porcentajes
Unión y cooperación	57.8
Trabajo conjunto entre el pueblo y el gobierno	47.4
Creando oportunidades para los jóvenes	47.4
Planes urbanos	29.1
Más atención y ayuda de las autoridades	21.7
Mayor fiscalización	19.6
Incentivar la educación	16.1
Otras	19.6
No sabe / no opina	1.3

Es interesante ver que la mayoría de las respuestas apuntan a mecanismos de concertación y cooperación, antes que de confrontación, más asociados a la dinámica *movimientista* anterior. Para pobladores que enfrentan a un Estado más presente que antes por medio de obras públicas, que busca legitimarse por medio de ellas, y que maneja un discurso antipolítica y antipartido, se hace más racional una estrategia de negociación. Finalmente, la encuesta registra que un 70.3% declara que le gusta vivir en El Agustino, mientras que un 29.3% señala que preferiría vivir en otro distrito, lo que es otro indicador de la relativa consolidación del espacio urbano pese a sus problemas.

En general, estos datos nos muestran un espacio urbano básicamente consolidado, con problemas de bajos ingresos y de organización de la vida urbana, con ciertamente muchos problemas sociales, pero que no requieren como antes formas de acción colectiva para solucionarlos. El diagnóstico de los problemas revela además que los pobladores esperan que el municipio funcione, sobre todo, como un proveedor de servicios, con lo que la dinámica *movimientista* deja de tener el sentido que tenía antes. Esta idea de *consolidación* del espacio urbano puede coincidir con la crisis actual pero, pese a la gravedad de ésta, ella no tiene que ver tanto con la provisión de bienes *públicos*; tiene que ver ante todo con empleo e ingresos, que remiten a bienes privados, de apropiación privada. El relativo éxito de la gestión del alcalde Antiporta está en haberse adaptado, en la práctica, a este tipo de dinámica y haber enfrentado con eficacia los problemas más sentidos por los pobladores. Nuestros entrevistados reconocen, incluso aquellos de oposición al alcalde, logros notables en cuanto al programa de obras, y en cuanto a la limpieza del distrito. Respecto al pandillaje, otro problema muy sentido, desde el municipio se desarrolló un programa de trabajo con pandilleros, que si bien no tuvo continuidad, tuvo un importante éxito en el momento, y fue eficaz en moderar en problema[60].

¿Qué conclusiones podemos extraer de este panorama? ¿Qué consecuencias tiene esto sobre la dinámica política a nivel nacional? ¿Qué implicancias tiene esto para los actores políticos? ¿Qué consecuencias tiene sobre el trabajo de promoción entre los pobladores urbano-populares? Discuto algunas cuestiones que considero relevantes en la última parte.

---

60   En coordinación con la policía, las autoridades del distrito lograron reunir a los líderes de las principales pandillas, y comprometerlos a participar en diversas actividades. Se organizaron desde campeonatos deportivos hasta programas de capacitación laboral con jóvenes miembros de pandillas.

5. PERSPECTIVAS HACIA ADELANTE: *ACCOUNTABILITY* HORIZONTAL Y VERTICAL

Para empezar, pienso que los cambios descritos están aquí para quedarse, dada su naturaleza estructural configuran un patrón que va más allá de lo que este gobierno en particular está haciendo. Pienso además que los cambios establecen un escenario *diferente*, no necesariamente mejor o peor, que establecen limitaciones, pero también posibilidades interesantes, y a la vez dejan atrás experiencias que en su momento tuvieron también aspectos positivos y negativos. Por lo tanto, creo que no tiene mucho sentido enfocar las cosas comparándolas con el pasado para lamentar los cambios, tendencia implícita en muchos análisis. De hecho, en gran medida, una evaluación pesimista de la situación actual y los cambios tienen que ver más con las preferencias de algunos observadores que con la situación real de los pobladores quienes, como hemos visto, han mejorado sus condiciones de vida en el espacio urbano de manera notable en las últimas décadas, aun en medio de la crisis.

Para poder apreciar de una manera más abierta el nuevo tipo de relación entre lo político y los ciudadanos y los grupos de interés particular, que deja atrás la dinámica *movimientista* que involucraba organizaciones estables y centralizadas, habría que recordar que éstas últimas no constituyen ciertamente formas ideales, desde varios puntos de vista. Recordemos el ideal democrático *madisoniano*, y la desconfianza en las organizaciones intermedias como entes que lejos de democratizar las decisiones y el poder, hacen que éstas privilegien a quienes tienen mayor capacidad de acción colectiva y no necesariamente a quienes más lo ameritan[61]. Y ya hemos visto cómo hay discontinuidades significativas entre la población de las comunidades urbano-populares en general, los miembros de las organizaciones realmente existentes, sus dirigentes y los agentes externos que asumen parte de los costos de la ac-

---

61 En los últimos tiempos, se produce un saludable debate sobre las supuestas virtudes de las instituciones de la sociedad civil. Se trata de un asunto problemático. Sobre estas discusiones ver Jean Francois Prud'homme, comp., 1999; De Francisco, coord., 1998; y Hengstenberg *et al.* eds., 1999.

ción colectiva. En la actualidad el involucramiento en formas de acción colectiva parece ser puntual, sin que esto implique en absoluto un decaimiento en la vida social de las comunidades, una suerte de individualismo absoluto.

Vistas las cosas desde este ángulo, podemos afirmar que hay aspectos positivos potenciales en medio de la nueva situación, que permiten pensar en una *política de ciudadanos*, construida sobre la base de individuos, no de organizaciones, dentro de esquemas acaso más acordes con los de una democracia *madisoniana*[61]. En ella, las elecciones y la disputa por el poder local constituyen un escenario dinámico y abierto, en el que el conjunto de la población puede hacer valer sus preferencias; ella relaciona el ámbito político con el social también por medio de las demandas planteadas por diversos grupos de interés, en donde la legitimidad de las autoridades se juzga por su eficacia, por sus resultados, de modo que puede darse una forma efectiva de *accountability* vertical. Pero en este esquema democrático, la clave no está tanto en el protagonismo de las organizaciones sociales (que pueden degenerar en la defensa exacerbada de intereses particularistas), sino en el pluralismo, la competencia a nivel de los representantes por conquistar a la mayoría de los representados, dentro de un arreglo institucional que asegure, nuevamente, que no se caiga dentro de dinámicas particularistas. Es un esquema plenamente democrático, aunque acaso de un carácter participativo más acotado y realista. Esquema, dicho sea de paso, poco presente como escenario en la mayoría de analistas de nuestro medio, más formados en esquemas *rousseaunianos* de democracia[62].

Es evidente que estamos hablando sólo de una posibilidad hacia el futuro, dadas las limitaciones que existen en la actualidad para que se desarrollen elecciones realmente competitivas, y da-

---

61   Esto no significa renunciar a los ideales de una democracia participativa, pero sí a *un tipo particular* de democracia participativa. Ver al respecto Tanaka, 1999a, donde exploro los cambios en los sentidos de la democracia participativa desde la filosofía política, rescatando la importancia del reconocimiento de la *complejidad* de las sociedades, y cómo afectan la participación.

62   Sobre el "agotamiento" de esta manera de pensar la participación en el mundo actual ver Tanaka, 1999a.

das las limitaciones que hay para que la relación entre el Estado y las organizaciones sociales o grupos de interés no estén sujetas a relaciones de naturaleza clientelar, que buscan su coptación y, por lo tanto, desnaturalizan su sentido. Sin embargo, creo que la mayor dificultad para constituir una política de ciudadanos no tiene tanto que ver con la dimensión vertical de la representación democrática, en la medida en que los actores populares del país han dado muestras de independencia de criterio y de una relativa sofisticación política en sus juicios. En el caso del distrito, las últimas tres elecciones han sido bastante reñidas; la legitimidad por eficacia, por resultados es, en el fondo, un criterio de legitimación bastante exigente. De otro lado, las organizaciones sociales o grupos de interés, sus miembros y dirigentes, suelen ser bastante claros en sus objetivos, exigentes frente a situaciones de incumplimiento.

La mayor dificultad tiene que ver a mi juicio con la dimensión *horizontal* de la dinámica democrática representativa, la que se emparenta con las tradiciones políticas liberal y republicana[64]. Esta dimensión de la rendición de cuentas democrática tiene que ver con las élites, con la competencia entre ellas, con el pluralismo, con la conducta de las élites dentro de marcos institucionales, antes que con la relación entre ellas y la sociedad.

Tomando como referencia a los municipios, considero que la gran dificultad que existe está, para empezar, en su extrema precariedad institucional, pese a los avances registrados en los últimos años. El municipio de El Agustino, así como la gran mayoría de municipios en el país, carece de archivos sistemáticos, no posee memoria institucional, no se acumulan ni transmiten experiencias, los funcionarios y regidores sólo excepcionalmente están compenetrados con la naturaleza de sus responsabilidades, y no existen propiamente mecanismos de control y rendición de cuentas efectivos. Conversamos con regidores y funcionarios vinculados al área de participación vecinal, y resulta claro que más allá de las ganas de trabajar y de ser útiles para sus comunidades, ca-

---

64   En los últimos tiempos, muchos trabajos ponen el énfasis en el debilidad de los aspectos republicanos y liberales, no los estrictamente democráticos, en nuestros regímenes políticos. Ver Zakaria, 1996, y O'Donnell, 1998.

recen de diagnósticos, planes, se produce duplicidad de esfuerzos o desatención de cuestiones importantes, se interrumpen y quedan sin continuidad las iniciativas desarrolladas por quienes dejan los cargos, y cada vez se empieza prácticamente desde el principio. Y esto a pesar de que estamos analizando a una gestión municipal que acababa de ser reelecta.

Parte de esta debilidad de los municipios tiene que ver con su excesiva dependencia del gobierno central, que limita su autonomía política y la hace tremendamente susceptible de ser presionada y convertirse en mero instrumento de otros intereses. Debilidad institucional que, en este aspecto, lamentablemente ha tendido a aumentar en los últimos años, no a disminuir. Por supuesto que hacer política en un escenario tan poco institucionalizado deja amplios márgenes para conductas discrecionales por parte de las autoridades y líderes. Sin que la participación deje de ser importante, sin dejar de reconocer que sería provechoso la búsqueda de maneras para acercar la población a la política, creo que resulta mucho más importante por el momento construir y hacer funcionar a las instituciones, rediseñar el Estado, descentralizar progresivamente el país, capacitar a las élites locales, aumentar el nivel de competencia y control y a la vez lograr establecer conductas cooperativas y acuerdos mínimos entre ellas, entre muchas otras cosas. Aspectos todos que tienen que ver con la rendición de cuentas horizontal. Es más, si funcionaran bien las cosas a este nivel, es razonable suponer que se produciría un efecto positivo sobre el interés ciudadano en los asuntos públicos, y probablemente sobre los niveles de participación.

Fortalecer a los municipios como instituciones requiere una mayor presencia y participación de las élites locales, de los dirigentes sociales y de los agentes externos presentes en las comunidades, pero creo que de maneras distintas a las habituales. Considero que esto lleva a repensar el trabajo de promoción, y la intervención de agentes promotores. Si la prioridad está por el lado de la construcción institucional y de las élites locales, de modo que desde allí se abran espacios para la participación y la democratización, entonces las prioridades del trabajo deberían ser redefinidas. Debe darse más atención a las posibilidades de fortalecer al municipio como institución, así como a la capacitación de sus funcionarios y representantes políticos, y debe buscarse la manera de relacionar a las organizaciones sociales existentes y sus dirigentes con las autoridades locales, dentro de esquemas pluralistas, buscando potenciar sus posibilidades, tratando de llegar al conjunto de la población de las comunidades, y no sólo a un grupo. Dentro de los cambios, muchas demandas y proyectos pertinentes para algunas ONGs, dirigentes y organizaciones pueden terminar no siendo pertinentes para las autoridades locales o la población en general y viceversa, pero seguramente del diálogo y el intercambio aparecerán cosas interesantes. Por supuesto que todo esto son ideas lanzadas al aire, y llevarlas a la práctica resulta muchísimo más complejo. Sólo me limito a señalar la dirección por la que creo que deberían orientarse las cosas.

En medio de todo esto, por supuesto, un gran tema pendiente es cómo relacionar esta dinámica local con la dinámica nacional, que aparecen desvinculadas, más en medio de la crisis de los actores políticos nacionales, correas de transmisión entre el espacio local y nacional. Pero ese es un tema que escapa a los propósitos de este trabajo.

REFERENCIAS BIBLIOGRÁFICAS

ADRIANZÉN, Alberto
1999   "El gasto social, el Estado, las mujeres y la pobreza". Mimeo.

ALBERTI, Giorgio
1991   "Democracy by Default: Economic Crisis, Movimientismo and Social Anomie". Ponencia presentada en el XV Congreso de la Asociación Internacional de Ciencia Política. Buenos Aires.

ARAOZ, Mercedes y Roberto URUNAGA
1996   *Finanzas municipales: ineficiencias y excesiva dependencia del gobierno central*. Lima: CIUP.

BLONDET, Cecilia
1995   "El movimiento de mujeres en el Perú". En: Julio Cotler, ed.: *Perú: 1964-1994. Economía, sociedad y política*. Lima: IEP.

CARRIÓN, Julio, Martín TANAKA y Patricia ZÁRATE
1999   *Participación democrática en el Perú*. Mimeo. Lima: USAID.

CHALMERS, Douglas, Scott MARTIN, y Kerianne PIESTER
1997   "Associative Networks: New Structures of Representation for the Popular Sectors?". En: Douglas Chalmers *et al.* ed., *The New Politics of Inequality in Latin America. Rethinking Participation and Representation*. Oxford University Press.

CHÁVEZ, Julio
1998   "Procesos organizativos urbanos en un contexto de ajuste estructural y violencia política. El caso de Huaycán (Lima), 1990-1994. Mimeo.

COTERA, Alfonso
1996   "Diagnóstico socio-económico distrital de El Agustino". Mimeo, SEA.

COTLER, Angelina
1999   "Communal Kitchens in Lima: the limits and possibilities for social change of a women's grassroots organization". Mimeo.

DAHRENDORF, Ralph
1962   *Las clases sociales y su conflicto en la sociedad industrial* (1957). Madrid: Ed. Rialp.

DE FRANCISCO, Andrés
1998   *Asociaciones y democracia*. En: *Zona Abierta*, n° 84-85.

DEGREGORI, Carlos Iván, Cecilia BLONDET y Nicolás LYNCH
1986   *Conquistadores de un nuevo mundo: de invasores a ciudadanos en San Martín de Porres*. Lima: IEP.

DIEZ, Alejandro
1998   "Autoridades, familias y liderazgos en la costa de Piura". Mimeo. Encuentro *Formas de autoridad en organizaciones sociales: propuestas desde la antropología*. Taller de Cultura Política, PUCP, Noviembre.

DIETZ, Henry
1998   *Urban Poverty, Political Participation and the State. Lima 1970-1990*. University of Pittsburgh Press.

DIETZ, Henry, y William DUGAN
1996   "Clases sociales urbanas y comportamiento electoral en Lima: un análisis de datos agregados". En: Tuesta, Fernando, ed., *Los enigmas del poder. Fujimori 1990-1996*. Lima: Fundación Friedrich Ebert.

FOX, Jonathan
1994   "The Difficult Transition From Clientelism to Citizenship: Lessons from Mexico". En: *World Politics*, 46:2 (enero).

FUENTES, Miguel Humberto
1998   "Autoridades locales en una comunidad aguaruna del Alto Mayo". Mimeo. Encuentro *Formas de autoridad en organizaciones sociales: propuestas desde la antropología*. Taller de Cultura Política, PUCP, Noviembre.

FOWERAKER, Joe
1995   *Theorizing Social Movements*. London, Pluto Press.

GARCÍA NARANJO, Aída
1994   *Nosotras, las mujeres del Vaso de Leche, 1984-1994*. Lima: CEDAL.

GROMPONE, Romeo
1998   "La descentralización y el desprecio de la razón política". En: Bruno Revesz, ed.: *Descentralización y gobernabilidad en tiempos de globalización*. Lima: CIPCA-IEP.

GRUPO PROPUESTA
1996   "Análisis y propuesta del gasto social y municipal para 1997". Mimeo, noviembre.

HENGSTENBERG, Peter, Karl KOHUT y Günther MAIHOLD, eds.
1999   *Sociedad civil en América Latina: representación de intereses y gobernabilidad*. Caracas: Nueva Sociedad.

INSTITUTO NACIONAL DE ESTADÍSTICA E INFORMÁTICA (INEI)
1997   *Compendio estadístico*. Lima.

1999   [http://www.inei.gob.pe]

KAHATT, Farid
1999   "Sociedad civil y gobernabilidad democrática en el Perú". Mimeo.

KAY, Bruce
1995   "Fujipopulism and the Liberal State in Peru, 1990-1995". Ponencia presentada en el XIX Congreso de LASA, Washington DC.

LARREA, Enrique
1989   *Poblaciones urbanas precarias. El derecho y el revés (el caso de Ancieta Alta)*. Lima: SEA.

LORA, Carmen
1996   *Creciendo en dignidad. Movimiento de comedores autogestionarios*. Lima: Instituto Bartolomé de las Casas-Rímac, Centro de Estudios y Publicaciones.

McADAM, Doug, John McCARTHY, y Mayer ZALD
1996   *Comparative Perspectives on Social Movements. Political Opportunities, Mobilizing Structures, and Cultural Framings*. Cambridge: Cambridge University Press.

McCARTHY, John, y Mayer ZALD
1977   "Resource Mobilization and Social Movements: a Partial Theory". En: *American Journal of Sociology*, vol. 82, n° 6.

O'BRIEN, Eduardo, y Jaime GUEVARA
1998   "Análisis del gasto social para 1,998". Mimeo.

O'DONNELL, Guillermo
1998   "*Accountability* horizontal". En: *Agora*, n° 8, verano. Buenos Aires.

OFFE, Claus
1992   "Reflexiones sobre la autotransformación institucional de la actividad política de los movimientos: un modelo provisional según estadios". En: Russell Dalton y Manfred Kuechler,

comps.: *Los nuevos movimientos sociales. Un reto al orden político* (1990). Valencia: Edicions Alfons El Magnanim.

OLSON, Marcur
1965   *The Logic of Collective Action. Public Goods and the Theory of Groups.* Harvard University Press.

PALERMO, Vicente, y Marcos NOVARO
1996   *Política y poder en el gobierno de Menem.* Buenos Aires: Grupo ed. Norma.

PANFICHI, Aldo, y Walter TWANAMA
1997   "Networks and Identities Among Urban Poor in Lima". Ponencia presentada en el XX Congreso de LASA, Guadalajara, México.

PARODI, Jorge
1993   "Entre la utopía y la tradición: izquierda y democracia en los municipios de los pobladores". En: Jorge Parodi, ed.: *Los pobres, la ciudad y la política.* Lima: CEDYS.

PÁSARA, Luis, *et al.*
1991   *La otra cara de la luna. Nuevos actores sociales en el Perú.* Buenos Aires: CEDYS.

PRUD'HOMME, Jean Francois
1999   *Demócratas, liberales y republicanos. Ciudadanía, identidad y comunidad política.* Mimeo, Centro de Estudios Sociológicos, El Colegio de México (en prensa).

ROMERO, Fernando
1993   *Municipalidad y pobladores. El caso de las MIADES en El Agustino.* Lima: SEA.

RONCAGLIOLO, Rafael
1990   "Elecciones en Lima: cifras testarudas". En: *Que Hacer* n° 62, diciembre 1989-enero 1990.

1999   "Ciudadanía, participación y desempeño institucional". Mimeo, IDS.

RUCHT, Dieter, ed.
1991   *Research on Social Movements. The State of the Art in Western Europe and the USA.* Boulder: Westview Press.

SANDLER, Todd
1992   *Collective Action. Theory and Applications.* New York: Harvester Wheatsheaf.

SERVICIOS EDUCATIVOS EL AGUSTINO (SEA)

s/f   "Datos de El Agustino". Mimeo.

1994   "Distrito de El Agustino. Principales indicadores de pobla-
        ción y de vivienda". Mimeo.

1995   Hablan los dirigentes vecinales. Entrevistas a 27 dirigentes de El
        Agustino. Lima, SEA.

1996   Hablan las mujeres dirigentes. Testimonios de 28 dirigentes de El
        Agustino. Lima: SEA.

1998   "Situación y perspectivas de El Agustino el 2005. Sondeo de
        opinión. Junio (Mimeo).

SHÖNWÄLDER, Gerd

1998   "Local Politics and the Peruvian Left: The Case of El Agusti-
        no". En: Latin American Research Review, vol. 33, nº 2.

STOKES, Susan

1995   Cultures in Conflict. Social Movements and the State in Peru.
        Berkeley: University of California Press.

TANAKA, Martín

1994   "Individualismo metodológico, elección racional, moviliza-
        ción de recursos y movimientos sociales: elementos para el
        análisis". En: Debates en Sociología, nº 19. Revista de la Facul-
        tad de Ciencias Sociales de la Pontificia Universidad Católica
        del Perú.

1995   "Jóvenes: actores sociales y cambio generacional. De la ac-
        ción colectiva al protagonismo individual". En: Julio Cotler,
        ed.: Perú: 1964-1994. Economía, sociedad y política. Lima: IEP.

1999   "Del movimientismo a la media-política: cambios en las rela-
        ciones entre la sociedad y la política en el Perú de Fujimori".
        En: John Crabtree y Jim Thomas, eds., El Perú de Fujimori.
        Lima: CIUP-IEP.

1999a   "El agotamiento de la democracia participativa, la compleji-
        dad, y elementos para una refundamentación". En: Debates
        en Sociología (en prensa). Lima: PUCP.

TARROW, Sidney

1994   Power in Movement. Social Movements, Collective Action and Po-
        litics. Cambridge: Cambridge University Press.

TOURAINE, Alain
1989   *América Latina: política y sociedad* (1988). Madrid: Espasa-Calpe S.A.

TOVAR, Jesús
1996   *Dinámica de las organizaciones sociales.* Lima: SEA.

TSEBELIS, George
1990   *Nested Games. Rational Choice in Comparative Politics.* California: University of California Press.

TUESTA, Fernando
1994   *Perú político en cifras. Elite política y elecciones.* 2ª. ed. aumentada, actualizada y corregida. Lima: Fundación Friedrich Ebert.

VALENZUELA, Arturo
1977   *Political Brokers in Chile: Local Government in a Centralized Polity.* Durham, N.C.: Duke University Press.

VILELA, Martha
1991   "Relación de actores en la gestión urbana: organizaciones populares y Estado. Estudio de caso: Proyecto político Microáreas de Desarrollo de El Agustino". Memoria de Maestría en Ciencias Aplicadas, Universidad Católica de Lovaina.

YANAYLLE, María Emilia
1991   "'Mejor callarse'... ¡Y todas se callaron!". En: *Márgenes*, año IV, n° 7. Lima: SUR.

1993   "Señora, la admiro: autoridad y sobrevivencia en las organizaciones femeninas en un contexto de crisis". En: Taller de Estudios de las Mentalidades Populares (TEMPO), *Los nuevos limeños. Sueños, fervores y caminos en el mundo popular.* Lima: SUR-TAFOS.

YASHAR, Deborah
1997   "Indigenous Politics and Democracy. Contesting Citizenship in Latin America". Working Paper n° 238. The Helen Kellogg Institute for International Studies, University of Notre Dame.

ZAKARIA, Fareed
1996   "The Rise of Illiberal Democracies". En: *Foreign Affairs*, 76 (6).

ZAPATA, Antonio
1996   *Sociedad y poder local. La Comunidad de Villa el Salvador. 1971-1996.* Lima: DESCO.

LIDERAZGOS LOCALES Y NUEVOS ESTILOS DE HACER POLÍTICA BAJO LA SOMBRA DEL FUJIMORISMO*

Carlos Vargas

El objetivo de la presente investigación es analizar tres lógicas de articulación política, la de los partidos, los movimientos nacionales y los independientes. Las variables utilizadas son el tipo de liderazgo que promueven, su relación con las diversas instancias de la sociedad civil y su posible articulación en un escenario político nacional. Con este fin se seleccionaron tres escenarios y actores teniendo en cuenta los resultados electorales municipales de 1998: Trujillo gobernado por un alcalde aprista, Cusco gobernado por un representante del movimiento Vamos Vecino, y Arequipa gobernado por un independiente. Este documento presenta algunos elementos descriptivos y comparativos encontrados durante

*   La presente investigación se realizó con base a una revisión documental, bibliográfica y entrevistas realizadas en visitas a Trujillo en febrero y mayo, Cusco en mayo y Arequipa en junio del presente año. En ellas se entrevistó a autoridades políticas, dirigentes vecinales, periodistas, investigadores de ONGs, docentes universitarios y otras personalidades. Una versión más extensa del presente documento, en la cual se hace referencia a los modelos de gestión que se están ejecutando, ha sido publicada como *El nuevo mapa político peruano. Partidos políticos, movimientos nacionales e independientes* (Documento de Trabajo No. 103, Instituto de Estudios Peruanos). Una versión preliminar fue presentada en el seminario "Democracia, representación política y ciudadanía en el Perú" realizado del 21 al 23 de setiembre de 1999 en el IEP. Agradezco los comentarios de Carlos Monge, Santiago Pedraglio y Romeo Grompone, y de mis amigos y colegas del área de sociología y ciencia política del IEP.

la investigación e introduce elementos de análisis aún en elaboración.

En las últimas elecciones municipales presenciamos un escenario político fragmentado, característico de la presente década. Las organizaciones políticas nacionales, tanto partidos como movimientos políticos, no obtuvieron una victoria significativa frente a los liderazgos locales que se presentaron como independientes. La victoria de estos liderazgos locales reafirma, por un lado, una tendencia de la política peruana que lleva al elector a votar en función de sus intereses más locales y, por otro lado, un sentimiento de desconfianza de los mismos frente a los partidos y los movimientos políticos. La fragmentación de la representación política en el espacio local hizo posible que estos nuevos actores ganen las elecciones en ciudades importantes. Sin embargo, este escenario de fragmentación se constituye como un obstáculo para constituir representaciones que trasciendan el ámbito local. La alta volatilidad electoral y el escenario de fragmentación expresan una situación de fragilidad y vulnerabilidad de los espacios locales como escenarios de reconstitución de la política.

1. NUEVOS ACTORES POLÍTICOS EN EL ESCENARIO NACIONAL

Desde fines de la década anterior se empezó a cuestionar la capacidad de representación de los partidos, sobre todo a partir de los resultados electorales municipales de 1989. Según los datos que brinda Alberto Adrianzén, si se toma en cuenta las elecciones presidenciales de 1980 los votos que obtuvieron los partidos (Acción Popular, Partido Popular Cristiano, Partido Aprista Peruano y las agrupaciones de izquierda) representaban un poco más del 60% del padrón electoral; en los comicios presidenciales de 1995, sin contar a Unión por el Perú y el PPC, estos mismos partidos representaron casi al 6% de un padrón electoral que respecto de 1980 se había incrementado en un 100%, pasando de 6 a 12 millones de electores (Adrianzén, 1998).

Las agrupaciones políticas que contaron con el permiso del Jurado Nacional de Elecciones para participar en las últimas elecciones municipales fueron AP, PAP, UPP, Cambio 90, Nueva Mayoría, Vamos Vecino y Somos Perú. Todas ellas salvo C90 y NM participaron en las elecciones con candidatos propios a nivel nacional. La imposibilidad de los partidos de constituir candidaturas unitarias en las principales ciudades del país exacerbó aún más su débil capacidad mediadora. Con el fin de evitar un mayor distanciamiento con el electorado optaron en algunos casos por apoyar la candidatura de oposición al gobierno con mayor aceptación en las encuestas. Esta posición, sin embargo, no evitó las deserciones de elementos partidarios y su adhesión a movimientos políticos o a listas independientes. Al respecto, el caso más interesante a rescatar en el escenario nacional es el de los ex apristas. La existencia de ex militantes apristas participando en el esfuerzo electoral de Vamos Vecino por todo el país no fue ningún secreto, sin embargo, se trató de mantener este hecho con discreción. A la organización no le convenía ventilar sus coincidencias operativas con los apristas, al Partido Aprista no le interesaba divulgar la fuga de sus cuadros, y los propios desertores hasta ahora prefieren mantener un perfil bajo. El reclutamiento de cuadros apristas sin empleo político buscaba compensar la falta de estructura partidaria en esta organización.

Los resultados electorales municipales corroboraron una vez más la situación de crisis que atraviesan los partidos. Los resultados obtenidos por Unión por el Perú en estas contiendas es una muestra de ello. Esta agrupación que integra a antiguos líderes partidarios se convirtió en la segunda fuerza política en 1995. Los problemas internos propio de las cúpulas partidarias de donde provenían sus integrantes, hicieron que su nivel de aceptación en el electorado descendiera significativamente. Así en las elecciones municipales de 1998 esta agrupación no obtuvo ni una sola alcaldía distrital en Lima y solamente dos representaciones provinciales a nivel nacional. Los dos partidos que fueron gobierno en los 80, AP y PAP, vieron reducidos sus ámbitos de poder a espacios locales. Pasaron de 17 representaciones provinciales en 1995 a solamente 14 en estas últimas elecciones. Perdieron representaciones provinciales en los departamentos de Amazonas, Ancash, Cusco, Ica, Junín, Lambayeque, Loreto y Piura, pero han reconquistado antiguos espacios de poder en La Libertad y San Martín (Transparencia, 1999).

Los movimientos políticos nacionales surgidos en estas elecciones municipales, Vamos Vecino y Somos Perú, presentan algunas similitudes que son importantes rescatar. Primero, esta la concepción vertical de poder. Una cúpula no elegida democráticamente hace y deshace al interior de la organización. Segundo, quieren ser representativos a nivel nacional aún cuando mantienen una estructura política centralizada. Tercero, tratan de captar a líderes locales con prescindencia de cualquier ideología (y mejor aún si son parientes o amigos incondicionales como en el caso de Somos Perú).

Estas características se manifestaron de forma más evidente en el caso de Vamos Vecino, organización política auspiciada por el gobierno. Ser candidato de Vamos Vecino implicaba una competencia desigual, encarnizada y bastante cara. En varios distritos y provincias llegó a existir una multitud de pre-candidatos que peleaban por el reconocimiento oficial. Al interior de este movimiento se formaron grupos de poder liderados por personajes cercanos al gobierno, quienes pugnaron entre sí para designar el mayor número de candidaturas a fines a ellos, lo cual originó conflictos que se ventilaron en público más de una vez. La supuesta independencia del movimiento político se ponía en cuestión al identificarse tres grupos a su interior, conformado por ex militantes apristas, pepecistas e izquierdistas, que seguían manteniendo antiguas lealtades partidarias.

La sobrepoblación de candidatos y los enfrentamientos protagonizados por los mismos afectaron las posibilidades de conseguir adhesión electoral en poco tiempo. Esta situación forzó la aparición de algunos congresistas del oficialismo para poner orden en la organización. Ellos fueron finalmente quienes designaron candidatos al interior del país. Los criterios que utilizaron en principio fueron, primero, la identificación de personalidades importantes en determinado ámbito y el nivel de aprobación a su candidatura mediante encuestas y, segundo, el parentesco o relación amical con alguna personalidad destacada del oficialismo. Esto último fue lo que determinó la mayoría de las candidaturas en las principales provincias del país, sin descuidar por otra parte el nivel de aprobación a la candidatura por parte de la población, buscando reforzarla o consolidarla.

A pesar de los escándalos suscitados en torno a la campaña de estos candidatos, los resultados obtenidos por los mismos no son desestimables. Se constituyen en la segunda fuerza electoral en Lima y en la primera en provincias. Si bien no reciben el apoyo de las más importantes capitales de departamento, la conquista de 76 provincias de un total de 194, constituirá la base de apoyo a la campaña reeleccionista del presidente Fujimori. Un elemento adicional a tener en cuenta es la cooptación por parte de los nuevos alcaldes de Vamos Vecino de la estructura de la Asociación de Municipalidades del Perú. La AMPE le brinda al gobierno una estructura política más democrática en apariencia que Vamos Vecino ya que al estar vinculado a organismos del Estado, le permitirá articular a alcaldes oficialistas e independientes oficiosos. Es importante señalar al respecto que la nueva directiva del AMPE fue elegida por 126 de los 194 alcaldes provinciales y 1016 de los 1810 alcaldes distritales.

El fenómeno independiente no es nuevo en la política peruana. Lo novedoso es que candidaturas independientes ganen a candidaturas de partido en las principales ciudades del país. La victoria de Belmont en Lima y de Fujimori a nivel nacional dejó el mensaje de que no era necesario la militancia en una organización política para acceder a cargos públicos mediante elecciones. El mejor camino que tiene un candidato independiente para ganar las elecciones, es constituir una lista electoral compuesta en lo posible por personas desligadas del quehacer político y construir un discurso que los aleje de él. El término independiente se vuelve en un comodín para los que quieren participar en política. Se señala como independiente aquella candidatura que está al margen de los partidos políticos, de las agrupaciones gobiernistas, del movimiento político de Andrade y de las agrupaciones políticas que tienen representantes en el Parlamento. Según Tuesta, son candidaturas que provienen de todos lados y que intentan estar equidistantes de todo aquello que tenga nombre, líder, bancada y tiempo de nacimiento. Los independientes son independientes incluso entre sí mismos (Tuesta, 1998a).

Aunque la importancia de los independientes se ha ido reduciendo en Lima ha aumentado en otras provincias y distritos. En
este sentido, puede aseverarse que 1993 fue su año de mayor éxito electoral, pero la aparición de movimientos regionales en 1995
hizo que disminuyera su presencia al igual que en 1998 con la
aparición de los movimientos nacionales y la persistencia de los
regionales. El independiente, sin embargo, ha modificado ciertos
elementos de su identidad a lo largo de estos años. Como señala
Mirko Lauer, ser independiente en 1989 y 1993 era una manera de
desidentificarse respecto de una institucionalidad política en crisis, serlo en 1998 era una manera de afirmar identidades locales y
regionales desengañadas de la supuesta democracia directa del
gobierno e interesadas en fortalecer las instancias democráticas
de participación (Lauer, 1998). En las últimas elecciones municipales los líderes independientes han ganado en 88 provincias,
pero su victoria no los convierte en la principal fuerza electoral en
la medida que son tan distintos e independientes entre sí que difícilmente se les puede articular. Los une el rechazo al centralismo,
los separa su mirada localista y su tendencia a mirarse a sí mismos.

Lo interesante de los últimos resultados electorales municipales es que difícilmente encontraremos líderes independientes exitosos a nivel provincial sin pasado político. Es el caso de los ex
pepecistas Alberto Andrade (Lima) y Alex Kouri (Callao), los ex
acciopopulistas Miguel Angel Bartra (Chiclayo) y Francisco Hil-
beck (Piura), los ex izquierdistas Manuel Guillén (Arequipa) y
Gregorio Ticona (Puno). Si se agrega a José Murgia (Trujillo), tenemos a los alcaldes con más alta votación a nivel nacional. Según
Fernando Tuesta, este hecho es un indicador de que gran parte de
sus triunfos se lo deben a su experiencia partidaria, ahora canali-
zada por otros rumbos. Estos nuevos liderazgos no se conciben
bajo instancias rígidas de organización y participación, ni conocen y conciben pasiones y adhesiones firmes. Lo pragmático, lo
coyuntural, marca el compás de estos liderazgos (Tuesta, 1998b).

Señalados algunos rasgos generales de estas tres formas de
articulación política, a continuación presentaremos algunos rasgos del comportamiento de estas organizaciones en espacios locales y, sobre todo, del tipo de liderazgo que promueven.

2. LIDERAZGOS LOCALES Y NUEVOS ESTILOS DE HACER POLÍTICA

2.1. *José Murgia: liderazgo autoritario, gobierno concertador*

José Murgia, candidato por el Partido Aprista Peruano a la alcaldía provincial de Trujillo, gana las elecciones municipales de 1998 con el 55.27% de los votos válidos. Este es su cuarto periodo de gobierno y el quinto en la cual participa (anteriormente se desempeño como Teniente Alcalde), manteniendo un nivel alto de aprobación a su gestión. Si bien en estas elecciones gana con menos porcentaje que en la anterior contienda electoral, esta situación dista de ser una expresión de crisis de su gobierno.

El PAP tiene aún una presencia importante a nivel regional y sus líderes no permiten el surgimiento de otro tipo de alternativa. Para algunos actores locales la victoria de Murgia se explicaría fundamentalmente por su carisma y no por la experiencia de un gobierno eficiente y adecuado. Según los entrevistados, no existe otra fuerza política y candidato con igual carisma que le haga competencia. Para sus rivales electorales, en Trujillo aún pesa la tradición del APRA y la presencia de Murgia a su interior le da ventaja sobre los demás agrupaciones y candidaturas.

Los periodistas coinciden en señalar que la disminución en la cantidad de votos que obtuvo en 1998 se debe a su equipo de gobierno que se mantiene, al igual que el alcalde, por un cuarto periodo. Es un equipo de regidores designados políticamente, que han demostrado limitaciones en sus competencias y que por lo mismo deberían ser reemplazados. Otras candidaturas presentaron listas de regidores con mayor capacidad de convocatoria y propuestas programáticas mejor articuladas, sin embargo, señalan que el equipo y la propuesta pudieron haber sido interesantes pero la gente toma en cuenta, más que todo, al candidato.

Además, hay que considerar que la competencia desigual entre los contendientes, puesto que el candidato-alcalde utilizó su cargo para tener una presencia permanente en los diferentes ámbitos de la provincia. Esta fue una constante de todos los alcaldes que iban a la reelección y el esfuerzo solamente es comparable al realizado por los candidatos de Vamos Vecino. Como señala el candidato por Somos Perú, Rodolfo Quiroz, "el alcalde estaba permanentemente en la inauguración de obras, en la juramentación de clubes de madres, tuvo una presencia que para los demás candidatos fue difícil de revertir en dos meses de campaña. El gobierno a través de Vamos Vecino también hizo un importante trabajo de bases, invirtiendo mucho dinero, regalando cosas, como se dio a nivel nacional. Si bien el voto no es condicionado, este tipo de actitudes populistas influyó de todas maneras en la decisión de la gente".

La victoria de Murgia se explicaría también por la persistencia de la cultura popular aprista, que para algunos candidatos se traduciría en el "voto ciego" por parte de la población en la cual no se evalúan propuestas sino candidatos. Lo que surgió como una actitud clasista en Trujillo durante la década del 30, se ha ido diluyendo al incorporar otros elementos (ver Klarén, 1970). Si bien la familia tuvo un papel importante durante la época de las haciendas para reproducir estas actitudes políticas, ésta ha ido perdiendo importancia. Según Carol Graham, en determinados sectores populares el aprismo es considerado parte de una tradición familiar, que es conservada de generación en generación. Las familias apristas tienen miembros que han muerto o han sido prisioneros durante los años de persecución de las dictaduras militares. La fe en el APRA y en Haya de la Torre en particular, fue el principio que los guió a través de tales experiencias. Cuando se refieren a Haya, incluso en el presente contexto, lo hacen como si fuera una persona con cualidades extraordinarias, un líder, un salvador.

La fe compartida a través de estas dolorosas experiencias se convirtió en una parte integral del aprismo. El padre de Alan García estuvo preso durante su infancia y esta cultura popular se convirtió en parte importante de su formación, que lo hicieron admisible como sucesor de Haya. García y Haya no son recordados de la misma manera, sin embargo, pasado el tiempo, cuando se refieren al periodo de persecución, son mencionados con un aura de misterio y reverencia. Esta cultura aprista popular parece estar basada más en el "entonces" que en el "ahora". Sin embargo, esta división entre los sectores populares y la dirigencia partidaria tras la muerte de Haya, y los múltiples conflictos al interior de esta última, son elementos que han mermado esta cultura popular que tuvo tanta predominancia hasta fines de la década anterior (ver Graham, 1992). Más aún, el explosivo crecimiento demográfico y el proceso migratorio han debilitado estas antiguas formas de identidad política. La población esta más preocupada, tomando los términos de Graham, por el ahora que por el entonces, y en estas condiciones que un candidato sea del Partido Aprista o no ya no es un factor condicionante para resultar elegido.

En su análisis sobre los orígenes del APRA, Peter Klarén señalaba que el APRA era otro ejemplo de una larga tradición de movimientos políticos peruanos, cuyos partidarios han sido captados y reunidos, por así decirlo, gracias a la poderosa atracción personal de un hijo de la región (Klarén, 1970). En un primer momento fue Haya, luego García y ahora Murgia. Sin embargo, varios de los entrevistados coinciden en señalar que el tipo de liderazgo de Murgia está más cerca al de Fujimori y que al de Haya.

El intento de definir el tipo de liderazgo que Murgia ejerce en la política local nos remite a dos versiones elaborados por los actores locales. Murgia sería para algunos un líder autoritario y personalista en el manejo del municipio, y para otros, carismático y concertador en su acercamiento con la población. Al respecto, es interesante lo que menciona Rodolfo Quiroz, candidato por Somos Perú en las últimas elecciones: "se dice que el alcalde es una persona muy autoritaria en el municipio y sus regidores son sus seguidores incondicionales, sin embargo, fuera del municipio es una persona que no se quiere llevar mal con nadie, trata de tener contentos a todos, lo cual no funciona y en beneficio de la ciudad no es bueno. El alcalde tiene que poner orden, y para hacerlo no puede esta bien con todos".

Por otra parte existe la imagen de que Murgia no cede poder o no da lugar al surgimiento de otros líderes. Según Luis Miguel Gonzales, editor del diario *La Industria*, Murgia tiene en sí mucha fuerza como líder, se impone dentro del Partido Aprista, "el Partido Aprista pierde a Murgia y no tiene a quien recurrir". Esto explica en parte la concentración del poder en una sola persona. Murgia no delega poder y no da lugar a la aparición de líderes alternos. "En su lista de regidores no existe una personalidad que esté siendo preparada para continuar con su gestión, no hay un delfín. A todos los manda, no existe una personalidad que le objete a Murgia alguna decisión". Al respecto, Rodolfo Quiroz señala que el alcalde "no es una persona tan consecuente en aceptar planteamientos, cuando él cree que tiene la razón no acepta otra razón, lo cual considero uno de sus errores. No se si todos los planteamientos que se le pueda hacer los acepte o no. Creo que los planteamientos que le están haciendo los regidores de Somos Perú los está aceptando y apoyando y eso es saludable".

Para algunos Murgia, si bien tiene una posición crítica frente al autoritarismo y el centralismo del gobierno, no se da cuenta de que es más autoritario y más centralista a nivel local. "Trujillo es una ciudad muy centralista. Si uno va a la sierra del departamento no encuentra ciudades importantes como sí las hay por ejemplo en Piura con Sullana y Talara que tienen una vida económica propia. Aquí tenemos Virú que está a 45 minutos y es una vergüenza, y no se diga de la sierra. Todo se ha centralizado en Trujillo. Por su parte, la población de la ciudad se queja de que Trujillo se esta quedando a comparación de otras ciudades, que el alcalde no tiene principio de autoridad, se hacen disposiciones y no las cumplen, o las cumplen a presión de los medios de comunicación", señala Gonzales.

La otra versión del liderazgo de Murgia es la que señala Carlos Sánchez, director de participación vecinal y defensa civil de la Municipalidad Provincial de Trujillo. Según Sánchez, una de las razones por las que hay un aceptable nivel de acercamiento del municipio con la población, que se traduce en parte en la aprobación a su gestión en las encuestas, es el trato del alcalde. "Es una persona modesta, amigable, que recibe indistintamente a todas las personas interesadas en el desarrollo de la provincia. El personalmente va a juramentar las juntas vecinales, no designa a otro regidor porque le gusta mantener un contacto más directo con los vecinos. A diferencia de otros alcaldes que han sido reelegidos por hacer obras monumentales, este ha sido reelegido por su contacto con la población. Es una persona práctica que recibe en audiencia a la población y designa al funcionario respectivo para que solucione determinados problemas".

Respondiendo a las críticas, el alcalde señala que él otorga total delegación a los regidores para que sean alcaldes en cada una de sus áreas, sin interferir en su labor. "Yo me dedico a la parte que me corresponde de ejercer la representación de la municipalidad y coordinar los aspectos de la política general de la gestión local". Señala además que el nivel de acercamiento que tiene con la población y con diversas instancias de la sociedad civil ha dado sus frutos, por ejemplo en la elaboración del Plan de Desarrollo Metropolitano. Según el alcalde Murgia, el Plan fue aprobado después de un proceso de año y medio en el que hubo reuniones con el Colegio de Arquitectos, Colegio de Ingenieros, Colegio de Economistas, juntas vecinales, dirigentes de asentamientos humanos, entre otros. Después de este proceso de intercambio de información, el Plan estuvo expuesto más de cinco meses para recibir las opiniones y las críticas. Finalmente, terminado ese periodo, se aprobó en noviembre de 1995 un trabajo que comenzó a finales de 1993. El único problema para el alcalde es la falta de difusión de este Plan por la falta de recursos.

La participación de otras instancias de la sociedad civil en la elaboración de planes de desarrollo y en la ejecución de sus directivas ha sido importante. La Agenda Local 21 es un ejemplo de ello. Esta conformada por un comité central de gestión liderado por la Municipalidad Provincial, el Colegio de Ingenieros, la Cámara de Comercio, el CTAR, SEDALIB y el Proyecto Chavimochic, cuyos representantes se reúnen periódicamente. Eventualmente participan otras instituciones públicas, empresas y ONGs. Lo importante de estas experiencias es el compromiso de las instituciones y sus funcionarios en cumplir los objetivos trazados.

El proceso de concertación también funciona a nivel vecinal. Los mecanismos que han hecho posible la realización de pequeños proyectos de desarrollo han sido las juntas vecinales y los comités de progreso. Estas juntas y comités de alguna manera han aliviado la demanda por obras, involucrando a la población en la ejecución de las mismas.

Las juntas vecinales surgieron en 1981. Son 18 años de experiencia, siendo 44 los territorios vecinales existentes en el distrito capital de Trujillo, y cada uno de ellos tiene su junta vecinal, la que es renovada cada dos años. La junta vecinal es definida por sus autoridades como un ente administrativo que pertenece al municipio. Por lo tanto, realiza gestiones solamente con el municipio y la comunidad, se constituyen en intermediarios entre estos actores. Las juntas vecinales hacen conocer al municipio las necesidades de la población y sus demandas para la ejecución de algunas obras. Estas obras son realizadas por los comités de progreso, los cuales se conforman en una asamblea de la población beneficiaria de las obras. La junta vecinal y los ingenieros del municipio se encargan de supervisar la ejecución de esas obras. Los comités no pueden hacer gestiones directamente con el municipio, si quieren solicitar algún material o ayuda lo tienen que hacer por intermedio de la junta vecinal. Las gestiones se hacen de forma conjunta, entre el comité y la junta.

Los comités de progreso duran regularmente el tiempo que dura la obra. En el distrito de Trujillo existen 453 comités de progreso reconocidos al 31 de diciembre de 1998, y a nivel provincial existen 831. Es decir, en el corto plazo se están ejecutando 831 obras por iniciativa de los vecinos y con el aporte de la municipalidad, lo cual demuestra el alto nivel de participación vecinal existente.

Una de las críticas hechas a las juntas vecinales es la tendencia a la politización de sus directivos. Según Rodolfo Quiroz, en muchas juntas vecinales se critica que los directivos sean del Partido Aprista, que tengan un compromiso político, critican que sean directivos "puestos" por el alcalde provincial y no por los vecinos que han votado, porque han manejado la campaña. "Si no hubiera ese matiz político, el representante sería de todos los vecinos y se esforzarían por trabajar por su vecindad. Estos dirigentes vecinales apoyan la labor del alcalde provincial, y van a hacerlo más abiertamente y con más aceptación, lo que no ocurre con el sentir de muchos de los pobladores".

Finalmente, una última característica de la actual gestión es su relación distante con el gobierno central. Frente al Ejecutivo no existe una oposición radical desde el gobierno local, sin embargo, en algunas ocasiones en que Fujimori ha visitado la provincia para inaugurar obras, el alcalde no ha estado con él. Durante el periodo de prevención y reconstrucción de las zonas afectadas por el Fenómeno del Niño, se hizo evidente este distanciamiento. Las principales obras se hicieron con recursos del Ministerio de la Presidencia, y fueron supervisadas directamente por el Presidente de la República. Estas obras no fueron coordinadas con el Municipio Provincial. Es más, solamente en un mes, febrero de 1998 se le permitió al municipio el uso de los magros recursos del Fondo de Compensación Municipal para gastos de prevención y no exclusivamente en inversiones de capital, como estipula la norma (Ver Zapata y Sueiro, 1999). Es lógico pensar que, frente a estos hechos, haya un distanciamiento entre ambas instancias de gobierno.

2.2. Carlos Valencia y la tecnocracia local

Carlos Valencia, candidato por Vamos Vecino a la alcaldía provincial del Cusco, gana las elecciones municipales de 1998 con el 23.48% de los votos válidos, obteniendo uno de los porcentajes más bajos a nivel nacional. Esto, en parte, es reflejo del fragmentado escenario político local puesto que los candidatos por el Frente Amplio y Somos Perú logran el 21.75% y el 19.51% de los votos válidos, respectivamente. Si dos de estas opciones de oposición hubieran logrado confluir hubiera sido muy difícil para el actual alcalde salir electo. Como se verá más adelante, este bajo nivel de aprobación obtenido por Valencia no ha podido ser revertido en los últimos meses, configurándose un escenario de crisis de gobernabilidad local en el corto plazo.

Otro elemento que explica el triunfo de Vamos Vecino es la imagen del candidato. Para la mayoría de los entrevistados Valencia tiene una buena imagen. "Otro candidato de Vamos Vecino en Cusco, a pesar del escenario de fragmentación, no hubiera ganado. Hay mucho mérito de la imagen de capacidad técnica y profesional de Valencia", señala Javier Azpur, Director Ejecutivo de la Asociación Arariwa. Valencia es reconocido como un buen técnico y gerente exitoso, que ha tenido una buena trayectoria en el gobierno regional, que se expresa en su capacidad para gestionar recursos para la región.

Carlos Valencia y Vamos Vecino intentaron crear una lista de profesionales capaces de hacer una evaluación de la problemática local y plantear soluciones técnicas. Al respecto, Carlos Malpartida, regidor de la Municipalidad Provincial del Cusco, señala que "en principio el reto era convencer a la población de que el municipio necesitaba un equipo más que un líder necesariamente, en la cual el perfil técnico de sus integrantes sea la oferta electoral". Tenían como a personas con una experiencia municipal y un pasado dudosos, a lo que se sumaba la imagen de un candidato muy ligado al gobierno. "Decidimos trabajar con un perfil no necesariamente ligado a la cabeza, que está muy ligado al gobierno, sino con un perfil de equipo y con ofertas concretas para sacar adelante la ciudad. Sin embargo, la imagen del gobierno en la coyuntura electoral hizo que sacáramos poca votación". La lid electoral vecinal de alguna manera fue un termómetro de para medir la aceptación del régimen. La campaña contra Vamos Vecino no era contra Carlos Valencia, sino contra el gobierno.

El interés de profesionales sin pasado partidario de postular y acceder a cargos público mediante elecciones, es una parte de lo que se ha venido a llamar el fenómeno tecnocrático. Este fenómeno ha cobrado vitalidad en los últimos años y ha sido objeto de análisis tomando en cuenta contextos nacionales. Según Verónica Montecinos, en los debates académicos recientes sobre el fenómeno tecnocrático en América Latina, se reconoce la dificultad de definir claramente las categorías de tecnócrata y tecnocracia. A veces, estos términos se usan como equivalentes del debilitamiento de la política y, más específicamente, la sustitución de los mecanismos de representación de intereses por técnicas de administración gerencial. En otros contextos, tecnocracia se refiere en forma amplia a la sobrevaloración del conocimiento especializado en el área de las políticas públicas. El estilo de gobierno tecnocrático entonces, no es tanto el contenido de las políticas propuestas sino la convicción de que el buen gobierno requiere de la activa participación de expertos y de la aplicación de conocimientos avanzados (Montecinos, 1997).

Los tecnócratas son retratados por diversos analistas como personajes heroicos, salvadores de escenarios en crisis, los únicos capaces de encontrar soluciones a problemas nunca antes resueltos. Su disposición para batallar contra la demagogia y la politiquería se interpreta como manifestación de neutralidad y objetividad científica. Su empeño en desenmascarar al oscurantismo de los intereses creados, combatir la corrupción, el compadrazgo y otras formas de provincialismo aparecen como el único camino

hacia el progreso, la racionalidad técnica y la eficiencia (Montecinos, 1997).

Lo que se evidencia en los últimos años es la formación técnica de políticos o la incursión de los técnicos en espacios políticos
representativos. Si los tecnócratas poseen poder político, generalmente se debe a que les es otorgado por los políticos. El hecho de
reconocer el poder superior que ejercen los políticos hace que,
con frecuencia, los tecnócratas busquen el ejercicio directo del poder transformándose ellos mismos en candidatos. Al respecto,
Conaghan señala que el actual gobierno considera a los tecnócratas exclusivamente en la función de "dirigentes" ("gerentes") de
un aparato estatal eficaz, y no como interlocutores de grupos sociales, lo cual explica en parte el comportamiento posterior de estos técnicos al ocupar espacios democráticos de gobierno (Conaghan, 1997).

En las últimas elecciones municipales, los funcionarios de las
agencias estatales y los gobiernos regionales no solamente tuvieron la obligación de apoyar candidaturas vecinistas sino que también fueron "invitados" a participar en estas contiendas ante la
ausencia de otro candidato. Ese fue el caso del ex Vice Ministro de
Desarrollo Regional del Ministerio de la Presidencia, Carlos Valencia, quien renunció a su cargo para postular a la alcaldía provincial del Cusco.

El bajo nivel de aprobación al gobierno en los últimos dos
años influyó en la baja votación alcanzada por sus candidatos.
Frente a la débil capacidad de endose del actual gobierno, los candidatos vecinistas intentaron distanciarse y mantener un perfil
independiente, señalando incluso algunas críticas generales al
Ejecutivo. Es importante rescatar dos ejemplos al respecto, el del
candidato a alcalde de Lima, Juan Hurtado Miller, y el candidato
y hoy alcalde de Cusco, Carlos Valencia. Durante su campaña
electoral Hurtado Miller optó por tomar distancias del gobierno e
incluso de Vamos Vecino, organización a la cual declaraba no
pertenecer pero del cual recibía apoyo. "Yo no soy miembro de
Vamos Vecino, ellos apoyan mi candidatura, que es distinto". Señalaba incluso que desconocía la vinculación de Vamos Vecino
con el gobierno, aunque luego señalaba que "lo importante es que
el gobierno no me manifieste su apoyo públicamente". Se decla-

raba crítico al gobierno, al cual nunca había pertenecido, según sus declaraciones. Criticaba que el programa económico no transformara la estabilización en desarrollo. Su objetivo fue, en síntesis, consolidar la imagen de un candidato independiente (ver entrevista a Hurtado Miller publicada en Domingo, *La República*, 02/08/1998).

En el caso del Cusco, Carlos Valencia señalaba no ser fujimorista u oficialista en sus declaraciones durante la campaña electoral, y que su candidatura por Vamos Vecino respondía a una invitación que la organización le había hecho. Al respecto, Carlos Malpartida, regidor de la Municipalidad Provincial, señala que durante las elecciones municipales "nosotros queríamos desligarnos de todo apoyo del gobierno en la medida que su baja popularidad nos estaba afectando, a tal punto que en declaraciones públicas teníamos que salir personas como yo para decir que discrepábamos del gobierno en algunos aspectos de su gestión. No proponíamos una imagen de Vamos Vecino como movimiento independiente, sino la imagen de que nosotros habíamos sido invitados por el movimiento para participar, y cuando una persona es invitada, acepta ciertas reglas de juego pero no pierde su identidad".

Los anteriores cargos de confianza del alcalde en la región y en el Ministerio de la Presidencia, y su nuevo cargo como vicepresidente de la AMPE, dan una idea de la estrecha relación de la actual gestión cusqueña con el gobierno central. Esta situación nos conduce a señalar que existe un evidente manejo político del gobierno municipal, de alguna manera dependiente de los objetivos del gobierno central lo cual cuestiona la autonomía de la autoridad local. Un ejemplo de ello es que el alcalde del Cusco promovió, con recursos del Estado, la participación de otros alcaldes provinciales y distritales en el evento de la AMPE, efectuado en Lima a comienzos de año, en la cual se eligió a la nueva directiva. Según Inés Fernández, investigadora del Centro Guamán Poma de Ayala, "hay aún un importante trabajo de base de la plana dirigencial de Vamos Vecino a nivel local, que se expresa en las continuas visitas de Absalón Vásquez, quien viene a prometer y coordinar obras".

En la mayoría de la población existe un fuerte sentimiento de oposición al gobierno, que se ha reflejado en los resultados electorales. En el departamento han ganado las candidaturas independientes que tenían en común ser críticos frente a Fujimori y plantear el tema de la descentralización como un tema fundamental. Javier Azpur señala que la población empieza a identificar centralismo con pobreza, exclusión, marginación, "la gente no tiene esperanza de que el gobierno central vaya a solucionar los problemas de pobreza, desempleo y marginación rural. Empieza a surgir la idea de que la descentralización puede ser un camino para solucionar estos problemas, a pesar de que existe una opinión crítica a la experiencia descentralista anterior".

La prioridad de la nueva gestión es recuperar el principio de autoridad, lo cual significa el inicio de una profunda reestructuración de la administración municipal y una mayor interacción con otras instancias de gobierno. Sin embargo, además de los despidos laborales, los funcionarios intentaron aumentarse los sueldos, generando una protesta generalizada de la población local, desistiendo finalmente de ese propósito a un costo alto en cuanto a pérdida de imagen. La nueva administración reconoce la necesidad de incorporar a la población en el desarrollo local, sin embargo, ha empezado por desconocer experiencias previas de concertación, como el PPRED. La nueva gestión desconoce la existencia de planes de desarrollo previos y en vez de liderar una propuesta con el fin de diseñar un plan de desarrollo conjunto, delega esa responsabilidad a una institución ajena al gobierno local, como es el Plan COPESCO. La relación que tienen con las municipalidades distritales es de asesoramiento y colaboración en la ejecución de algunas obras. El municipio provincial se convierte de alguna manera en intermediario de estos municipios distritales con la región y otras agencias del gobierno central, debido a que la relación del municipio con estas instancias es muy fluida. Prueba de ello es que ha conseguido que el gobierno central les financie una obra importante como es la descontaminación del río Huatanay, el colector de la ciudad, y la realización de obras conjuntas con instituciones como el INFES en la construcción del mercado de artesanos.

La mayoría de los entrevistados coinciden en señalar que la actuación de Valencia en el gobierno local los ha sorprendido, porque pensaron que iba a ser más eficiente, que iba a tener más iniciativa. Pensaban que con el apoyo de las diversas agencias del gobierno central podía tener más iniciativa y propuesta que la vista hasta la actualidad. Existen dos tipos de expectativas sobre el futuro inmediato de la actual gestión local, por un lado no se espera mucho de Valencia en este año por ser periodo electoral, mientras que por otro lado se espera que logre desentenderse de este escenario y tome una dirección mucho más autónoma.

Se empieza a configurar un estilo de gobierno similar al realizado por la región y las demás agencias del Estado, en la cual se desconoce instancias intermedias de articulación y organización social, y se prefiere un acercamiento directo con la población en la ejecución de obras. Esta modalidad de gestión efectivista tiene como consecuencia negativa el debilitamiento de las ya frágiles instancias de organización y participación de la comunidad.

Existe la necesidad de que las nuevas autoridades locales tomen cierta distancia del gobierno central frente a la pérdida de popularidad que está sufriendo, para evitar una situación de desgaste a su gestión y la emergencia de una situación de ingobernabilidad a nivel local. Como señala Inés Fernández, la autoridad municipal no sólo cumple un rol gerencial sino que asume un liderazgo social y un rol negociador frente al gobierno central. Una vez elegido debe independizarse del sector que lo ha promovido y convertirse en representante de todos los cusqueños.

A diferencia de los otros dos liderazgos en estudio, el de Cusco es el que ha reducido significativamente su nivel de aprobación a su gestión. A mediados de abril, la Escuela de Marketing del Instituto Americano del Cusco realizó una encuesta cuyos resultados evaluaban como ineficiente e impopular los 100 primeros días de la gestión provincial (ver encuesta publicada en Planas y Dammert, 1999). La nueva gestión local es aprobada sólo por el 7.58% de los cusqueños, mientras un altísimo 78.96% la desaprueba, cifra que se reitera al sumar el número de ciudadanos (70.68%) que califica como "malos" o "pésimos" sus cien primeros días de gestión. Las razones de ese nivel de desaprobación serían los siguientes: un 42.75% le critica a Valencia la ausencia de un plan de gobierno municipal, mientras otro 28.96% le critica su desconocimiento de la realidad del Cusco. El dato más importante es que un 84.48% de los encuestados consideran a Valencia como un alcalde dependiente del gobierno central.

2.3. *Juan Manuel Guillén: la visión sesgada y ambigua de los independientes*

Juan Manuel Guillén, candidato por la lista independiente "Arequipa: tradición y futuro" a la alcaldía provincial de Arequipa, gana las elecciones municipales de 1998 con el 67.28% de los votos válidos, cifra de aprobación que mantuvo incluso antes de anunciar su postulación. Guillén decidió postular casi al cierre de las inscripciones, y no definía si iba a ser candidato o no, a pesar de que existía un grupo que lo respaldaba por su gestión como rector de la Universidad de San Agustín. Tenía una imagen que había trascendido los ámbitos universitarios, emergiendo como un candidato de consenso. Aparte del mérito profesional de Guillén, la población evaluó la necesidad de contar con un alcalde arequipeño. Los anteriores alcaldes, como los Cáceres, provinieron de Juliaca y Fernando Ramírez de Chincha.

Guillén señala que "Arequipa, tradición y futuro" tiene un doble origen. Por un lado está el conjunto de expectativas y presiones que surgen de algunos sectores de la población para que postule a la alcaldía, teniendo como antecedente su cargo como Rector. Una presión y reclamo que involucraba la idea bastante localista y peligrosa de que un arequipeño asumiera la alcaldía de la ciudad y se recuperara Arequipa, bajo la consigna "Arequipa para los arequipeños". El otro origen es estrictamente universitario, porque desde la universidad hay presiones para iniciar una labor de recuperación histórica, de valores, y de ganar una gran presencia cultural y, a la vez modernizar la ciudad. "Por eso la expresión tradición y futuro expresa un interés por recuperar nuestra herencia acompañada de un proceso de modernización de la ciudad".

Durante su corta campaña electoral, Guillén se dedicó a mantener sus altos niveles de popularidad expresado en las encuestas. Mantuvo un trato de mucho respeto con los otros candidatos,

de muchas prudencia, evitando participar en los debates o en-
cuentros "que podían tener impacto periodístico pero que en términos de confrontación con los problemas tenía poca significado.
A nosotros nos interesaba confrontarnos con los problemas no
con las personas".

En un escenario donde la mayoría de alcaldes distritales iban
como favoritos a la reelección, Guillén no quiso sumir compromisos con ellos, con personas que ya estuvieran "manchadas" políticamente. El quería que su candidatura sea vista como la de un
neto independiente. El alcalde señala que "no queríamos que la
población votara por alguien simplemente porque formaba parte
de una tendencia que estaba mostrándose como mayoritaria, sino
que efectivamente eligiera en su distrito a quien consideraba el
mejor". Su idea era conformar posteriormente equipos de trabajo
con los nuevos alcaldes distritales respetando la voluntad del vecino, cualquiera fuera la tendencia de quien resultó elegido. "En
la práctica no nos hemos equivocado con esa modalidad. La elección en cada distrito ha arrojado resultados sorprendentes, eli-
giendo a candidatos de Frenatraca, Somos Perú, Vamos Vecino,
independientes y, sin embargo, con todos ellos estamos trabajando de forma comunitaria".

Como se señala al inicio del presente ensayo, el fenómeno independiente no es nuevo en nuestro país pero recién en los últimos años se ha intentado dar explicaciones a su auge electoral.
Según Nicolás Lynch, los independientes surgen en el Perú ante
el fracaso de los partidos y esto los hace aparecer como pertenecientes a una especie distinta a la partidaria. "Aparecer distinto"
es lo que les permite generarse un espacio propio y desplazar a
los partidos. Viendo similitudes y diferencias con los partidos,
Lynch señala que en ambos casos partidos e independientes son
actores que luchan por el poder y en este proceso buscan cumplir
con una función de intermediación política entre la sociedad y el
Estado, es decir se constituyen en actores políticos. "En contextos
con un sistema partidario asentado, la diferencia inmediata que
salta a la vista sería una mayor densidad organizativa en los partidos y un definitivo sello personal entre los independientes, pero
es tal el grado de personalización de la política en el Perú, que el
sello personal también caracteriza a los partidos, por lo que sólo

podríamos decir que los independientes llevan esa característica personal a su grado más extremo. El acento ideológico programático quizá podría aparecer también como una diferencia, donde los partidos serían los apegados a determinados puntos de vista, más bien rígidos y pasados de moda, y los independientes desarrollarían un perfil pragmático. Sin embargo, no encontramos independientes que se atrevan a salir del también rígido guión de la moda neoliberal. Es más bien este último horizonte ideológico, al seguir las pautas de un orden secularmente dominante, el que aparece en sus recetas como pragmático, y encuentra a los independientes entre sus portavoces más eficaces" (Lynch, 1996).

Los independientes buscan mantener una relación directa con la población, que eventualmente legitima vía las encuestas. Esta relación busca darse con individuos atomizados, prescindiendo de las estructuras de grupo y de las instituciones. La relación tiende, por ello, a obviar los mecanismos representativos, erosionando los existentes y evitando crear nuevas formas más efectivas. Esta relación de identificación directa entre los individuos atomizados y el líder tiene la virtud, para el independiente, que produce en la población una ilusión de participación de la que carecía en la época de predominio partidario (ver Lynch, 1996 y 1999).

Romeo Grompone va más allá de este análisis al señalar que los independientes exitosos lo son por su pasado político. Las elecciones municipales de 1998 le dan la razón, puesto que las principales alcaldías provinciales fueron ganadas por quienes habiendo sido políticos de partido desistieron de pertenecer a ellos y se proclamaron independientes. Según Grompone, muchos de estos nuevos independientes, habiendo sido anteriormente alcaldes, regidores o dirigentes locales, estaban acostumbrados a tomar decisiones con considerable margen de discrecionalidad debido a que las estructuras y normas partidarias sólo funcionaban a nivel de las direcciones centrales, los representantes parlamentarios y su entorno cercano. Las instancias de coordinación partidaria se hacían más laxas o simplemente dejaban de funcionar cuando intentaban extenderse al conjunto de miembros activos. Las personalidades de un partido a nivel local tenían influencia por su prestigio en la zona, sustentado a partir de acuerdos informales con otras organizaciones políticas o con asociaciones de la comunidad (Grompone, 1996).

En los hechos, señala Grompone, entre la dirección partidaria y sus representantes a nivel local existía un acuerdo implícito. El partido le daba al candidato a alcalde o regidor la cobertura que éste necesitaba al integrarlo a una propuesta de alcance nacional, algo que le otorgaba mayores márgenes de credibilidad. Los postulantes sabían que tenían libertad para definir prioridades y alianzas en el ambiente en que se movían, sin necesidad de disciplinarse ante las instrucciones estrictas de una dirección central. Los miembros más destacados de los partidos sentían que estaban sumando votos que les permitían acceder o mantenerse en el Parlamento o en los concejos provinciales. Aparentemente ganaban todos y además se proyectaba la imagen de un partido descentralizado y democrático que confiaba en la capacidad de todos sus integrantes. Esta división de tareas podía mantenerse mientras las organizaciones políticas tuvieran niveles de influencia en el gobierno o en los poderes locales. Cuando en 1990 se advierte la crisis de los partidos, quienes ahora son independientes disponen de una opción de salida. El apoyo que encontraron en provincias y distritos hoy pueden atribuirlo a su propia capacidad de convocatoria (Grompone, 1996).

El pasado izquierdista de Guillén, por ejemplo, lo ayudó a conseguir la rectoría de la Universidad de San Agustín y establecer alianzas con las demás autoridades universitarias. Esta situación política favoreció a su gestión administrativa obteniendo el reconocimiento de la comunidad. Esta base política de apoyo es la que conforma ahora su equipo de regidores en el municipio.

Los problemas heredados de la anterior gestión, la falta de experiencia en el manejo del gobierno local y la ausencia de un plan de gobierno está creando una situación de pérdida de credibilidad de la nueva administración municipal. Al comienzo de su gobierno, Guillén hizo promesas de reforma de la administración municipal y transparencia en la gestión, sin embargo, el problema burocrático aún se mantiene y no se ha rendido cuenta de las pocas obras que hasta el momento se han realizado. Existe todavía un gran sector de la población que cree que va a hacer una buena gestión, pero la desilusión va en aumento. Una de las críticas que

le hacen, es que si bien ha tenido problemas, se las ha pasado la-
mentándose de los mismos y no plantea soluciones. Según
Nexmy Daza, periodista de *El Gran Sur-La República*, esto ha
mortificado no solo a los anteriores gobernantes que son aludidos
sino a la población en general, porque "ya se sabía de antemano
que habían esos problemas, uno piensa que la nueva autoridad
va a asumir la gestión con criterio para solucionarlos".

La mayoría de los entrevistados coinciden en señalar que la
debilidad de la actual gestión radica en el equipo de gobierno,
constituido por el entorno universitario del alcalde. William Cornejo, director periodístico del diario *El Pueblo*, señala que el municipio afronta problemas presupuestarios y deudas, pero que "el
más grave problema es que el alcalde se haya replegado en su trabajo a su entorno. No sale a dialogar con otros actores".

Al respecto es interesante lo que señala Javier Azpur, Director
Ejecutivo de la Asociación Arariwa en Cusco: "El sustento de
Guillén es él mismo. Tejido organizativo, espacios democráticos,
institución detrás de Guillén no existen. Existe la voluntad de
crear institucionalidad, pero hacerlo implica discutir, debatir, ceder espacios de poder en la cual uno se constituye como líder".

Existe en las nuevas autoridades locales una concepción ingenua de la administración municipal y esperanzadora respecto a lo
que puedan conseguir. Para el alcalde, la falta de experiencia de
su equipo de gobierno tiene sus ventajas. "Se ingresa con ganas
de hacer las cosas sin los prejuicios, sin el conocimiento de las limitaciones que alguien con experiencia adquiere, y sin los malos
hábitos y los temores. Alguien que viene sin esas limitaciones, sin
esas experiencias negativas y positivas, tiene una visión más vir-
ginal, limpia, transparente, más esperanzadora de las tareas por
hacer, y por consiguiente es una persona que esta mirando siempre hacia el futuro, mira menos al pasado, y esta menos atado y
comprometido con grupos sociales que siempre lo apoyaron".

Varias personas entrevistadas coinciden en señalar que esta
falta de experiencia se esta traduciendo en una imagen de incom-
petencia. Llegan incluso a señalar que la actual gestión local esta
desestabilizando el funcionamiento del órgano municipal. El alcalde provincial reconoce que la situación de la municipalidad es
dramática. "Tenemos una deuda de más de 40 millones de soles

la cual estamos tratando, hay una gran desorganización, un exceso de burocratización, pero de todos estos problemas el más delicado es el de la imagen frente a nuestra población. La municipalidad ha venido teniendo una imagen muy débil, moralmente deleznable, si uno hace una encuesta ahora a la población de cómo aprecia a los funcionarios la respuesta va a ser enormemente negativa".

Una de las prioridades de la actual gestión local, según el alcalde, es fortalecer el ejercicio de sus atribuciones y de sus funciones, y establecer instancias de coordinación con las nuevas alcaldías distritales y provinciales. Los avances realizados al respecto no han tenido mucha trascendencia en el ámbito local. Lo que si ha tenido trascendencia es la reunión de alcaldes provinciales de la macroregión sur. Este tipo de reuniones surgieron a iniciativa de las cámaras de comercio y tiene como objetivo formular propuestas de desarrollo regional, con la finalidad de gestionarlas o negociarlas ante el gobierno central de manera unitaria y no de manera aislada y personal, como venía ocurriendo hasta la fecha.

Al respecto, Guillén señala que en estas reuniones han quedado varias cosas en claro. "Cada representante tiene sus propias características y su propia vocación de servicio lo cual debemos respetar, pero también sabemos que aisladamente no podemos avanzar. En consecuencia, las fronteras culturales y los prejuicios entre arequipeños, cusqueños, puneños, tacneños podemos mantenerlos pero no tienen porque constituirse en obstáculos para integrar esfuerzos respecto a un problema común, que además esta vinculado a la necesidad de descentralizar el país". Están conscientes de que no existe una voluntad del gobierno para descentralizar el país. Frente a ello consideran que la descentralización no es un programa de trabajo, no es un proyecto, sino un sentimiento común, una aspiración que tiene que convertirse en realidad desde la perspectiva de los actores involucrados.

En la reunión de alcaldes de la macro región sur organizado en Ilo, Guillén surgió como uno de los líderes de esa propuesta con el apoyo de los demás alcaldes. Sin embargo, según los analistas existe una actitud de escepticismo hacia el futuro de este tipo de reuniones, por las características de los representantes locales. Guillén es impredecible por su ambigua posición política frente al gobierno. No se sabe si asumirá una actitud de confrontación o de oposición pasiva. Según William Cornejo, la posición del gobierno local es la de reacomodo respecto al gobierno central. El alcalde no se quiere pronunciar contra el gobierno.

3. OBSERVACIONES FINALES

En un escenario caracterizado por la crisis del actual régimen y por la fragmentación de las principales opciones políticas, la mirada de los analistas se dirige hacia los espacios locales, donde se manifiesta una recomposición de las formas de hacer política y de los liderazgos que de ella surgen. En respuesta a un escenario de incertidumbre a nivel nacional, la población recurre a sus gobiernos locales para expresar sus demandas y necesidades. La demanda de representación esta siendo asumida por estos nuevos liderazgos.

Los elementos presentados en este trabajo nos conducen a plantear algunas observaciones finales a manera de síntesis.

La subsistencia de la identidad partidaria ya no se explica por los mismos factores culturales que dieron origen a la cultura popular aprista. El Partido Aprista tiene una importante presencia en Trujillo debido no solamente al carisma de su alcalde, sino al estilo de gobierno que está desarrollando. A diferencia de otros alcaldes exitosos, Murgia lo es no por hacer obras monumentales sino por incorporar a la población organizada en la gestión local. Un elemento de fortaleza de su gestión es la participación de la sociedad civil en la elaboración y ejecución de los planes de desarrollo. Los compromisos de estas instancias con el gobierno local son renovados continuamente. Además, existen las juntas vecinales y los comités de progreso que permiten, por un lado, que la población se involucre en el desarrollo de su ciudad y, por otro, que el alcalde mantenga cierto control público sobre las mismas.

Un elemento de debilidad en su gestión es su rechazo a ceder espacios de poder, aun cuando reconozca la importancia de dar autonomía a sus regidores en sus funciones. Estos se caracterizan por ser seguidores incondicionales del alcalde. La ausencia de liderazgos intermedios reconocidos por la población puede dar lugar a una falta de comunicación de estos últimos con sus autoridades, debido a la complejidad de las funciones administrativas a las cuales están sujeto. En una actitud cercana a la populista, Murgia gusta de tener una actitud directa con la población y no se compromete cuando hay conflictos de intereses dentro de ella. El manejo político de las juntas vecinales le permite crear una red clientelar que sería la base de su gestión.

Las candidaturas del oficialista Vamos Vecino tuvieron éxito por el perfil del candidato y la presencia de un escenario de fragmentación política (a lo que se sumaría el amedrentamiento a las candidaturas opositoras). Sin embargo, como en el caso del Cusco, esta situación política no crea las bases para que se desarrolle un gobierno de consenso en la cual la nueva gestión incorpore propuestas de los demás candidatos e iniciativas de la población. El perfil técnico de Valencia y su situación de dependencia respecto al gobierno central explica que éste no busque interlocutores a su gestión en la sociedad civil. El peligro que esto conlleva es la politización del espacio local.

Se empieza a configurar un nuevo estilo de gobierno similar al realizado por la región y las demás agencias del Estado, en la cual se desconoce instancias intermedias de articulación y organización social, y se prefiere un acercamiento directo con la población en la ejecución de obras. Esta modalidad de gestión efectivista tiene como lado negativo el debilitamiento de las ya frágiles instancias de participación de la comunidad.

Los independientes aparecen en el nuevo escenario, entonces, como una forma exacerbada de personalización de la política. El sustento de estos nuevos liderazgos es su persona, su imagen. No existen tejidos organizativos, espacios democráticos y mucho menos instituciones detrás de ellos. Surgen en la mayoría de los casos como candidatos que vienen a ocupar el centro de las preferencias electorales, entre las candidaturas vinculadas al gobierno y las vinculadas a los partidos, con una claro discurso anticentralista y localista. Guillén, por ejemplo, tiene todos estos rasgos. El posee una imagen de buen administrador, que había trascendido los ámbitos universitarios y que lo ubicaban como candidato de consenso. Pero no quiso asumir compromisos mayores con los otros actores políticos antes de las elecciones, aunque después buscaría articularse a todos ellos.

Los problemas heredados en la municipalidad sobrepasan su capacidad de resolverlos. El alcalde se repliega a su entorno político, los cuales ante la falta de experiencia en administración municipal, no tienen iniciativas claras de gobierno. Se empieza a gestar una situación de pérdida de credibilidad en la nueva gestión. Existe una voluntad de crear institucionalidad, pero eso implica discutir, debatir, ceder espacios de poder a los cuales Guillén no se siente afecto. Al actual gobierno local le hace falta poder de decisión antes que perfeccionismo.

Finalmente, es importante señalar que un elemento común entre estos nuevos liderazgos es su rechazo a formas centralistas de ejercicio de la política. Su posición frente al gobierno definiría otro elemento de su liderazgo. Siguiendo a Adrianzén (1998) podríamos decir que estos líderes tienen la opción de ser cooptados por el Estado, con lo que dejarían de cuestionar el centralismo como sería el caso de los representantes de Vamos Vecino; de ser destruidos políticamente por cuestionar el centralismo como sucede con los representantes de los partidos y de los movimientos de oposición; de convivir con la fragmentación política debido a su incapacidad por constituir un interés superior, distinto a los intereses particulares o sectoriales como sucede con la mayoría de los independientes; o por último, quedarse eternamente como líderes locales que negocian en todo sentido con el poder central.

REFERENCIAS BIBLIOGRÁFICAS

ADRIANZÉN, Alberto
1998   "La fragilidad de los espacios locales". En *Idéele* No. 111. Lima.

AZPUR, Javier
1998   "Elecciones en el Cusco: descentralización y fragmentación política". En *Quehacer* No. 115. Lima: Desco.

CONAGHAN, Catherine
1997   "Estrellas de la crisis. El ascenso de los economistas en la vida pública peruana". En *Pensamiento Iberoamericano* No. 30. Madrid: AECI y CEPAL.

COTLER, Julio
1996   "Partidos políticos y problemas de consolidación democrática en el Perú". En: Scott Mainwaring y Timothy R. Scully (editores), *La construcción de las instituciones democráticas. Sistemas de partido en América Latina*. Santiago de Chile: CIEPLAN.

FERNÁNDEZ, Inés
1998   "¿Será posible concertar?". En *Parlante. Revista del Cusco* No. 67. Cusco: Centro Guamán Poma de Ayala.

GRAHAM, Carol
1992   *Peru's APRA. Parties, Politics, and the Elusive Quest for Democracy*. Boulder & London: Lynne Reinner Publishers, Inc.

GROMPONE, Romeo
1996   "El reemplazo de las elites políticas en el Perú". En *Nueva Sociedad* No. 144. Venezuela.

INEI
1996   *Dimensiones y características del crecimiento urbano en el Perú 1961-1993*. Lima.

KLARÉN, Peter F.
1970   *Formación de las haciendas azucareras y orígenes del APRA*. Lima: Instituto de Estudios Peruanos.

Diario La Industria de Trujillo: www.laindustria.com/industria

LAUER, Mirko
1998   "Resistencia regionalista". En *La República*, 3/9/1998.

LINDHOLM, Charles
1992   *Carisma. Análisis del fenómeno carismático y su relación con la conducta humana y los cambios sociales*. Barcelona: Ed. Gedisa.

LÓPEZ, Sinesio
1998   "Mediaciones políticas, democracia e interés público en el Perú de los 90". En: Urzúa, Raúl y Felipe Agüero (eds.), *Fracturas en la gobernabilidad democrática*. Centro de Análisis de Políticas Públicas. Universidad de Chile.

LYNCH, Nicolás
1996   "Los partidos políticos como objeto válido de estudio en el Perú actual". En *Socialismo y Participación* No. 73. Lima: CEDEP.

1999   *Una tragedia sin héroes. La derrota de los partidos y el origen de los independientes, Perú 1980-1992*. Lima: Fondo Editorial de la Universidad Nacional Mayor de San Marcos.

MONTECINOS, Verónica
1997   "Ambigüedades y paradojas del poder tecnocrático en América Latina". Introducción al tema central sobre Economistas: Técnicos en Política, publicado en *Pensamiento Iberoamericano* No. 30. Madrid: AECI y CEPAL.

PARAMIO, Ludolfo
1999   "La democracia tras las reformas económicas en América Latina". Documento de Trabajo 99-03. Madrid: Instituto de Estudios Sociales Avanzados (CSIC).

PLANAS, Pedro y Manuel DAMMERT (eds.)
1999   "Las ciudades región protestan". En *Memorial Descentralista* No. 4, Revista quincenal publicado por *La República* y el Municipio Metropolitano de Lima.

PEDRAGLIO, Santiago y Alberto ADRIANZÉN
1997   "Municipios y políticas sociales". Documento presentado al Seminario sobre Descentralización y Gestión del Desarrollo Local, organizado por la AMPE, ANC, Grupo Propuesta y el Secretariado Rural Perú-Bolivia.

TRANSPARENCIA
1999   *Directorio de alcaldes y municipalidades del Perú, 1999-2002*. Lima.

TUESTA, Fernando

1998a "¿Y quiénes son? Despejando la incógnita de los dispares independientes". En *Caretas*, 15/10/1998.

1998b "La demarcación de los votos". En *Caretas*, 22/10/1998.

VARGAS LEÓN, Carlos

1998 *Desarrollo local y participación política en Ilo. Nuevas formas de articulación y representación social y política.* Documento de Trabajo No. 95. Lima: Instituto de Estudios Peruanos.

1999 *El nuevo mapa político peruano. Partidos políticos, movimientos nacionales e independientes.* Documento de Trabajo No. 103. Lima: Instituto de Estudios Peruanos.

VERBA, Sidney

1968 *El liderazgo. Grupos y conducta política.* Madrid: Ediciones Rialp, S.A..

ZAPATA VELASCO, Antonio y Juan Carlos SUEIRO

1999 *Naturaleza y política: El gobierno y el Fenómeno del Niño en el Perú, 1997-1998.* Lima: Instituto de Estudios Peruanos.

SEGUNDA PARTE

Educación rural, ciudadanía y democracia

Las luchas por la escuela y el acceso al sistema educativo han
sido elementos centrales del proceso de democratización de la
sociedad rural que se ha desarrollado a lo largo de este siglo. La
escuela en el campo representa para sus pobladores el espacio
central a través del cual apropiarse de habilidades y conocimientos, como el saber leer y escribir, que son considerados por ellos
mismos básicos y necesarios para defender sus derechos, luchar
por sus intereses y mejorar su calidad de vida. Por ello creemos
que la educación no sólo ofrece interés como mecanismo de movilidad social, sino que además, crecientemente, involucra la posibilidad de participación política y de ejercicio de la ciudadanía.

La construcción de la ciudadanía pasa por el desarrollo de las
capacidades de los sujetos para decidir, participar y gobernar. En
este sentido, la escuela tiene un rol socializador muy importante.
Todo ello nos lleva a dirigir la mirada sobre lo que ocurre con la
educación en el campo, desde dos perspectivas que se complementan. Por un lado la mirada del contexto familiar de aquellos a
los que se ofrece la educación escolar, y por otro lado, lo que pasa
en el aula. De este modo, esperamos contribuir a lograr una reflexión más amplia sobre los alcances y límites de la educación en el
proceso de la democratización de la sociedad rural.

EDUCACIÓN Y DEMOCRACIA EN EL SUR ANDINO:
posibilidades y esfuerzos de las familias campesinas para educar a sus hijos*

Francesca Uccelli Labarthe

INTRODUCCIÓN

Este trabajo se centra en el análisis del rol que siete familias campesinas del sur andino peruano juegan en la escolarización de sus niños y niñas. El principal objetivo del estudio es mostrar la importancia de las condiciones y dinámicas familiares en relación a la educación, en contextos de exclusión. De esta manera, el trabajo pretende cuestionar el supuesto de que las familias pobres del campo son el principal obstáculo para la educación de sus niños. De la misma manera, el trabajo analiza las posibilidades y límites de la escuela rural como instancia democratizadora de la población en el campo, ya que su impacto ha sido muchas veces sobrestimado.

El documento está dividido en tres partes, una primera introductoria que alude a la contextualización del problema, donde la equidad y calidad de las escuelas rurales se presenta como un profundo problema del servicio educativo, donde los bajos niveles de logros educativos son reflejo de un sistema educativo que

* Una versión preliminar de este ensayo fue publicado por el Instituto de Estudios Peruanos, como documento de trabajo N° 104, setiembre, 1999.

afecta de diferente manera a la población escolar, agudizando las condiciones de escolarización de poblaciones excluidas. En la segunda parte, se presentan las características que definen propiamente la relación entre el niño y la escuela en el campo, para pasar luego a la tercera parte donde se hace una descripción y análisis del contexto familiar así como el esfuerzo familiar por apropiarse de los contenidos escolares, donde las condiciones, actitudes y prácticas de las familias conforman grupos claramente identificables en relación al desempeño escolar del niño y de la niña que asiste a la escuela. Asimismo, son presentadas las respuestas que la escuela ofrece al esfuerzo familiar por la educación y cómo dichas respuestas tienen un efecto en las decisiones familiares. Finalmente, a manera de conclusión se analizan los límites y posibilidades de las familias campesinas en relación a la educación de sus miembros. Concluimos en que si bien hay condiciones que las familias campesinas pueden superar, hay responsabilidades que le competen directamente a la escuela y en ese sentido se plantean como desafíos por cumplir en la educación en el campo.

La escuela tiene la función de formar a todos los niños y las niñas en aquellas habilidades que les permitan desarrollarse como individuos e integrarse adecuadamente como parte de la sociedad a la que pertenecen. En este sentido la escuela tiene un rol potencialmente democratizador, pues apunta a lograr desarrollos equitativos en los alumnos y alumnas de diferentes orígenes socioeconómicos y culturales.

El análisis de la oferta del sistema educativo peruano, sin embargo, revela profundos vacíos e incoherencias, pues las zonas más pobres del país suelen tener escuelas de menor calidad (Chiroque, 1990; Mapa de la Inversión Social, 1994).

La diferencia principal en la calidad del servicio otorgado es la que se observa entre las zonas rurales y urbanas. Esta desigualdad del sistema educativo se hace evidente a través de visitas a las escuelas en diversos puntos del país, donde la infraestructura y mobiliario de aula disponibles hasta el nivel de preparación y condiciones de vida del maestro son muy diferentes por el tipo de zonas. Escuelas incompletas, aulas a medio construir y destinadas a múltiples fines (depósito, vivienda del maestro); escasos materiales educativos; intermitentes profesores con insuficiente preparación; son algunas de las características de las escuelas que se ubican en las zonas más pobres del país (Montero *et al.*, 1998). Esta situación presenta un problema grave no sólo en la calidad del servicio educativo, sino en la equidad de la oferta y sus implicancias sociales, económicas y políticas[1].

La información del Censo Escolar 1993[2], da muestra de la envergadura del problema y esto es aún más evidente en los datos desagregados por tipo de residencia, rural y urbano; por lengua materna, mapa lingüístico y por sexo. Dentro de las diferencias entre el tipo de residencia se observa que mientras en zonas urbanas el 90 de cada 100 niños/as entre 6 y 14 años asisten a la escuela primaria, en zonas rurales sólo lo hacen 79 de cada 100. Asimismo, de la población adolescente entre 15 y 19 años, 58% asiste a la secundaria en zonas urbanas, mientras que sólo el 36% lo hace en zonas rurales. Por otro lado, si bien la tasa de analfabetismo disminuyó entre los años 1981 y 1993 de 18% a 13%, si se desagrega la información el 70% de analfabetos se localizan en el área rural y 73% del total son mujeres. Asimismo, si bien el dato relativo ha disminuido el número de analfabetos absolutos se ha mantenido constante (Montero *et al.*, 1998).

En este sentido, la relación del atraso escolar asociado a las lenguas indígenas revela importantes diferencias: mientras la tasa de atraso escolar del país en niños de 6 a 14 años que estudian en primaria es 35%, la población quechua-hablante del mismo tramo etáreo presenta una tasa de atraso del 63%. Finalmente, todos los departamentos del Perú en los que más del 50% de la población tiene una lengua indígena como lengua materna, pertenecen al grupo de departamentos más pobres del país.

De esta manera, el sistema educativo parece que mantiene las diferencias preexistentes a la entrada de los alumnos y alumnas a

---

1   Si bien el Ministerio de Educación viene realizando un gran esfuerzo por mejorar la infraestructura y mobiliario escolar, así como la dotación de materiales y mejoramiento de la enseñanza por medio de capacitaciones de docentes, el tema de la calidad educativa en el campo aún tiene un largo camino por recorrer.

2   Los datos de asistencia, analfabetismo y atraso escolar provienen del Censo Escolar de 1993, según aparecen reportados en el informe del INEI (1995). Atraso y deserción escolar en niños y adolescentes.

las aulas. Y la escuela, lejos de nivelar las disparidades individuales las estaría agudizando, representando un sistema institucionalizado que promueve la permanencia y reproducción de las diferencias estructurales de la sociedad.

Capital cultural y desempeño escolar

La escuela como reproductora del orden social ha sido largamente tratada por Bourdieu & Passeron (1970), quienes definen el capital cultural escolar como un modelo hegemónico que la escuela imparte e impone a los alumnos y alumnas de diferentes orígenes socioeconómicos.

En este sentido, el capital cultural de la escuela peruana se ha caracterizado por la imposición de patrones urbanos, blancos, característicos de una clase media y alta educada, cuya lengua materna es el castellano. Esto conlleva a beneficiar o facilitar la permanencia y el aprendizaje de aquellos niños y niñas que se encuentren más próximos a dicho modelo y a perjudicar, impedir o reducir las posibilidades de éxito de escolarización de aquéllos y aquéllas que se distancien de los patrones que conforman dicho capital cultural. En este sentido las características familiares de los alumnos y alumnas parecen jugar un rol decisivo en el desempeño escolar.

Implicancias de esta situación pueden encontrarse en las estadísticas presentadas anteriormente, donde un conjunto de círculos de exclusión —económica, social, cultural, de género— atrapan a ciertos grupos, siendo la población femenina, rural, pobre, indígena, cuya lengua materna no es el castellano la más desfavorecida y/o excluida del sistema.

Una mirada más específica permite dar cuenta de la magnitud del problema. En primer lugar, si se analizan los datos del Censo Escolar de 1993, se observa que sólo el 65% de todos los/las estudiantes matriculados en primer grado son promovidos al segundo grado, casi el 20% repite y el 15% se retira. Esta tasa de promoción es la más baja de la primaria, mientras la tasa de repetición y deserción escolar para el mismo periodo educativo representan las más altas de la primaria. Una interpretación probable es ver estos porcentajes como indicadores de exclusión debido a la distancia entre el capital cultural escolar y familiar[3]. Considerando el primer nivel educativo como una primera selección de los estudiantes que llegan a la escuela, un documento de trabajo del Ministerio de Educación, realizado por José Rodríguez (1998), analiza cómo cada año de repetición de un alumno reduce progresivamente sus posibilidades de terminar la escuela. Es decir, a mayor repetición menor grado de escolaridad, lo cual conlleva no sólo a un año de pérdida por repetir el año, sino a una pérdida adicional de los años de escolaridad por cada año de repetición. Si se toma en cuenta que tienden a repetir aquéllos/as que más se alejan del capital cultural escolar, el proceso de selección de la escuela representa un claro sistema de exclusión[4].

Sin embargo, los logros de aquéllos que logran permanecer en el sistema educativo también han sido altamente cuestionados en diferentes momentos, siendo la escuela de áreas rurales una de las menos exitosas en el logro de objetivos educacionales (Montero *et al.*, 1998).

Es cierto que no se cuenta aún con un sistema de evaluación a nivel nacional que permita comparaciones más precisas, aunque el Ministerio de Educación ha creado un "Sistema Nacional de Medición de Calidad Educativa", que tiene por objetivo diseñar y administrar pruebas de rendimiento a nivel nacional.

La prueba CRECER es una de las fuentes más recientes de evaluación nacional, donde se identifican serios problemas en los logros de los objetivos educacionales básicos, un 49.7% de logros en lenguaje y 45,4% de logros en matemáticas. Si bien esta prueba se realizó en escuelas polidocentes, puede suponerse que los logros en escuelas rurales son menores (Montero *et al.*, 1998).

---

3   Indudablemente la familia y la escuela deben manejar contenidos de socialización diferenciados que hagan relevante la propia existencia de la escuela, pero esos contenidos no deben entrar en conflicto entre sí, apartando de la escuela a los niños y niñas cuyas familias se alejan más de las expectativas y demandas escolares.

4   Prueba de la existencia y envergadura de dicho problema, es la decisión del Ministerio de Educación de hacer automática la promoción de primero a segundo grado desde el año 1995.

En este sentido, la comparación en el análisis del rendimiento es muy importante, pero dada la compleja diversidad cultural y lingüística que caracteriza nuestro país, este sistema de medición requiere de una cuidadosa consideración de las variables cuantitativas así como la incorporación de variables cualitativas, que permitan no sólo medir sino también explicar el rendimiento escolar.

En este sentido, un estudio comparativo sobre rendimiento de niños y niñas de zonas rurales y urbanas realizado por Cueto (1997), con datos de 1993 y 1994, reporta una "pobreza en el rendimiento de los alumnos rurales frente a los urbanos", "tanto en las pruebas de habilidades cognoscitivas como en las de rendimiento (vocabulario, comprensión de lectura y aritmética)".

El Ministerio de Educación consciente de este problema viene realizando grandes esfuerzos por mejorar la calidad y la equidad del servicio, sin embargo la meta no es sencilla. El proceso educativo es muy complejo y no se resuelve por la intervención en un sólo factor del sistema. Para conseguir un cambio significativo en la calidad es preciso una atención integral a sus múltiples factores.

De esta manera la mejora de la calidad de la oferta educativa, no consiste exclusivamente en invertir en infraestructura, materiales ni nuevas técnicas de enseñanza para los maestros, sino que es preciso actuar sobre la calidad, permanencia y utilidad de los aprendizajes. En este sentido un aspecto fundamental para lograr una educación de calidad es lograr que los contenidos escolares aprendizajes sean relevantes y significativos para los niños y niñas que asisten a la escuela[5].

La significatividad de los aprendizajes escolares está estrechamente ligada al contexto y necesidades del grupo de estudiantes a ser atendido. En otras palabras, es de vital importancia que la escuela se acerque a conocer, comprender y valorar el ambiente familiar que caracteriza el desarrollo diario del niño y la niña, así como las necesidades y decisiones que impulsan a las familias a educar a sus hijos.

---

5   El Ministerio de Educación viene realizando un gran esfuerzo en la reforma educativa de primaria en este sentido.

Familias en contextos de exclusión

La familia en contextos de exclusión ha sido tradicionalmente considerada como un obstáculo para el desarrollo de sus miembros, es decir, como si la familia en sí a través de sus prácticas y valoraciones contribuyera a la consolidación de las condiciones de pobreza, atrapando a sus miembros y en especial a sus niños y niñas en un círculo de miseria y frustración (Lewis, 1969). A pesar de las recurrentes evidencias y diversos estudios, en el Perú y el mundo, donde las familias en extremas condiciones han sido protectoras e impulsoras de desarrollo, más allá de la supervivencia de sus miembros, esta fatal imagen de la familia pobre como obstáculo no se ha logrado desprender de las consideraciones de muchos investigadores y promotores de desarrollo (Guadalupe Valdés 1996; Delgado-Gaitán 1988, Clark 1983).

La familia en contextos de exclusión, y la familia campesina peruana en particular, cumple un importante rol en la socialización y progresiva escolarización de sus hijos. Padres, madres y hermanos realizan un esfuerzo conjunto por la educación de los pequeños y pequeñas de la familia, sacrificándose unos en favor de otros, ya que dadas las condiciones de pobreza no siempre se puede educar a todos y la estrategia de concentrar el esfuerzo se realiza en espera de mejores resultados.

La inversión en educación es una estrategia familiar para superar sus condiciones de vida, y el acceso a la lengua dominante suele ser uno de los principales objetivos de poblaciones excluidas, así como el aprendizaje de la lectoescritura y aritmética que permitan manejar las herramientas básicas para el intercambio económico y la participación social y política (Harvey, 1987; Mendoza, 199?;).

De esta manera, las niñas y niños de las familias más persistentes en el objetivo de lograr la educación, tendrán mayores posibilidades de superar sus condiciones de pobreza. En este sentido, pequeñas prácticas familiares en favor de la educación pueden diferenciar los resultados educativos de niños y niñas de similares condiciones socio-económicas.

Al respecto, diversos autores que trabajan con poblaciones distintas coinciden en destacar el rol de los espacios extraescolares, como fuentes de contenidos y herramientas significativas para el aprendizaje del niño en contextos de exclusión. De esta manera, en un estudio con adultos norteamericanos calificados por su escuela como "no aptos para las matemáticas", Lave (1988) realiza un estudio cognitivo sobre la resolución de problemas aritméticos en la vida diaria donde encuentra que el aprendizaje en espacios extraescolares —en este caso el del barrio y el supermercado— otorgan herramientas indispensables para el desempeño de niños y niñas como adultos en el contexto del cual forman parte.

Por otro lado, Mitchell (1991) describe cómo el proceso de expansión de la escuela pública da como resultado una escuela uniforme que se universaliza, pero simultáneamente se aleja —y en este sentido es inútil— a las necesidades de las poblaciones más necesitadas. En Estados Unidos, Jay MacLeod (1987) analiza las bajas expectativas de niños de clases bajas, donde encuentra que dichos niños perciben a la educación como un esfuerzo inútil que no va a contribuir a la transformación de sus condiciones de vida, pues con o sin educación terminarán obteniendo los peores empleos y los más bajos sueldos.

En un estudio sobre el desempeño escolar de niños y niñas chicanas en EE.UU., Guadalupe Valdés (1996) encuentra que la causa principal del bajo rendimiento de estos niños es el desencuentro de percepciones, expectativas y valoraciones que maestros y padres realizan entre sí, donde el desconocimiento mutuo de las necesidades y objetivos que mueven a cada uno prevalece. La falta de compromiso con la educación atribuida a los padres de niños chicanos surge de la interpretación de ciertas prácticas familiares o ausencia de ellas, tales como que padres y madres —analfabetos o que desconocen el inglés— no contesten las notas que el profesor envía por escrito, la ausencia a reuniones de padres de familia —en horarios que interfieren con el trabajo del padre y la madre. Asimismo, padres y madres se sienten incómodos y extraños al contexto escolar, por lo cual se sienten fácilmente amenazados o agredidos por los maestros, muchas veces por problemas de comunicación.

Por otro lado, Reynald Clark (1983) realizó un estudio sobre el fracaso escolar, donde analiza las razones por las que los niños

negros pobres en Estados Unidos son exitosos o fracasan en la escuela. Para él las causas principales se dan en el ambiente familiar, la dinámica y el contexto psicológico, que influyen decisivamente en las diferencias entre unos y otros, donde las variables
socioeconómicas son variables explicativas secundarias.

De la misma manera, la relación entre escuela rural y familia
en el Perú ha sido tratada por diversos autores. En una revisión
del estado de la cuestión, Oliart (1998) menciona entre los hallaz-
gos más significativos el estudio de Juan Ansión, (1989) sobre las
representaciones simbólicas de las familias campesinas. El estudio identifica una visión ambigua en las familias donde convive
una percepción de la escuela como imposición o "escuela asustaniños", y una percepción de la escuela como necesidad o "como
trampolín" —para salir de las condiciones de marginación en que
viven los campesinos. En este sentido la relación niño-escuela rural en el Perú, no es unívoca y está teñida por esta ambigüedad
que hacen de la relación un fenómeno sumamente complejo.

1. LA FRAGILIDAD DE LA RELACIÓN NIÑO/A-ESCUELA EN EL CAMPO

El diagnóstico de educación rural 1998 señala a la dispersión, la
pobreza y la diversidad cultural como tres características propias
del campo y, por tanto, indispensables en la definición de la relación entre la escuela rural y el niño o la niña (Montero *et al.*, 1998).

La dispersión de la población hace que el acceso a la escuela
se dificulte, y ello se ve reducido o incrementado según las características geográficas de la comunidad, la ubicación de la casa, y
la distancia que para cada niño o niña suponga el desplazamiento
hacia la escuela.

En este sentido las distancias mayores al área de la escuela,
suelen afectar negativamente a los niños y niñas pequeñas, y en
particular a las niñas de cualquier edad. Sin embargo, lo contrario
no siempre es cierto, ya que la cercanía a la escuela no garantiza la
asistencia a ella.

Asimismo, la dispersión de las viviendas —que caracteriza a
muchas de las comunidades andinas— dificulta el acceso a servi-

cios básicos de agua, desagüe y luz. El acceso a servicios básicos es un elemento muy importante a considerar en las condiciones de vida de las familias, ya que la carencia de ellos agudiza las condiciones de pobreza familiar que se revierte en una sobrecarga en el trabajo doméstico. Esta recarga tiene un efecto directo en la demanda de apoyo de niños y niñas en las tareas del hogar, —como recoger agua y leña—, particularmente en las niñas quienes conforme crezcan asumirán plenamente la responsabilidad de las tareas domésticas.

La pobreza afecta el acceso del niño y la niña a la escuela de diversas maneras. Entre los efectos principales de las condiciones económicas familiares están la demanda de mano de obra infantil y el presupuesto familiar disponible para educar a niños y niñas.

La pobreza de las familias campesinas incrementa la necesidad de mano de obra infantil, sea por la carencia de servicios básicos, por la urgencia de cubrir las necesidades familiares y/o por la predominancia de actividades de autoconsumo que no generan excedentes que permitan ganancias y suscita una fuerte dependencia de la actividad agrícola para la supervivencia. En estas condiciones el envío del niño o la niña a la escuela una ausencia de apoyo que las familias pobres no pueden darse el lujo de permitir.

De esta manera, la educación pública a pesar de su gratuidad tiene un alto costo para las familias campesinas, no sólo por los gastos que de por sí la educación implica en útiles escolares, sino además por el enorme costo familiar que supone prescindir del apoyo infantil en las tareas domésticas y productivas mientras el niño asiste a la escuela. Asimismo, el costo de la educación en el campo suele incrementarse conforme se eleva el nivel educativo, tanto por la demanda de materiales que la escuela va requiriendo como por la demanda progresiva de participación en el trabajo familiar conforme el niño y la niña crecen. Este gasto de la educación rural se vuelve casi insostenible para la gran mayoría de familias a partir de la entrada del niño o la niña a la secundaria, pues supone un presupuesto aparte en matrícula, asociación de padres de familia, útiles, uniforme y, en la mayoría de los casos la movilización del niño o niña al centro poblado más cercano.

A esta situación hay que añadir el hecho de que la edad de entrada a la secundaria coincide con la edad de incorporación plena de los niños y niñas a las tareas productivas y domésticas. Entre los principales autores que mencionan esta problemática están Portugal (1988), Casos (1990), Pauccar (1996), Ortiz (1996) y Mendoza (1990), que Oliart (1998) selecciona como los autores de los estudios más significativos en este recurrente problema. Asimismo en el actual informe de La Escuela Rural se confirma la vigencia de esta problemática (Montero *et al.* 1998).

Dentro del gasto que las familias campesinas realizan en la educación de sus hijos e hijas, y no considerado como tal, está la gran cantidad de tiempo y esfuerzo que las familias dedican en mejorar las condiciones de la escuela en su comunidad. Entre algunas de las tareas de apoyo que realizan padres y madres en la escuela están: la asistencia a reuniones de padres de familia con el maestro; jornadas para limpiar, pintar, mantener, reparar o construir la escuela; faenas para cultivar y cosechar productos que serán consumidos por los alumnos de la escuela; preparación diaria de alimentos; así como el apoyo al docente en gestiones diversas que contribuyan en mejoras para las condiciones de la educación de los niños, conseguir desayunos escolares, materiales, inmobiliario, regulación de partidas de nacimiento, etc.

Este enorme aporte expresado de diversas formas, continúa siendo ignorado por maestros y funcionarios intermedios que suelen quejarse y reclamar constantemente la falta de apoyo de la comunidad a la escuela, menospreciando el apoyo que las familias realizan. Este menosprecio tiene como consecuencia responsabilizar a las familias de las duras condiciones de trabajo docente y de los bajos niveles de aprendizaje de los alumnos.

Sin embargo, a pesar del esfuerzo y apoyo familiar dado a la educación de diversas formas, la pobreza puede ser un elemento limitante en la educación de los niños y niñas del campo. Para el caso de la sierra sur, la pobreza es una característica generalizada de la población de sus comunidades campesinas.

Al respecto Oliart (1998) destaca la importancia de las características económicas de las comunidades rurales andinas, y toma la clasificación de Hopkins y Barrantes (1987) donde el tamaño y la ubicación de la tierra, el piso ecológico, la tecnología usada, la

composición familiar y el uso de riego, son importantes criterios
de clasificación de comunidades en cuanto definen ciertos tipos
de relaciones con la escuela. Estos criterios definen diferencias
importantes entre comunidades, desde su acceso al dinero, su inserción al mercado y el uso de mano de obra, que son tres factores
económicos claves vinculados a la asistencia escolar.

Si bien Oliart (1998) caracteriza las diferencias entre los diversos tipos de comunidades, dentro de una misma comunidad también puede encontrarse heterogeneidad entre las familias. Si bien
las comunidades campesinas no permiten grandes diferencias
que desequilibren la relación entre las familias, algunas pequeñas
diferencias pueden tener enormes consecuencias en la vida de los
niños y niñas. Sin lugar a dudas, la clasificación en base a criterios
económicos realizada para distinguir tipos de comunidades puede extenderse para una clasificación de tipos de familias, donde
aquéllas ubicadas en zonas de altura, con mayor número de animales, con uso de tecnología tradicional y con mayor demanda
de mano de obra, y por tanto mayor necesidad del apoyo de sus
niños y niñas en tareas domésticas y productivas, tienen condiciones más difíciles para educar a sus hijos. Sin embargo, estos
factores no son definitivos, pues todas las familias, con raras excepciones, logran romper dichas barreras por algún periodo de
tiempo y matriculan a sus niños y niñas en la escuela. El reto es
lograr que ese periodo de tiempo se extienda lo máximo posible,
para que niños y niñas logren permanecer en la escuela hasta terminar al menos su educación primaria.

En la comunidad estudiada la diferencia más saltante se da
entre los que viven "abajo" y los que viven "arriba", es decir, entre aquellos que viven en zonas de ladera baja y los de puna, lo
que suele estar estrechamente relacionado a la cercanía y lejanía
de la escuela, y a la mayor y menor inserción al mercado respectivamente.

La diferencia en la residencia nos lleva a una diferencia en la
vida cotidiana familiar de unos y otros niños. Pero unos y otros
forman parte de la misma comunidad, variando entre ellos sus
necesidades y prácticas por pequeños matices que favorecen o dificultan el acceso escolar.

Es por ello que si bien la asistencia de los niños y niñas a la escuela representa un enorme esfuerzo y compromiso para la familia campesina, no todas las familias están en las mismas posibilidades de cumplir con esta tarea y, definitivamente, todas no lo realizan de igual manera. Aunque en muchos casos las condiciones económicas marcan la diferencia entre unas u otras familias, en otros son las expectativas y la valoración que padres y madres de familia otorgan a la educación, lo que influye en gran medida en la calidad de su apoyo.

De esta manera, una alta valoración y expectativa en la educación de los hijos puede atenuar las condiciones económicas familiares, realizando las familias un enorme sacrificio para enviar a sus hijos o a un hijo a la escuela prescindiendo de parte de la fuerza de trabajo necesaria para el trabajo doméstico y productivo. En los casos de mayor necesidad, no se puede prescindir de todos los hijos, y para ello suele seleccionarse uno de los miembros de la familia, donde el niño suele ser el beneficiado. La preferencia por la educación del niño antes que de la niña, constituye una estrategia de concentración de escasos recursos que deviene en perjuicio de la niña[6].

El beneficio del niño o la niña en este caso es con respecto al acceso a la educación, sin embargo puede discutirse si éste es un beneficio o no, de acuerdo a los intereses de los niños y las niñas en cada caso. Hay niños y niñas para los cuales el estudio es un placer, les gusta, disfrutan al hacerlo y suelen ser a los que les va bien en la escuela. En esos casos la niña que quiere estudiar sería perjudicada al ser retirada de la escuela en beneficio de su hermano. Sin embargo, también hay otro grupo de niños y niñas, para los que la escuela significa un enorme esfuerzo sin sentido y que sólo esperan llegar al 3er, 4to, 5to ó 6to grado de primaria —según su madre o padre les hayan indicado— para dedicarse com-

---

6   Esta selección donde se prioriza la educación del niño, no sigue fines irracionales o simplemente "machistas" como algunos suponen. Las condiciones de escolarización se presentan más desfavorables para la niña (por la distancia para pasar al colegio, por los propios intereses de aprender su rol de mujer que se ven más reñidos que en el caso del hombre con la escuela, por la inmediata necesidad en el apoyo en las tareas domésticas), y la familia prefiere seleccionar al niño, reduciendo en lo posible el riesgo.

pletamente al pastoraje su ganado y/o al trabajo de la chacra. Para cada uno de estos niños o niñas, el ser elegido no es un beneficio sino una obligación y responsabilidad que supone una presión familiar constante; a esto se suma, en el caso de que sus resultados escolares no sean buenos, una frustración que deviene en una baja autoestima personal y en relaciones conflictivas con los padres, que termina en un esfuerzo familiar no retribuido en ningún tipo de beneficio claro y que tiene como consecuencia el retiro del niño de la escuela.

En este sentido, diversos estudios han identificado cómo la escuela representa para niños y especialmente niñas de más de 11 años, un obstáculo en la socialización familiar que supone el aprendizaje del rol como adulto en la comunidad (Ortiz Rescaniere 1996; Oliart, 1997; Montero et al. 1998).

El tema de trasfondo del acceso escolar, es la forma en que la escuela se presenta ante estos niños y niñas, con horarios y exigencias que generalmente no concuerdan con los horarios y exigencias familiares. El modelo de alumno y familia que está detrás de la institución escolar es un modelo que dista mucho de la realidad de las zonas rurales, por lo cual desde esta perspectiva las familias siempre serán obstáculo, siempre serán impedimento, siempre serán una traba a la escolarización. Asimismo, los niños y niñas campesinos serán frecuentemente comparados con los niños y niñas de la ciudad, remarcando la lentitud que los primeros tienen para comprender y aprender los contenidos escolares.

Lo descrito nos conduce a identificar a la escuela rural como un espacio de encuentro cultural que se evidencia claramente en las relaciones entre padres y maestros, o entre maestros y niños. Estas relaciones no siguen un patrón homogéneo, pues las características de la localidad y del propio docente suscitan diversos estilos de relaciones y demandas de unos hacia otros.

En este sentido, la diversidad cultural es una de las principales características que definen al campo y conforma uno de los elementos de mayor debate en el tema educativo. Las posibilidades y los costos para atender a una población culturalmente diversa no han sido previstos por la escuela pública y sus efectos son ya conocidos.

Entre los problemas básicos de la diversidad cultural que debe atender la escuela rural, está el de la lengua, donde la enseñanza en lengua materna se presenta como un asunto esencial. Sin embargo, la distancia cultural entre la escuela las familias no se resuelve unilateralmente, y si bien la educación bilingüe es una condición necesaria no es suficiente para resolver el problema de la distancia entre ambas y deviene en los bajos logros educativos[7]. La interculturalidad se ha presentado como la alternativa que debe acompañar los programas de educación bilingüe, donde lo que está en cuestión, es la necesidad de un profundo cambio actitudinal en los maestros y maestras que enseñan en el campo (Harvey, Jung, Cerrón Palomino, López, Zuñiga, Valiente en: Allpanchis, 1987).

Debe lograrse, en suma, que los maestros dejen de percibir a los niños campesinos como sujetos incapaces de aprender, cuyos padres y madres son los principales responsables de los bajos resultados por la baja alimentación, por el excesivo trabajo o por la indiferencia hacia la educación.

1.1. Punto de partida

Se han presentado diversas evidencias que dan cuenta de la fragilidad de la relación entre la familia y la escuela en el campo, donde la dispersión, la pobreza y la diversidad cultural propias del área rural afectan de diferente manera a las familias, alejando a los niños y niñas de las escuelas. Es así que el niño y con mayor desventaja la niña rural, pueden dejar de asistir a la escuela casi por cualquier condición familiar característica de la vida del campo; es más, pareciera como si todas las condiciones familiares de los campesinos dificultaran o entorpecieran la escolarización infantil.

Sin embargo, a través del trabajo de campo se observa que terminar o no la escuela en una comunidad campesina no es un asunto del azar, sino que responde a un gran esfuerzo familiar

---

7   El problema es que la educación bilingüe continua siendo una meta en el Perú, al haber numerosas localidades, como la estudiada, que aún no reciben esta atención.

por superar las condiciones desfavorables, acercarse a la escuela y apropiarse de los contenidos escolares. Propósito en el que, sin embargo, no todas las familias resultan victoriosas.

De acuerdo a los diversos estudios mencionados, se puede decir que los principales aspectos familiares a tomar en cuenta en relación con la escolarización son: el tipo de comunidad, la pobreza, la composición y estructura familiar, la ubicación y características materiales de la vivienda, el tipo de actividad productiva familiar, las redes sociales y la experiencia migratoria familiar, el nivel educativo de los padres, sus expectativas y valoraciones en relación con la educación, y la edad y sexo del hijo/a. En la mayoría de casos es un mismo aspecto que —por exceso o por defecto— puede afectar positiva o negativamente la escolaridad de niños y niñas.

En el cuadro siguiente resumo aquellos aspectos familiares que facilitan o dificultan la asistencia y permanencia de niños y niñas en la escuela. Los factores señalados hay que considerarlos como aspectos favorables o desfavorables, pero de ninguna manera son determinantes familiares que puedan garantizar o impedir la escolarización.

Estos aspectos son relevantes en la medida que se vean como un conjunto de elementos interrelacionados que articulan un determinado contexto familiar, ya que una condición aislada no explica la permanencia o deserción escolar. De esta manera, la combinación de factores creará climas familiares diversos en donde el niño y la niña crecerán y se desarrollarán, y donde el tipo de influencia de una condición dependerá de las propias decisiones en el ambiente familiar. En este sentido, es importante considerar que en el contexto rural de pobreza descrito, las pequeñas diferencias existentes entre las familias pueden suponer grandes incentivos o trabas para asistir a la escuela.

Es a partir de estos factores identificados que quiero avanzar en el análisis. Por lo tanto, la observación de la interacción cotidiana y la dinámica familiar son aspectos centrales a tomar en consideración para profundizar la comprensión del rol que familias campesinas juegan en la escolarización de sus niños y niñas.

Cuadro de aspectos familiares relacionados a la asistencia escolar

	aspectos favorables	aspectos desfavorables
Condiciones socioeconómicas	▪ área rural en zona de valle	▪ área rural en zona de puna
	▪ menor pobreza ▪ familia completa ▪ cercanía a la escuela ▪ actividades familiares remuneradas ▪ red social familiar amplia: en y fuera de la comunidad ▪ experiencia migratoria en la familia ▪ p/madre con cierto nivel educativo	▪ mayor pobreza ▪ familia incompleta ▪ lejanía de la escuela ▪ actividades de autoconsumo ▪ red social familiar limitada: en y fuera de la comunidad ▪ sin experiencia migratoria ▪ p/madre sin experiencia escolar
Actitudes familiares	▪ alta valoración de la educación	▪ baja valoración de la educación
Características del alumno/a	▪ niño en edad escolar ▪ niño/a menor de 11 años	▪ niña en edad escolar ▪ niño/a mayor de 12 años

2. CONTEXTO Y ESFUERZO FAMILIAR

Si bien muchas de las características presentadas de alguna manera quiebran o distancian al niño de la escuela rural, es cierto también que algunos niños y niñas de similares condiciones logran permanecer más tiempo en la escuela rural que otros, y algunos pocos logran terminar su primaria. ¿Qué diferencia a estos niños o niñas campesinas y a sus familias del resto?. Es decir, ¿qué promueve y fortalece la relación con la escuela en el contexto descrito?

La respuesta no es sencilla, pero de acuerdo al trabajo de campo realizado donde la escuela rural presenta serias deficiencias en la calidad de la educación que otorga a niños y niñas, es el contexto familiar el que en mayor medida afecta la permanencia y el desempeño del niño o niña. De esta manera, es preciso considerar las características que en este contexto juegan los diferentes agentes: el padre, la madre, hermanos y hermanas como una unidad, y el niño o niña en edad escolar elegido. Asimismo, debemos asumir que las condiciones familiares son matizadas por actitudes y prácticas de los miembros de la familia.

Voy a caracterizar el contexto familiar de acuerdo a tres dimensiones[8], distinguiendo unas de otras con el fin de poder dilucidar las potencialidades y límites que caracterizan a las familias. Una primera dimensión corresponde a las propias condiciones de la familia, es decir, los recursos económicos, sociales y culturales con los que la familia cuenta y que pueden facilitar o dificultar la asistencia del niño a la escuela. Una segunda dimensión está asociada a las actitudes, en otras palabras, las valoraciones, expectativas y metas familiares en relación con la educación. Y finalmente, la tercera dimensión corresponde a las prácticas al interior de la familia, especialmente a aquellas que permiten acercar o alejar al niño o niña de la escuela, como la ayuda en las tareas, el refuerzo de aprendizajes, un espacio y tiempo para el cumplimiento de tareas, la asistencia a reuniones de padres de familia, etc.

Estas tres dimensiones están íntimamente relacionadas, afectándose mutuamente. Sin embargo, la comprensión de las decisiones familiares sólo se aprecia en su complejidad a través de la interrelación de los diferentes aspectos, pues ninguna condición, actitud, ni práctica por sí sola puede explicar ni garantizar la permanencia escolar del niño y la niña del campo.

Son los agentes que participan en el contexto familiar los que les dan forma a estas dimensiones, por lo tanto, es indispensable la consideración de características individuales de agentes centrales como los padres, madres y niños/as en cuestión.

El padre y la madre tienen un rol protagónico frente a la educación, ya que son ellos quienes finalmente deciden si el niño o la niña asiste a la escuela, por cuánto tiempo y en qué condiciones. Las difíciles condiciones familiares de pobreza pueden ser controladas si el padre y la madre consideran importante que el niño y la niña se eduquen, y de hecho muchas familias campesinas dan

8   Ver en el anexo, parte 2: cuadro de dimensiones del contexto familiar.

prioridad a la educación prescindiendo del apoyo infantil durante el horario escolar. Del mismo modo, la decisión del padre y madre es la que predomina sobre los propios deseos del niño o la niña, y si el padre y la madre tienen una posición clara frente al tema, es probable que la opinión del niño y la niña pase a segundo plano. Esto es muy claro cuando la familia no puede educar a los niños y niñas o no lo considera una prioridad frente a sus inmediatas necesidades, donde estos son retirados de la escuela sin consulta alguna ya que tienen tareas asignadas que cumplir. Sin embargo, en el caso contrario, cuando el padre y la madre apuestan por la educación de sus hijos y hacen un gran esfuerzo en este sentido, consideran que el propio niño y niña será el que decidirá hasta dónde puede estudiar, ya que ellos están buscando su bien y no lo quieren forzar. En este caso, es el propio niño o niña que mediante su propio esfuerzo y expectativas, contribuye decisivamente a apoyar el proyecto familiar o a abandonarlo. De esta manera, es igualmente importante tomar en consideración las actitudes y prácticas que los propios niños y niñas en edad escolar tienen frente a la educación, ya que ellos/as también cumplen un rol activo en su escolarización.

Por otro lado, la relación familiar con la escuela es fundamental como apoyo o como freno a la escolarización del niño y la niña. En este sentido, si bien el trabajo se centra en el estudio de las familias, no puede dejarse de lado a la propia escuela, las condiciones de enseñanza, las características de sus maestros y sus propias actitudes y prácticas, pues son ellos quienes tienen un rol central como "impulsores" o "expulsores" de aquellos niños y niñas que llegan a las aulas. La relación con la escuela será tratada, por este motivo, separada de lo que concierne al desempeño escolar.

Es preciso señalar que las familiar analizadas no representan a "la" familia campesina del sur andino y mucho menos de los andes peruanos, vamos a hablar de familias como casos que pueden ilustrar aspectos, problemas, exclusiones y posibilidades de familias campesinas, pero no de "la" familia campesina. En este sentido, es importante contextualizar la comunidad campesina estudiada así como las características propias de su escuela.

2.1. Características de la comunidad campesina y su escuela

La comunidad campesina del sur andino elegida se encuentra en el departamento del Cusco, dentro de la provincia de Quispicanchi, en la subcuenca de la cuenca del Vilcanota, Huancarmayo. Las comunidades que conforman la subcuenca de Huancarmayo son seis y si bien cada una tiene sus propias autoridades internas, hay una junta directiva de la subcuenca bastante activa y funcional en el manejo de los recursos y las relaciones entre las comunidades. Sin embargo, es necesario precisar que las comunidades tienen adscripciones políticas diferentes, algunas pertenecen al distrito de Urcos, otras al centro poblado de Andahuaylillas y las de zonas más altas, al distrito de Ccatca, Ocongate. No obstante, en la vida cotidiana, en el manejo de recursos y en la resolución de conflictos internos, el Estado prácticamente no participa.

La comunidad elegida pertenece políticamente al distrito de Urcos, y se extiende desde los 3,300 hasta los 3,900 m. de altura. Dicha altura ubica el espacio de la comunidad principalmente en la zona agroecológica de ladera, aunque también abarca pequeños sectores de la zona de valle y de altura[9].

En la zona de ladera se ubica gran parte de las familias de la comunidad, dedicadas principalmente a la agricultura, siendo sus principales productos la papa y el maíz para el autoconsumo, aunque también cultivan algunas leguminosas (habas, cebada, trigo, tarwi, entre otros). La actividad agrícola es la principal actividad de las familias, complementada con la crianza de rebaños mixtos, donde predomina el ovino. Estas actividades agropecuarias se complementan, a su vez, con migraciones temporales a la ciudad, predominantemente masculinas, para la venta de mano de obra. La venta exógena de fuerza de trabajo se da en periodos de bajo trabajo agrícola, o de alta demanda en ciertos focos económicos. Hacia Puerto Maldonado y Quillabamba suelen ir los varones (jefes de familia y solteros) atraídos por los lavaderos de

---

9　Las zonas agroecológicas son espacios clasificados de acuerdo a las condiciones climáticas que determinan el tipo de cultivos y de crianza de animales que se producen en cada zona. Comisión de Coordinadora Tecnológica Andina (CCTA)

oro y las cosechas de café, cacao y coca. Otros espacios más cercanos son Urcos, Andahuaylillas, Huaro y Paroccan a donde van
los varones a vender mano de obra como albañiles. Las mujeres
(solteras) migran temporalmente pero en mucho menor proporción, especialmente a Urcos y Cusco, donde se desempeñan como
empleadas domésticas.

La comunidad se ubica relativamente cerca (dos horas de camino) de Urcos, capital de la provincia. Eso supone frecuentes visitas a este importante centro poblado, para realizar trámites,
comprar o vender productos. Si bien no hay un circuito comercial
muy activo en la zona y son pocos los campesinos que tienen una
activa vinculación con el mercado como comerciantes, todas las
familias bajan frecuentemente los domingos a vender pequeñas
porciones de su producción, en busca de dinero para satisfacer alguna necesidad inmediata.

La comunidad está conformada por 537 personas repartidas
en un aproximado de ciento veintitrés viviendas dispersadas a lo
largo de toda la comunidad.[10] La gran dispersión de las viviendas
ha impedido el acceso a servicios de electrificación y/o agua. Las
familias se abastecen de agua por medio de un reservorio y canal
construido por la ONG local, que sirve también para regar las
chacras.

Analizando los índices de analfabetismo en la población mayor de cinco años, encontramos que un 63.2% tiene esa condición.
Entre ellos, las mujeres son el grupo mayoritario, con un porcentaje de 57.48% del total de analfabetos[11].

La población maneja un bilingüismo incipiente y casi exclusivamente masculino. Si bien algunas mujeres entienden castellano, muy pocas lo hablan. Desafortunadamente no hay una identificación clara de los niveles de bilingüismo por zonas, pero el
100% de las familias tienen al quechua como lengua materna[12].

10   Datos correspondientes a 1992, publicados por el *Atlas de la Provincia de*
     Quispicanchi, 1997.
11   Los datos han sido tomados del censo poblacional de 1993, publicados por el
     INEI.
12   Si consideramos que el 64% de la población cusqueña de 5 años o más tiene
     lengua materna vernácula, es decir, 570,194 personas y la población entre 5 y
     14 años que tiene lengua materna vernácula es 58,4%. (Montero *et al.*, 1998).

De esta manera, el aprendizaje del castellano lo da casi en exclusividad la escuela, y en algunos casos pueden apoyar los padres si tienen experiencia escolar o por medio de las relaciones y migraciones fuera de la comunidad.

La escuela de la comunidad tiene apenas veintisiete años de existencia, de esta manera, las personas mayores de 40 años han tenido muy difíciles condiciones para acceder a la educación. En este sentido, mientras mayor sea la edad de los padres y madres menores suelen ser los niveles de escolaridad.

La ubicación de la escuela está en una parte plana de la comunidad, en "la pampa", que queda muy cerca a la carretera afirmada que conecta a la comunidad con Urcos. Dicha zona es el centro de reunión de la comunidad, especialmente con autoridades o instituciones extrañas a la comunidad.

La escuela está conformada por tres aulas, un huerto, un cuarto pequeño para vivienda del docente y dos letrinas (una para niños y otra para niñas). La infraestructura de la escuela ha mejorado considerablemente desde 1995 a la fecha, actualmente cuenta con carpetas y sillas nuevas, donadas por FONCODES, que han reemplazado a las escasas y rotas carpetas, así como a las tablas y costales que hacían las veces de bancas para varios alumnos y alumnas. De la misma manera, han llegado materiales educativos y libros, que son propiedad de niños y niñas, quienes los llevan diariamente a la escuela.

Respecto a la cantidad y composición de alumnos matriculados, la tabla siguiente muestra el número de alumnos y alumnas por cada grado para 1999. El cuadro muestra que la matrícula total cae conforme se eleva el grado educativo, en particular entre 3ro y 4to grado, y la reducción es más significativa para el caso de las niñas.

Un desagregado entre rural y urbano permitiría a su vez mostrar más claramente la particularidad lingüística de las comunidades campesinas de la zona.

Número de matriculados de 1ero a 6to grado (1999)[13]

año escolar	1ero	2do	3ero	4to	5to	6to	Total
Hombres	13	12	11	15	11	10	72
Mujeres	15	14	22	09	04	01	65
Total	28	26	33	24	15	11	137
N° de aulas	un aula 54 alumnos		un aula 57 alumnos		un aula 26 alumnos		tres aulas 137

La escuela de la comunidad es polidocente multigrado, es decir, está conformada por tres docentes y cada uno atiende a dos grados en una misma aula. Dos de ellos son titulados y nombrados en el centro educativo y el restante es un profesor contratado —generalmente no titulado— quien ha variado en dos oportunidades entre 1995 y 1999. El presente profesor contratado es el segundo año que trabaja en la escuela y actualmente atiende a 3ero y 4to grado. El profesor-director tiene 33 años y trabaja en la comunidad hace siete años, actualmente atiende a 5to y 6to grado. La profesora que atiende los primeros grados es esposa del director y trabaja en la comunidad desde fines de 1995.

La pareja de profesores suele subir a la comunidad los lunes al medio día en un carro-taxi, pues vienen acompañados de sus dos hijos y una niña pequeña que cuida a los anteriores. Todos ellos se quedan a dormir durante la semana en un pequeño cuarto, en el que se halla también una cocina de queroseno y numerosos baldes para recoger y almacenar el agua. El viernes alrededor del medio día, el mismo carro viene a recogerlos.

El otro profesor sube caminando diariamente desde Urcos, empleando un par de horas. Este esfuerzo supone frecuentes tar-

---

13 Esta relación del número de alumnos y alumnas matriculadas en la escuela no tiene correcciones en base a la observación de campo, es decir, presenta la información de los formalmente matriculados, no necesariamente de los que asisten.

danzas del docente, quien no cuenta con un espacio para quedarse a dormir.

La pareja de profesores tienen una actividad complementaria, que está a cargo principalmente de la profesora. Ellos son comerciantes y tienen un puesto en la feria dominical de Urcos, donde venden diversos productos, entre los que figura el alcohol, fideos, aceite, entre otros, ofrecidos también en la propia comunidad. Asimismo, a fines de mayo, para la celebración del Señor de Qoyllur Rity, fueron llevando pasajeros desde Urcos hasta Ocongate, lo cual supuso dejar sus quehaceres como docentes un par de días antes de lo debido, y demorar otro par de días en reiniciar las labores.

Las ausencias justificadas e injustificadas, de los docentes son frecuentes en esta escuela. Sin embargo, el tiempo dedicado al dictado de clase se reduce aún más, pues incluso cuando los docentes están presentes hay un particular uso del tiempo. Esto fue observado durante el trabajo de campo realizado en 1995, sin embargo desde la primera semana del trabajo de campo realizado en mayo de 1999, se pudo comprobar que el uso del tiempo en la escuela continuaba siendo variable y no siempre vinculado a actividades pedagógicas. Por ejemplo, el lunes de esa primera semana, la pareja de profesores llegó al medio día y el otro profesor contratado no llegó, por lo cual no hubo clases. El martes, profesores y alumnos sacaron todas las carpetas, mesas y demás objetos del aula y limpiaron la escuela. El miércoles pintaron las aulas por dentro y el jueves se ordenaron nuevamente las cosas dentro del aula y al final del día los profesores agotados se marcharon, por lo cual el viernes no hubo clases.

Asimismo, las propias clases están caracterizadas por interrupciones, salidas de la profesora a cocinar o atender a su bebé y visitas de los otros profesores que suponen largas conversaciones en que los niños y niñas quedan copiando de la pizarra, dibujando o a veces sin ninguna tarea específica.

Los niveles de aprendizaje de los alumnos y alumnas, las constantes repeticiones retiros y deserciones, así como las frecuentes quejas que padres y madres de familia realizan, reflejan el estado general de esta escuela, que no difiere mayormente de otras escuelas rurales visitadas.

Sin embargo, hay un aspecto adicional que es importante mencionar en las características de esta escuela y de los profesores que la conforman. Fe y Alegría viene trabajando desde 1997 en algunas de las escuelas de la zona, para lo cual realiza reuniones con maestros y padres de familia para explicar las características y condiciones del proyecto educativo. Fe y Alegría es el ente encargado de brindar educación bilingüe para las poblaciones quechua-hablantes de la zona que así lo requieran, sin embargo, Fe y Alegría tiene como política responsabilizarse por una escuela, luego de un acuerdo conjunto entre padres, maestros y la comunidad en general para participar activamente en el proyecto.

En la comunidad estudiada, los padres de familia dieron su consentimiento en asamblea comunal para que Fe y Alegría se hiciera cargo de su escuela, sin embargo, los profesores de la escuela temerosos de una mayor supervisión se encargaron de desprestigiar la propuesta de Fe y Alegría, diciendo a los padres que la enseñanza bilingüe retrasaría el aprendizaje del castellano de sus niños. Finalmente no hubo acuerdo y esta escuela continuó enseñando en castellano a una población de niños y niñas quechua-hablantes monolingües.

2.2. Metodología

Este trabajo es resultado de un estudio longitudinal de casos que mediante la observación e interpretación etnográfica revela la complejidad de la educación en el campo. La información analizada recoge el trabajo de campo realizado entre agosto y diciembre de 1995 y el reciente trabajo de campo realizado durante el mes de mayo en 1999. Ambos trabajos de campo centran la atención en un recojo cualitativo de la información de tipo etnográfico a través de observaciones de aula, entrevistas informales a maestros, padres y madres de familia, niños y niñas, visitas y observaciones de la vida cotidiana de las familias en y fuera de las casas. En 1995 el énfasis del trabajo de campo estuvo focalizado en la escuela, mientras que en 1999 el eje fueron las familias y sus actividades cotidianas; con respecto a la escuela, se realizó en mayo un concurso de dibujo a alumnos y alumnas de 3ro a 6to grado, acompañado de entrevistas semi-estructuradas y una prueba de escritura.

Para este trabajo de campo se contó con la colaboración de Yoni Pantigoso quien fue un importante apoyo con el quechua.

La hipótesis que se quería responder con este estudio es: ¿cuál es el rol de las familias campesinas en la escolarización de sus niños y niñas? Las preguntas siguientes orientaron el recojo y análisis de la información: ¿cómo afectan las condiciones familiares la permanencia y desempeño escolar?, ¿por qué algunos niños/as de similares condiciones familiares terminan la escuela y otros no?, ¿quiénes logran permanecer en la escuela y cómo son sus familias? De los que permanecen, ¿a quiénes les va bien y a quiénes no y cómo son las familias de cada uno? ¿qué y cómo es el contexto cotidiano extra-escolar del niño y de qué manera este puede ayudarles en su desempeño escolar?, ¿cómo cumple la escuela rural la expectativa familiar confiada a la educación?

Casos seleccionados

Una experiencia de campo anterior en la misma comunidad (Uccelli, 1996), apuntó al análisis de las condiciones de la escuela rural, realizando observaciones de aula en el primer grado de primaria durante todo el segundo semestre escolar. Ello me permitió una comprensión del tipo de enseñanza que caracteriza a esta escuela rural, así como un acercamiento a los niños y niñas matriculados en primer grado y a algunas de sus familias. Dos de los tres profesores continúan enseñando actualmente en la escuela.

En el presente estudio se partió del grupo observado de niños y niñas matriculados en el primer grado en 1995, y se hizo un seguimiento de quiénes continuaban en la escuela para 1999, es decir, en un periodo de cinco años de escolarización. Un total de catorce niño/as del total de treinta matriculado/as en 1995 continúan en la escuela para el presente año. Sin embargo, de los que permanecen no todos están cursando el mismo grado en la escuela: el grupo se distribuye entre el 3ero, el 4to y el 5to grado de primaria.[14]

---

14   Para el detalle del seguimiento escolar, ver anexo, parte1: seguimiento escolar de niños y niñas.

De un total de catorce (11 niños y 3 niñas) que continúan en la escuela actualmente, fueron seleccionados seis: dos niñas y cuatro niños. Un niño fue agregado al conjunto de casos, por las particularidades que presentaba y que consideré podían aportar importante información para la comprensión del rol de la familia en la escolarización de sus niños y niñas. El niño ha ingresado a la escuela el mismo año que varios niños/as seleccionadas, y su historia escolar es impecable, ya que no ha repetido ningún año. Si bien este niño no formaba parte del grupo estudiado en la escuela en 1995, sí existía una relación cercana con su familia.

Dentro de los casos seleccionados he querido distinguir dos grupos, aquellos niños o niñas que entre 1995 y 1999 han repetido una vez o ninguna y que a partir de ahora denominaré como académicamente exitosos, y aquellos que durante el mismo tiempo han repetido dos o más veces, a los que denominaré como académicamente poco exitosos. [15] De esta manera, el éxito de un niño o niña en la escuela está siendo considerado de acuerdo a los años de permanencia en la escuela y el desempeño durante esos años, medido de acuerdo al número de veces que ha repetido.

Indudablemente estos indicadores de éxito pueden considerarse como relativos. Sin embargo, tomando en consideración un reciente trabajo realizado por José Rodríguez (1998), donde identifica que cada año de repetición reduce progresivamente las posibilidades de concluir los estudios, la diferencia entre uno o dos años de repetición entre niños más que un evidente atraso escolar está indicando una potencial deserción escolar y, por lo tanto, una importante reducción de los años totales de escolaridad.

Asimismo, tomando en cuenta las difíciles condiciones para continuar en la escuela rural, aquellos niños y niñas que permanecen cinco años en la escuela integran un grupo relativamente exitoso, sólo por el tiempo que ha logrado quedarse en la escuela,

15   Es preciso tomar en cuenta que la delimitación del éxito en lo "académico" no es fortuita, ya que pretende dar énfasis a que dicho desempeño del niño o la niña responde sólo a un ámbito restringido y limitado en la vida campesina como es la escuela rural, pero que nada dice del desempeño cotidiano que el niño y la niña tienen en sus casas, en la chacra y en la comunidad en general, realizando las tareas productivas y domésticas asignadas. Más delante volveré sobre este punto.

Cuadro resumen de los casos seleccionados

Características de los casos seleccionados	niños y niñas académicamente exitosos				niños académicamente poco exitosos		
	niña 1	niña 2	niño 3	niño 4	niño 5	niño 6[a]	niño 7
– sexo	F	F	M	M	M	M	M
– edad actual (1999)	12 años	12 años	10 años	10 años	13 años	10 años	10 años
– grado al que asiste (1999)	5to grado	4to grado	4to grado	6to grado	3er grado	3er grado	3er grado
– ubicación dentro de la estructura familiar	mayor de cuatro[b]	mayor de cuatro	sexto de nueve	mayor de cuatro	mayor de tres	mayor de dos	tercero de cuatro
– año de ingreso a la escuela	1994	1994	1994	1994	1993	1995	1994
– edad de ingreso a la escuela	7 años	7 años	5 años	5 años	7 años	6 años	5 años
– # de veces que ha repetido entre 1995-1999[c]	0	1 vez	1 vez	0	2 veces	2 veces	2 veces
– # de veces que ha repetido antes de 1995[d]	1 vez	1 vez	1 vez	0	2 veces	-	1 vez
– # de veces totales que ha repetido	1 vez	2 veces	2 veces	0	4 veces	2 veces	3 veces
– años en la escuela hasta la fecha (1999)	6 años	6 años	6 años	6 años	7 años	5 años	6 años
– años de atraso escolar[e]	2 años	3 años	1 año	-	5 años	2 años	2 años

a. Si bien la historia escolar de este niño reporta dos años de repetición al igual que la niña 2 y el niño 3, es importante considerar que este niño ha repetido las dos veces luego de 1995 (promoción automática), y es por ello que está seleccionado dentro de los niños poco exitosos.

b. Esta niña es la mayor del segundo matrimonio, es decir, es la primera hija del padre, pero es la cuarta hija de la madre. Para mayor detalle ver anexo: parte 3: datos de las familias seleccionadas.

c. Este indicador es el que distingue a niñas y niños exitosos de los poco exitosos.

d. He considerado a los exitosos y no exitosos según sus años de repetición entre 1995-1999, donde ya se había dado la promoción automática de primer a segundo grado. Sin embargo, los niños y las niñas que ingresaron antes a la escuela reportan repeticiones anteriores que estoy considerando separadamente en esta sección.

e. Este dato se obtiene de la relación entre la edad y grado que el alumno/a cursa actualmente y la edad normativa por grado (teniendo como base que el alumno debe matricularse a los 6 años en 1er grado). Si bien este es un indicador muy usado, en este caso he preferido tomar los años de repetición como criterio de desempeño escolar en un periodo de años determinado, ya que considero que la edad de ingreso a la escuela distorsiona el propio desempeño del niño/a.

lo cual indica que su familia — o al menos alguno de sus miembros— está apostando por la educación. Sin embargo, el diferente año que cursa cada uno durante el mismo número de años en la escuela, están discriminando desempeños y logros educativos diferenciados que es preciso analizar a la luz de las respectivas condiciones, actitudes y prácticas familiares.

2.3. Características de los niños y niñas que permanecen en la escuela más de cinco años

Antes de exponer las características del *contexto familiar*, quiero presentar la importancia de las características de los propios niños y niñas que permanecen más de cinco años en la escuela, es decir, "los niños y las niñas sobrevivientes". Las principales características que hay que tomar en consideración en los niños o niñas que permanecen en la escuela son su edad y su sexo.

No es casual que los casos seleccionados agrupen a cinco niños y tan sólo dos niñas. Un primer aspecto a resaltar es que no se encuentran niñas poco exitosas que continúen la escuela luego de cinco años de escolarización. Por el contrario, sí hay niños no exitosos que continúan en la escuela, incluso luego de más años de repetición que de promoción. Esta situación refleja la estrategia familiar de concentrar recursos, donde el niño suele ser seleccionado para ser educado previamente a su desempeño escolar.

Por otro lado, la edad vinculada con el sexo del niño y la niña es importante para comprender tanto el ingreso a la escuela como el retiro de niños y niñas de la misma. La edad es una constante presión familiar y personal en la permanencia en la escuela, tanto por la creciente demanda familiar por apoyo infantil en las tareas productivas y domésticas, como por las propias expectativas de los niños y niñas.

En el cuadro presentado se muestra las variaciones en la edad de ingreso, donde ambas niñas académicamente exitosas han entrado tardíamente a la escuela (convencionalmente niños y niñas deben entrar al primer grado de la escuela a los 6 años) y eso ejerce una mayor presión para abandonar la escuela que para aquéllos que ingresaron a una menor edad. Asimismo, en el campo la escuela es considerada como un espacio reservado para "los pequeños (o pequeñas)", por lo cual conforme pasan los años hay una presión colectiva, y también individual, que termina por incomodar a los niños o niñas mayores en la escuela. Este proceso va asociado a que la edad de 12 años los niños y especialmente las niñas empiezan a querer formar parte de la vida adulta, donde la escuela representa exactamente lo contrario a este propósito. La edad, por tanto, es una amenaza creciente a la permanencia escolar, ya que la asistencia a la escuela tiene un tiempo determinado y luego de ello entra en conflicto con los propios intereses del alumno o alumna y las expectativas de la comunidad.

Además, no todos los niños y niñas quieren salir de la comunidad o dejar de ser campesinos. Para algunos de ellos y ellas, la escuela y sus objetivos representa una posición externa que contradice sus propias expectativas, para otros es sólo un tránsito para continuar con su vida en la comunidad y para otros es la alternativa para un cambio en la forma de vida; todo ello va a influir en la relación que el niño entable con la escuela.

Un aspecto adicional dentro de las características de los niños y niñas seleccionados, es su ubicación en la estructura familiar y la propia composición de las familias. De los siete niños seleccionados, cinco son hijos/as mayores, uno es el sexto de nueve hermanos/as y otro es el tercero de cuatro hermanos/as. Al respecto la cantidad de hermano/as y la existencia de hermanos de ambos sexos también es importante, ya que el reparto de tareas suele hacerse en función a la edad y al sexo de los hijos. Dentro de las siete familias estudiadas, seis tienen hijos e hijas y sólo una familia tiene únicamente dos hijos varones.[16]

2.4. ¿Cómo son las familias de los que permanecen en la escuela?

Las familias de los niños y niñas campesinas que permanecen en la escuela por lo menos cinco años, tienen características muy heterogéneas. Por un lado, son familias muy pobres, incompletas, que viven alejadas de la escuela, de padres y madres analfabetos. Por otro lado, también hay familias más insertadas al mercado,

---

16   Para una presentación más detallada de los datos por familia, ver anexo: parte 3: datos de las familias seleccionadas.

con padres o madres que saben castellano, leer y escribir. Si bien es cierto que hay un mayor número de niños cuyas familias agrupan condiciones favorables a la escolarización, la presencia de condiciones y características familiares desfavorables parece no impedir del todo la permanencia del niño o niña en la escuela. Por lo tanto, las condiciones familiares parecen no explicar completamente la decisión familiar de que niños y niñas permanezcan al menos cinco años en la escuela.

Suponiendo que estas familias han logrado prescindir —durante el horario escolar— del apoyo infantil en las tareas productivas y domésticas al menos durante cinco años, esto supone que los niños y niñas de diferentes condiciones familiares —favorables y desfavorables para la escolarización— tienen iguales posibilidades de terminar la primaria si es que cuentan con el apoyo familiar. Esto sería una respuesta alentadora para el esfuerzo realizado por las familias, sin embargo, las numerosas repeticiones que distinguen a unos niños de otros, parecen desmentir este supuesto, ya que cinco años de permanencia en la escuela del campo no significa necesariamente estar a punto de concluir la primaria[17].

Como se verá más adelante, el análisis de las condiciones y características familiares cobran mayor relevancia y valor explicativo en relación al desempeño escolar que a la permanencia escolar.

A continuación presento las principales características familiares que distinguen las familias de los y las académicamente exitosos, de las familias de los académicamente poco exitosos.[18]

- ¿Cómo son las condiciones familiares de los académicamente exitosos?

Las familias que conforman este grupo son las familias 1, 2, 3 y 4. Las características de estas familias presentan mayor número de condiciones favorables a la escolarización, pero se observa que

---

17 Al respecto, el cuadro resumen de los casos seleccionados muestra claramente las diferencias entre número de años en la escuela y grado de escolarización.

18 Para un resumen de esta información, revisar el anexo, parte 4: cuadro resumen de características familiares.

más allá de los recursos familiares, es la dinámica y el ambiente familiar lo que permite potenciarlos.

En este sentido, la ubicación de la casa parece ser un aspecto importante pero no definitivo. Tres de las cuatro familias viven relativamente cerca de la escuela —alrededor de 15 minutos caminando— y sólo una vive más alejada —a más de 30 minutos caminando (familia 3). Asimismo, dos de las tres que viven cerca de la escuela, se encuentran a su vez al pie de la carretera afirmada que cruza la comunidad (familia 2 y 4). Las cuatro familias están cerca de otras casas y conviven con sus parientes cercanos, ayudándose mutuamente en las tareas productivas. Sin embargo, es preciso anotar que las tareas domésticas suelen ser actividades desempeñadas exclusivamente por la familia nuclear. Así, las tareas productivas tienen mayor apoyo que las domésticas, lo cual afecta de diferente manera a hombres y mujeres.

La distancia de las chacras no es sencilla de determinar. Las familias, en general, tienen sus chacras en diferentes zonas de la comunidad, tanto en las bajas como en las altas y muchas veces lejos de sus viviendas, pero normalmente están dentro del sector donde viven. De esta manera son trabajadas en ayni, conjuntamente con los otros comuneros del sector. Sin embargo, la cantidad y calidad de tierras no es uniforme. La familia 1, por ejemplo, posee pocas tierras y es considerada agrícolamente pobre. La familia 2 y 3, por el contrario, son las que más cantidad y mejor calidad de tierras poseen. Y la familia 4, tiene regular cantidad de tierras pero de buena calidad. La cantidad y calidad de las tierras determina la calidad de la producción agrícola, y ésta las posibilidades de vender lo producido.

Con respecto al pastoreo, esta actividad requiere de suficiente pasto para los animales. De esta manera, aquellos que viven más cerca de la carretera y de la escuela, estarán más lejos de los pastos que los que se ubican en zonas más altas. Esto se ve claramente en el número y tipo de animales que las familias poseen[19]. Las cuatro familias crían cuyes, pero sólo una de ellas (familia 3) tiene

---

19   Si bien el número de animales puede estar relacionado a la ubicación de la vivienda también está mostrando el lugar de esta actividad en la dinámica familiar.

una considerable cantidad y variedad de animales (2 caballos, 30 ovejas, 20 cabras, 3 chanchos) y es la familia que vive más alejada de la escuela que las otras tres. La familia 2 le sigue con 3 toros y 20 ovejas; mientras las otras dos familias (familia 1 y 4) tienen un par de toros y algunos chanchos. El número de animales por familia es importante porque define la demanda de apoyo infantil en las familias, donde niños y niñas son los principales encargados de cuidarlos. Así, la familia 3 como la 2 tendrán una mayor necesidad de apoyo de sus hijos e hijas en las actividades diarias, que la familia 1 y 4.

La mayoría de las viviendas en la comunidad están construidas de adobe y con techos de paja y constan de una a dos habitaciones, una para dormir y/o otra para cocinar y comer y eventualmente otra para guardar cosas o almacenar productos. Asimismo, un espacio familiar al aire libre frente a la casa y los corrales completa la vivienda campesina. De las familias seleccionadas dos conservan este esquema. Una está conformada por una casa pequeña de tres habitaciones (familia 1), y el único cambio que han realizado entre 1995 y 1999 es independizar el espacio de comer y dormir en dos habitaciones, construyendo una habitación adicional. La otra, la familia 4, se acaba de mudar y cuenta con una casa de dos habitaciones, pero con techo de tejas. Asimismo, las viviendas de la familia 2 y 3 cuentan con techos de tejas.

De esta manera, conforme las familias crecen van cambiando sus necesidades y suelen agregar mayor número de habitaciones para el almacenamiento de productos, víveres u otras cosas. Las cuatro familias han hecho variaciones en sus propias viviendas desde 1995, sea mudándose (familia 4), ampliando la casa con una habitación adicional (familia 1), levantando segundo piso (familia 2 y 3), construyendo un horno (familia 2), etc. Todo ello muestra un dinamismo familiar que busca mayores comodidades en su vida cotidiana y un manejo de recursos proporcionales para el logro de dichos cambios.

Las familias de este grupo son familias completas, es decir, constituidas por el padre y la madre. Además, las parejas suelen ser estables, comunicativas y bien organizadas en la distribución de tareas de la vida cotidiana. La madre ejerce una función ordenadora fundamental distribuyendo tareas, decidiendo y jerarqui-

zando actividades en el tiempo; disponiendo y preparando los recursos (alimentos, herramientas y personas) necesarios para cada
tipo de actividad; y adaptando las actividades según las habilidades y edades de cada miembro de la familia.

En este sentido es importante agregar que las cuatro familias
son nucleares y tienen tanto hijos varones como mujeres, lo cual
permite un reparto de las responsabilidades de acuerdo a género
y una mutua colaboración entre hermanos, que se extiende tanto
a las actividades cotidianas de la familia en la casa y en el campo,
como a las necesidades escolares. En las cuatro familias se percibe
solidaridad entre los hermanos, donde las tareas suelen repartir-
se sin mayores contratiempos. Los más pequeños suelen dedicarse al cuidado de los animales y los mayores se van a apoyar el trabajo en la chacra. Asimismo, suelen apoyarse en lo posible con las
tareas escolares, pues los que ya han asistido a la escuela enseñan
a los más pequeños.

Las actividades económicas varían de acuerdo a cada familia,
todas son agricultoras y viven de lo que producen, pero a la vez
tienen otras actividades complementarias. La familia 1 es principalmente agricultora pero su producción es bastante baja, tienen
pocos animales y trabajan junto con sus otros familiares y compa-
dres. El padre no es de la comunidad, pero siempre participa en
algún cargo en la comunidad, pues ha sido presidente de la asociación de padres de familia, presidente de los ronderos de la
cuenca, encargado de los ronderos de la comunidad, promotor de
alfabetización y actualmente es promotor de salud. La familia 2 es
principalmente agricultora, pero también posee ovejas y toros. El
padre pertenecía a la Asociación de Semilleristas, por su cantidad
y calidad de tierras, pero en la última visita me dijo que se había
retirado porque quebró por un mal manejo de la Asociación. Esta
familia tiene además una pequeña tienda que conduce la madre,
donde vende gaseosas, fósforos, aceite y otros productos de demanda local. El padre de la familia 2 ha sido autoridad de su sector. La familia 3 es agricultora con una alta producción, a lo que
se le agrega un gran número de animales. La actividad agrícola
de esta familia no es primordialmente de autoconsumo —como
las demás— pues vende semilla de papa, a través de una Asociación de Semilleristas de la comunidad —impulsada por una ONG

local aunque ahora tiene autonomía—que maneja un centro de acopio en Urcos desde donde distribuyen y venden de acuerdo a un precio concertado entre los miembros. La diferencia de los precios de papa de consumo de primera y segunda son menores, pero la diferencia entre el precio de papa de consumo y semilla de ·papa es considerable[20]. El padre de esta familia ha sido vice presidente de la comunidad. La familia 4 también es agricultora principalmente para autoconsumo, lo cual complementan con una actividad remunerada. El padre trabaja en la tala de madera junto con otros comuneros de la localidad, contratados por un comerciante de Urcos que tiene el permiso para extraer la madera y es quien la vende en el mercado. Sólo un grupo pequeño de parientes realizan esta actividad, la que es relativamente estable y remunerada. El padre de esta familia es actualmente presidente de su sector, y la madre es líder de la comunidad: ha sido presidenta de la asociación de madres en 1998 y actualmente representa a las mujeres de la cuenca y participa activamente en las asambleas de autoridades de la comunidad.

De esta manera, se observa que tales familias, y en especial los padres, están vinculados de diferentes formas con el comercio e instituciones fuera de la comunidad, lo cual les da características diferenciadas con otras familias, en cuanto a redes sociales, oportunidades de trabajo y experiencia de organización, gestión y negociación fuera de la comunidad.

Al respecto es importante mencionar el nivel educativo de estos padres y madres. En la familia 1 el padre ha estudiado hasta el 3er grado (pero no en la comunidad porque él es de un centro poblado de Puno), entiende y habla castellano fluidamente, y sabe leer y escribir. La madre de esta familia nunca ha asistido a la escuela pues, según nos explicó, su padre murió joven y ella y sus hermanas no tuvieron oportunidad de educarse. Ella no entiende castellano ni sabe leer ni escribir. En la familia 2, el padre ha estu-

---

20   El precio de la papa de consumo por arroba (12 kilos) fluctúa según las variedades. Por poner un ejemplo, el precio de la papa nativa es 8 soles la de primera clase y 7 soles la de segunda clase. Por el contrario, el precio de la semilla de papa es más elevado y tiene una gran demanda. La semilla de papa nativa se vende a 1 sol por kilo, es decir, 12 soles la arroba.

diado hasta el 4to grado de primaria, cuando era pequeño la escuela de la comunidad no brindaba la primaria completa, y entiende un poco de castellano. Su esposa ha estudiado sólo hasta
1er grado de primaria, pero estuvo un año trabajando como empleada doméstica en Cusco, lo que le permitió aprender un poco
castellano y reforzar su lectoescritura, aunque me comenta que se
ha olvidado mucho. En la familia 3, tanto el padre como la madre
han asistido a la escuela hasta 5to y 2do grado respectivamente.
El padre entiende y habla un poco de castellano, sin embargo ella
no. En la familia 4, el padre y la madre han asistido a la escuela de
la comunidad, hasta el 2do y 3er grado respectivamente. El padre
habla y entiende un poco de castellano y está aprendiendo cada
vez mas, así como a leer y escribir con la ayuda de su esposa, que
habla y entiende castellano bastante bien y es la única mujer de la
comunidad que sabe leer y escribir.[21]

Al respecto, un elemento característico de estas familias es la
relación afectiva que padres y madres entablan con sus hijos e hijas. Si bien los estilos de maternidad y paternidad varían de familia a familia —algunos p/madres son más distantes, más estric-
tos, o demandantes con sus hijos, otros son más cercanos, más
complacientes, más cariñosos y comprensivos— se siente un ambiente familiar cálido en los cuatro casos.

En dos de estas familias (familia 1 y 2) los niños se comportan
muy libremente y la madre y el padre les brindan toda la confianza para que así sea, además les prestan atención permitiéndoles
(a los más pequeños) interrumpir conversaciones, bromear, jugar,
convirtiéndose los niños o las niñas en el centro del ambiente familiar, tanto en la casa como en la chacra.

En las otras dos familias (familia 3 y 4) el ambiente familiar es
diferente, no hay tanta libertad para los niños/as, el padre o la
madre son los dueños del espacio y los niños/as están bajo su cuidado, atendidos, protegidos, queridos. Pero, por otro lado, no se
siente tanta espontaneidad en el comportamiento de los niños y
las niñas, en casa comen callados, o están sentados escuchando

---

21   Estas características de los padres y las madres son tomadas en consideración
     a lo largo del análisis, pues van a influir en el tipo de relaciones, actitudes y
     prácticas que ellos tengan con sus niños y con la escuela.

las conversaciones de los adultos, y en la chacra están muy pendientes de cumplir con lo que se le han encargado y de colaborar donde haga falta. En el caso de la familia 4, los niños son más pequeños y tienen menos responsabilidades. En ambos casos, los niños y las niñas más pequeños tiene más libertad para jugar, pero lejos de donde están los adultos.

En las familias observadas, si bien cada madre tiene su estilo las cuatro representan figuras familiares sólidas. En este sentido parece ser que el estilo de la madre define con mayor fuerza el tipo de comportamiento de los niños y las niñas en la familia, por lo mismo que ella pasa mayor tiempo con ellos y por ser ella quien distribuye las actividades cotidianas. De esta manera, si bien la mayoría de los padres —por su mayor experiencia escolar— suelen ocuparse directamente de la educación escolar de los hijos/as, —matriculando, hablando con profesores, realizando faenas, etcétera— son las madres quienes diariamente deciden quién va a la escuela y quién no.

Las familias donde el comportamiento de los niños/as se muestra más libre son además muy cariñosas con sus niños y niñas, especialmente la familia1 que los abrazan, los besan los acarician constantemente, particularmente a los más pequeños, pero en general hay un trato amable y cariñoso entre p/madres e hijo/as, así como entre hermanos/as.

Si bien no todas las familias son tan cariñosas como la familia 1, de hecho tanto la madre y el padre de las familias 3 y 4, se preocupan mucho por sus hijos e hijas y desean lo mejor para ellos, pero son más distantes, más secos y en cierto sentido más exigentes con ellos. Rara vez los tocan, los abrazan o acarician, pero hay un cariño expresado de otras maneras, buscando su bienestar otorgándoles comida, vestido, educación y cuidado. La madre 3 es especialmente demandante, y el comportamiento de los niños y niñas parece más rígido y pendiente del apoyo que puedan brindarle a la madre, sin embargo, la madre 4 es más tolerante y muchas veces opta por prescindir del apoyo de sus hijos o hijas cuando éstos no le hacen caso frente a un pedido.

Los padres de las cuatro familias son hombres tranquilos y cariñosos, tanto con sus hijos como con sus esposas. Cierto temor y respeto define la relación de pareja, donde el esposo cuida de no molestar a su esposa, tomando demasiado, faltando a una faena, gastando el dinero o llegando tarde a casa. En este sentido se ve comunicación y complementariedad en la relación de estas parejas —si bien no faltan razones de conflicto especialmente en relación al alcohol que consumen en ocasiones los esposos— ya que ellos consideran que su familia es lo primero y por tanto, procuran no hacer algo que defraude o moleste a sus esposas o sus hijo/as. En ocasiones son los propios hijos o hijas quienes reclaman al padre entre bromas si bebió demasiado, y eso incomoda a los padres. Las esposas se muestran más frías en estas ocasiones, distantes de sus esposos, le sirven su comida, los atienden, pero casi sin mirarlos y por momentos hacen algún comentario aparentemente sin importancia pero que los sanciona indirectamente: "¿terminaste de traer la papa?" —sabiendo que no lo ha hecho. Otras veces las sanciones son directas: "¡estás ahí tomando como si no tuvieras hijos!"

Indudablemente el consumo de alcohol es uno de los problemas en estas familias también, pero el problema no pasa de una tardanza del esposo, del olvido o incumplimiento de alguna actividad, o finalmente de una fuerte resaca. Además, el consumo de alcohol en estas familias no es frecuente, sino que está estrechamente relacionado a eventos especiales, como alguna festividad, cosecha en ayni u otros. Es por eso que son sancionados y simultáneamente comprendidos por las esposas e hijos, ya que si bien no lo aprueban saben —y de cierta manera exigen— que esta conducta no se reitere.

- ¿Cómo son las condiciones familiares de los académicamente poco exitosos?

Para iniciar la presentación de las familias recordemos que éstas son tres y que las he denominado como familia 5, 6 y 7. Asimismo, los niños que conforman este grupo son exclusivamente varones, ya que no hay niñas que presenten una larga permanencia en la escuela acompañada de constantes repeticiones.

La ubicación de las viviendas en estas familias parece confirmar que la lejanía de la vivienda es una condición desfavorable a la escolarización, ya que las tres familias cuyos niños tienen un mal desempeño escolar viven alejadas de la escuela, a más de media hora de camino. Por otro lado, ninguna de las casas se encuentra cerca a la carretera afirmada de la localidad. Dos de las familias (familias 5 y 6) viven en un sector más concentrado, pero la familia 7 vive en una zona sumamente dispersa. De esta manera las familias 5 y 6 cuentan con el apoyo de familiares y vecinos, pero no así la familia 7. Asimismo, la familia 6 tiene menor apoyo pues no tiene parientes en la comunidad, dado que el padre es de un pueblo de Puno y la madre es huérfana de madre y padre y su única hermana vive en otra comunidad. El apoyo en las actividades productivas se da de la misma manera que en las otras familias, es decir, por sectores a través de jornadas de trabajo organizadas hasta cubrir con todas las chacras del sector. De esta manera, se compensa la falta de parientes (caso de la familia 6) o la viudez (caso de la familia 7).

La ubicación de las parcelas de tierra suele darse por sectores, lo cual no garantiza siempre la cercanía a la vivienda. En cuanto a calidad y cantidad de tierras, tanto la familia 5 como la 6 son consideradas de agricultura intermedia, si bien la familia 5 posee poca cantidad de tierras pero la calidad de ellas lo distingue del resto. La familia 7 es considerada agrícolamente pobre.

Las tres familias crían cuyes, pero ninguna tiene chanchos. De las tres familias sólo una tiene un rebaño de ovejas de más de 30 cabezas (familia 5), aunque sólo la mitad es de ellos, pues la otra mitad es de una familia de la comunidad de valle que le encarga su cuidado. Las otras dos familias (6 y 7) tienen un par de toros y una vaca. De esta manera la familia 5, tendría una mayor demanda de apoyo infantil, en lo que al pastoreo de ovejas se refiere.

Dos de estas viviendas siguen el esquema común de una a dos habitaciones de adobe con techo de paja, una para dormir y la otra para cocinar, y sus corrales (familias 5 y 7). Sólo la familia 6 tiene una casa más grande de dos pisos, que la amplió mediante un préstamo otorgado por una ONG local. De las tres familias, solo ésta última ha realizado cambios en sus viviendas desde 1995. Esto es importante sobre todo para las familias 5 y 7, que no son familias tan jóvenes y que podrían haber realizado algunos cambios, pero para ello son necesarios recursos adicionales que ellas no disponen.

Un claro factor limitante para la familia 7 es no estar completa. La madre enviudó hace más de seis años. Por otro lado, las otras dos familias son completas, pero ambos padres suelen trabajar fuera de la comunidad por periodos prolongados (uno en Puerto Maldonado en lavaderos de oro y el otro en los centros poblados cercanos, vendiendo su mano de obra en lo que se necesite). Estas actividades suponen relaciones fuera de la comunidad, algo que otorga características específicas a las familias denominadas exitosas, pues suponen otro tipo de inserción fuera de la comunidad, más pasiva y dependiente, que las primeras.

La ausencia del padre supone un vacío en la composición familiar, sufriendo así una importante disminución en la mano de obra familiar, principalmente en lo relacionado a las tareas productivas. De esta manera, es la madre la que tiene que cubrir las tareas productivas pero sin descuidar las domésticas, lo cual termina por ser una carga muy agobiante para ellas. Si la madre no asiste a las faenas de trabajo rotatorio por las chacras del sector (ayni), no podrá solicitar ayuda para su propia chacra. Asimismo, si sus redes de parientes son limitadas no podrá solicitar reemplazo en alguna faena[22], terminando por asumir personalmente las tareas o dejar de cumplir con ellas arriesgándose a quedar fuera de los servicios de la ayuda mutua.

Las tres familias son principalmente agricultoras y dependen de ello, pues sus productos los venden en pequeñas porciones esporádicamente en el mercado dominical, a cambio de dinero necesario para cubrir alguna necesidad inmediata como útiles escolares, ropa, y víveres —tales como aceite, sal, azúcar, pan y fósforos.

La ayuda de los niños y las niñas en este contexto es mayor, y ello varía de acuerdo al número, a la edad y sexo de estos. De tal forma, la familia 5 tiene dos varones y una niña, y los tres colaboran tanto en actividades domésticas como productivas. La familia 6 tiene sólo dos hijos varones quienes están encargados, sobre todo, de hacer pastar al ganado. La familia 7 tiene dos hijas y un hijo, la madre es viuda y recibe el apoyo de su hija mayor y su

---

22 Una persona que reemplaza a otra en el ayni del sector debe provenir de otros sectores, por tanto no es un apoyo que se pueda solicitar a los vecinos.

yerno, mientras los más pequeños asisten a la escuela. En este contexto, sólo la decisión familiar de prescindir de estos niños durante el horario escolar, está revelando un gran esfuerzo en favor de la educación.

Al respecto es importante mencionar el nivel educativo de los padres y las madres de estas familias. En la familia 5, el padre ha estudiado hasta el segundo grado y la madre dice que fue a la escuela pero ya no recuerda hasta qué año. Ninguno de ellos habla ni entiende castellano y ella no sabe siquiera firmar su nombre. El padre de esta familia ha sido vocal en la junta directiva de la comunidad, pero él quiere ser presidente de la comunidad. La madre asiste al programa de alfabetización por las noches porque quiere aprender a firmar; el padre está muy motivado por aprender pero le avergüenza asistir al curso. Por el contrario, en la familia 6, el padre ha estudiado hasta el 4to grado pero en una escuela de un centro poblado de Puno y la madre nunca ha asistido a la escuela, pues dice que su madre nunca la envió. El padre habla y entiende perfectamente el castellano y sabe leer y escribir bien, pero la madre no sabe castellano ni firmar su nombre. Finalmente, en la familia 7, se encuentra que la madre no ha asistido a la escuela y el padre murió hace varios años. La madre no entiende ni habla castellano y no recuerda si su esposo asistió a la escuela, pero me dijo que al igual que ella, su esposo no sabía leer ni escribir. Las madres de las familias 6 y 7 no asisten a la alfabetización por falta de tiempo.[23]

Con respecto a las relaciones entre los miembros de la familia, tenemos información de conversaciones y expresiones de los diferentes miembros, pero sólo pocas observaciones de la vida cotidiana de estas familias. Un aspecto importante a comentar, es que mientras las familias cuyos niños y niñas son exitosas, me permitieron participar de sus vidas luego de un periodo de mutuo conocimiento, estas otras familias fueron desde el comienzo más reacias a conversar y compartir su vida diaria, por vergüenza, por temor o desconfianza.

---

23   Estas características de padre y madre son importantes a lo largo del análisis, pues van a influir en el tipo de relaciones, actitudes y prácticas que padre y madre entablen con sus niños/as y con la escuela.

La impresión general que tuve es que estas familias y particularmente las madres de las familias 6 y 7, estaban muy agobiadas lo cual está estrechamente relacionado a la composición familiar. De esta manera, la familia 7 tiene una constante preocupación sobre la carga de trabajo, en la familia 6 lo pude notar en los primeros días que el padre estuvo en Puerto Maldonado; y la familia 5 no mostró tanto esta situación, porque el padre en ese momento estaba trabajando en la comunidad.

Con respecto a la relación afectiva, pude notar que la madre de la familia 5 se mostraba muy cariñosa y cuidadosa con sus niños y niña, mostrando ser bastante paciente y dedicada a ellos. Asimismo, el más pequeño de sus niños se comportaba muy libre y espontáneamente ante su presencia, haciendo gracias que ella celebraba, otorgándole toda su atención. En la familia 6, por el contrario, la madre es más bien callada, poco comunicativa y expresiva, por lo que tiene una relación mucho más distante con sus niños, que tampoco parecen demandar su atención, pues siempre quieren salir de casa, incluso yendo a veces a comer a casas de otras familias vecinas. En la familia 7, la madre está tan agobiada con las tareas que el trato hacia sus hijo/as está más relacionado al cumplimiento de tareas, a la colaboración y ayuda. Si bien se ve que es una madre que se preocupa por ellos, las necesidades inmediatas no le permiten un mayor tiempo o cercanía con sus hijos. Esto es sentido por su hijo, quien en una conversación me comentó: "en nuestra casa molestos no más caminan".

En la relación de pareja, para el caso de las familias 5 y 6, el padre parece tener un fuerte control sobre la relación, sobre la casa y la familia en general. En una ocasión inclusive, en la familia 5, el padre se mostró agresivo verbalmente con su esposa, gritándola y ordenándole de una manera brusca que no es común ver en las otras familias. La madre en esa oportunidad se mostró indiferente y no hizo caso a los pedidos de su esposo. En la familia 6, la madre tiene una posición más pasiva, casi se podría decir sumisa, frente al esposo, él en ocasiones también la grita o le ordena atenderlo. En ambas familias el consumo de alcohol es elevado y es uno de los principales problemas entre la pareja, que frecuentemente terminan en agresiones físicas hacia la madre. Aunque rara vez, el maltrato físico alcanza a los niños —ya que generalmente es descargado exclusivamente en la madre— y ello agrega inseguridad al ambiente familiar descrito. En la familia 5, sólo el padre se embriaga, sin embargo en la familia 6, madre y padre lo hacen conjuntamente.

De esta manera, las condiciones de estas familias presentan un contexto no tan propicio para la escolarización —en comparación con las condiciones de las familias anteriormente descritas.

-    ¿Cómo son las actitudes familiares de los académicamente exitosos?

Las actitudes de los diferentes agentes que conforman el contexto familiar son variables y de cierta manera, contradictorias. Por eso será preciso ir poco a poco presentando las diferentes posiciones de cada agente familiar y sus implicancias en la escolarización del niño/a.

Un primer aspecto importante a considerar es la valoración que cada padre o madre otorga a la educación, como un medio útil para mejorar las condiciones de vida. De esta manera, en las cuatro familias la educación es algo importante, "para ser alguien", "para el respeto" "para saber leer y escribir" "para no ser engañados", donde la educación es considerada como un medio para mejorar las condiciones de vida.

Al respecto, se observa que dentro de estas cuatro familias, hay al menos uno de los padres (madre o padre) que es impulsor de la educación del niño/a, es decir, uno de ellos suele asumir en mayor medida la responsabilidad y el reto de la escolarización. En la familia 1 es indudablemente el padre el impulsor de la educación; en la familia 2 parece ser la madre la que en mayor medida se preocupa y esfuerza por educar a sus hijos/a; en la familia 3 ambos parecen tener un rol activo y un compromiso en dicho propósito y; en la familia 4, parece ser la madre la principal promotora de la educación.

En este sentido, parece existir una relación estrecha entre madre o padre impulsor y nivel educativo y/o experiencia migratoria, ya que todos los padres o madres impulsores suelen tener mayores niveles educativos y/o alguna experiencia migratoria fuera de la comunidad. Si bien he mencionado que en algunas fa-

milias es uno/a el/la impulsor/a, eso no significa que su pareja
sea indiferente. Por el contrario, parece que en estos casos el impulso de unos estimula a los otros apoyando en todo lo necesario
a dicho propósito. De esta manera, en estas familias se encuentran p/madres que impulsan y p/madres que apoyan, donde los
segundos cumplen un rol de respaldo indispensable a la escolarización. Sin embargo, esta alta valoración por la educación y impulso por educar a los hijos se ve afectada también por las expectativas que padre y madre tengan frente al logro de sus hijos en la
escuela.

En primer lugar, ya se ha señalado cómo las propias características del niño, según edad y sexo, van a traer consigo diferentes
actitudes en los padres y las madres — e incluso en los docentes.
Por lo tanto, suele no ser igual la actitud frente la escolarización
de un niño que la actitud frente a la de una niña, así como las actitudes hacia a la escolarización de un niño pequeño y otro mayor.

En este sentido, las familias 1 y 2, a las que pertenecen las dos
niñas seleccionadas, hacen un gran esfuerzo para que estas niñas
estudien, y ello se ha convertido en un objetivo claro y definitivo
de estas familias. De esta forma, la familia 1 y especialmente el
padre, hace todo por la niña y la apoya porque quiere que estudie
hasta terminar la secundaria. Sin embargo, simultáneamente, la
madre me comenta sobre su hija: "ahora le va bien en la escuela,
pero conforme crezca, ya se va a ir poniendo longa [sonsa]".

Por otro lado, en la familia 2 el padre me dice que quiere que
su hija vaya a la universidad, y la madre dice que quiere que su
hija sea profesional. Sin embargo, hay ciertas resistencias en lo
que la madre espera que la propia niña puede dar. Mientras con-
versábamos sobre el tema, la madre la compara con su hermano
varón: "esta niña no puede tanto, no le entra en su cabeza".

En estos momentos, los comentarios de ambas madres parecen anular la capacidad de la niña; pues están suponiendo que las
niñas no son para el estudio, o en todo caso al crecer ya deben dejar la escuela, excusándose en una supuesta incapacidad de ellas.

Esta actitud de las madres parece estar ligada al hecho de que
la escuela dificulta el aprendizaje de las niñas como mujeres adul-
tas dentro de la comunidad. De esta manera, si bien quieren que

su hija se eduque, también quieren que sea una buena mujer y, por momentos, ello parece entrar en conflicto con la escuela. Estas niñas tienen 12 años y, por mencionar un ejemplo, ellas no saben aún hacerse la ropa que usan, es la madre quien las continúa vistiendo. Las niñas de su edad —que no asisten a la escuela— ya están empezando a tejer y decorar su ropa. Comienzan primero a hacer las tiras que sostienen la montera, que son delgadas y las más sencillas; luego siguen haciendo las tiras con borlas que decoran sus trenzas y finalmente tejen las guardas de las polleras. Estas diferencias pueden afectar tanto a las niñas como a las madres, dependiendo de las expectativas de cada una.

"En una visita a la familia 1 temprano por la mañana, la madre había salido a la reunión del sector. Al volver se dio cuenta que su hija no había cocinado nada para que ella y su hermano llevaran a la escuela. Entonces le dijo: "tú ya está grande, has debido cocinarte algo." La madre estaba un poco molesta, pero sobre todo preocupada de que se fueran sin llevar nada para comer; "¿ahora que te vas a llevar a la escuela?" Pero la niña se mostró indiferente diciendo que tenía un poco de mote. La madre le pidió que le enseñe —para ver si era suficiente para el día— y la niña sacó su qeperina y le mostró a su mamá. Su mamá al ver la mantita donde envolvía al mote le dijo: "Está sucio, porque agarras así, siendo mujercita, esto debe estar limpio. ¿Qué te cuesta lavarlo en la escuela, un ratito?... porque yo les veo que están ahí jugando no más todo el día en el patio...":

En este momento, la madre parece desvalorar el tiempo dedicado a la escuela, en relación con el tiempo que la niña podría dedicar a otras tareas que también son importantes. El conflicto entre el tiempo escolar y el tiempo para las actividades propiamente campesinas y en este caso femeninas, parece ser un dilema frecuente en las decisiones familiares relacionadas a la educación. En estas familias, parece que las madres tuvieran un conflicto entre lo que quieren para sus hijas –que se eduquen— y lo que esperan que sus hijas sean –mujeres campesinas aptas.

Por otro lado, los padres de estas familias muestran que ellos están decididos a educarlas, pero no son padres exigentes, sino que esperan que las propias capacidades de las niñas sean el impulso y el límite. Estas actitudes están suponiendo que educarse no es un objetivo sencillo y que no todos pueden terminar la escuela, y con menor posibilidad las niñas.

"yo quiero que mi hija estudie hasta que sea profesional, pero depende su capacidad de ella, porque yo doy de mi parte pero ella de repente no puede, entonces qué se puede hacer, nada, dejar no más." (padre de familia 1)

"yo voy a apoyar a mi hija hasta donde ella pueda, de acuerdo a su capacidad estudiará" (padre de familia 2)

Por otro lado, en las familias 3 y 4, cuyos niños exitosos son varones puedo decir que ambas familias son muy exigentes con el desempeño escolar, y la idea de que el niño es incapaz no está presente.

En la familia 3, el padre y la madre quieren que su hijo estudie hasta terminar el colegio y toda la familia está empeñada en dicho propósito, pues las hermanas y hermanos mayores también colaboran y le exigen un esfuerzo grande al niño. De esta manera, el niño nos contó que su mamá se había enojado, cuando repitió el año anterior.

En la familia 4 hay también una exigencia al niño, pero sobre todo apoyo. El padre y la madre tienen altas expectativas en la escolaridad de su hijo, y una gran seguridad de que va a estudiar hasta terminar. Este niño nunca ha repetido, y su madre y padre esperan que termine la secundaria para que tenga una vida mejor.

Ambas familias tienen altas expectativas en la escolaridad de estos niños y, a diferencia de las familias 1 y 2, no hay referencia a las capacidades del niño como limitaciones en sus estudios. Sin embargo, las familias 3 y 4 tienen estilos diferentes en la forma de apoyar la escolarización de sus niños, donde la familia 3 parece ejercer presión en el niño y la familia 4, parece apoyarlo, acompañarlo más.

La actitud frente al desempeño escolar del niño o niña revela la responsabilidad que las familias asignan al aprendizaje escolar. Se puede decir que en las cuatro familias el aprendizaje escolar es una responsabilidad del niño o niña, pues son ellos para los padres y las madres quienes tienen que esforzarse por aprender en la escuela.

Sin embargo, el desempeño escolar está ligado también al propio desempeño docente, y al respecto padres y madres parecen estar descontentos. Obviamente más descontentos están los padres de los niños o niñas que han repetido más veces, de los que han repetido menos. Pero estas familias responsabilizan en gran medida a la mala enseñanza del docente en el bajo rendimiento de sus niños.

La madre de la familia 2 me comentó que sus hijos no saben nada, que el profesor es malo, que no les enseña:

"ni 'sa-se-si-so-su' saben, sólo una palabra escribe el profesor en la pizarra y les repite y eso es todo... Mi hija está 6 años en la escuela, ha repetido 2 veces y no sabe nada... Habrá repetido porque seguro no sabrá, pero porque el profesor no es bueno, porque no les enseña....".

El padre de la familia 2 también está en desacuerdo con los profesores y me comenta molesto:

"esos profesores no enseñan, les tienen ahí jugando no más. Ahora desde que ha empezado el año todavía no han mandado tarea·y si mandan no revisan. El año pasado he ido donde el profesor, porque no es posible que no les revisen a los alumnos, ortografía, nada...les hacen copiar, o sea escribir en la pizarra y de ahí se van a conversar con los otros profesores. Deberían estar revisando entre las carpetas, viendo que copien bien, así pero nada. Los niños no saben ni lo que copian, entonces se distraen, se saltean una letra, así y nadie les corrige... Acá a los profesores nada les interesa y así los niños no aprenden".

Lo presentado revela lo que las madres y los padres esperan de sus niñas y niños, lo cual tiene una influencia directa en lo que los mismos niños y niñas piensan que son capaces de lograr. La niña de la familia 1 muestra una mayor seguridad en sí misma que la niña de la familia 2. Por tanto, no es de extrañar que la niña de la familia 2 haya repetido más que la niña de la familia 1. No obstante, ambas están marcadas por la baja expectativa que de ellas tienen sus hermanos, sus padres, sus compañeros de aula e inclusive sus profesores. Sin embargo, ellas luchan contra eso y, resistiendo estas actitudes, una me comenta que quiere estudiar enfermería y la otra que quiere ser profesora.

Los niños, a su vez, presentan características diferentes. El niño de la familia 4 tiene una gran confianza en sí mismo, es muy desenvuelto y dice que él puede todo, que él es el mejor, que nunca ha repetido y que va a estudiar hasta ser chofer. El niño de la familia 3 es más tranquilo y tímido, pero dice que quiere estudiar para ser ingeniero. El primer niño nunca ha repetido la escuela y el segundo ha repetido dos veces.

Todas estas actitudes influyen de diferente manera en los propios niños, sus valoraciones y expectativas. Sin embargo, se puede decir que los niños y niñas de estas familias tienen las mismas expectativas de escolarización que sus familias, es decir, quieren estudiar y hacen un gran esfuerzo por ello. Del grupo de niños y niñas, cada uno presenta características y desempeños diferentes, pero los cuatro quieren terminar el colegio y continuar sus estudios. Es así que las expectativas de los niños y las niñas implican salir de la comunidad –enfermera, profesora, ingeniero y chofer– y por lo tanto una forma de vida opuesta o al menos diferente a la campesina.

- ¿Cómo son las actitudes familiares de los académicamente poco exitosos?

La valoración de la educación en estas familias parece no seguir un patrón tan homogéneo como en las familias anteriores. Si bien se valora la educación, también se percibe como ajena a los intereses campesinos, pues la utilidad de educarse no es tan fácilmente percibida.

En la familia 5 el padre tiene una alta valoración de la educación como un medio de ascenso social, y quiere que su hijo "como sea" termine la secundaria. Sin embargo, a la madre le parece importante que estudien pero piensa que "a la larga no sirve para nada, pues uno pronto se olvida lo que aprende". Ella quiere apoyar a su hijo para que concluya sus estudios, pero no tiene muy altas expectativas que así sea:

"Yo quiero que mi hijo estudie hasta que pueda, pero ha repetido este año, no puede tanto".

En la familia 6, el padre también tiene una alta valoración de la educación, como un medio de mejorar las condiciones de vida, lo cual va estrechamente unido a dejar de ser campesino. La madre, a su vez, dice que es importante y aunque ella no ha estudiado quiere que sus hijos estudien hasta que acaben pero, claro, "si ellos pueden."

En la familia 7 la madre valora la educación, pero tiene muchas necesidades prioritarias en la vida diaria. Ella quiere que su hijo se eduque hasta terminar la primaria, para que no sea engañado y se pueda defender en la vida.

Estas valoraciones están estrechamente relacionadas a los agentes que impulsan la educación en las familias. En la familia 5, es el padre el que impulsa la educación de su hijo –no obstante no promueve la de su hija– y la madre cumple un rol de apoyo pero con menor compromiso que los que apoyan en las familias antes descritas, ya que si bien se preocupa no sabe exactamente en que año está su hijo. En la familia 6, también es el padre el que impulsa la educación de sus hijos, y la madre permanece más indiferente y distante a este objetivo, pues tampoco sabe en que año está ni cómo le va en la escuela, pero parece no preocuparle demasiado. En la familia 7, la madre no parece ser precisamente la que impulsa la educación, yo diría más bien que es el propio niño el que impulsa su educación, con sus deseos de aprender, con sus expectativas claras de querer terminar su primaria para ser presidente de su sector. Aquí la madre cumple más bien un rol de apoyo, permitiéndole asistir.

De esta manera el rol de "apoyo" presenta variedades, donde algunas madres apoyan en lo posible (familia 5), otras apoyan la asistencia, pero se muestran aparentemente indiferentes en cuanto al desempeño escolar (familia 6) y otras consideran que hacen más que suficiente con enviarlo a la escuela, pues no tienen tiempo ni conocimientos para otro tipo de apoyo (familia 7).

La actitud de estas madres hacia la escuela, está íntimamente relacionada con su propia experiencia escolar o mejor dicho con la ausencia de ella. Las madres de estas familias nunca han asistido a la escuela, por lo cual, tampoco entienden completamente su funcionamiento y les cuesta mucho esfuerzo seguir el desempeño del niño. No es simplemente desinterés, es también que ellas sienten una total falta de legitimidad para opinar sobre el asunto, pues se sienten ignorantes frente a los contenidos escolares.

Por otro lado, la actitud de estos padres está también fuertemente marcada por la propia historia escolar. El padre de la familia 5 me contó que él había asistido a la escuela hasta 2do grado, pero que su padre era ya mayor cuando él empezó a estudiar y necesitaba mucho el apoyo en faenas, por lo cual al segundo año lo retiró a pesar de que él quería continuar. En este aspecto, él mostraba gran frustración por no haber continuado sus estudios, "si yo hubiera estudiado, donde no más caminaría, donde no más estaría, muy lejos de aquí".

El padre de la familia 6, por su parte, también me contó que su padre no lo hizo estudiar.

"Mi padre me mandó a casa de mi abuelita para que pastee las alpacas. Pero mi abuelita sí me hizo estudiar, gracias a ella no más yo aprendí algo, estudiaba y trabajaba duro también...Luego me he ido a Maldonado de 14 años no más, un tío me ha engañado, me ha dicho allá vas a ganar plata y vas a poder estudiar mejor".

Ambos padres demuestran mucha frustración y vergüenza por no haber concluido su educación, como si no haber terminado sus estudios los colocara en una situación de inferioridad. El padre de la familia 6 dice que nunca va a volver a su pueblo, porque siente vergüenza de lo que es. El padre de la familia 5, por su parte, quiere ser presidente de la comunidad, pero se siente impedido porque apenas sabe firmar su nombre. A la promotora de alfabetización le pidió que le dejara de tarea todos los nombres y apellidos de los comuneros de su sector, para practicar y así poder ser presidente.

Estas historias de difícil e inconclusa escolarización, han conducido a estos padres a poner todos sus sueños en la educación de sus hijos, y casi no pueden soportar que sus hijos no aprovechen la oportunidad que ellos les dan de ir a la escuela. Uno me dice: "todo lo que necesita le doy, pero no aprovecha." Y el otro refuerza: "¿Acaso yo tuve esa suerte como él?, yo le doy todo, pero no aprende, ¡no puede!".

En estos padres hay una gran tensión entre lo que quisieran y lo que realmente logran sus hijos en la escuela, cuya experiencia escolar está marcada por constantes repeticiones. De esta manera ambos padres dicen, por un lado, que su hijo va a estudiar hasta terminar la secundaria, y también dicen que no creen que el niño apruebe el presente año y que si eso sucede lo retiran de la escuela. Además, la edad de estos niños comienza a generar presión en los padres, así el niño de la familia 5 es el que más edad tiene y su padre empieza a pensar que ya es demasiado viejo como para seguir en la escuela.

La explicación de los padres a estas repeticiones también se muestran algo confusas, porque si bien reconocen que los profesores no enseñan bien, para ellos la principal razón por la que su hijo no aprende es porque no puede, porque es incapaz o no hace ningún esfuerzo.

Estas actitudes influencian a los niños, quienes quieren cumplir las expectativas de sus padres. El niño de la familia 5 dice que quiere acabar la secundaria para ser comerciante. El niño de la familia 6 no tiene muy claro para qué estudia, pero dice que va a acabar la secundaria. En ambos casos, las expectativas por acabar la secundaria parecen ser más una respuesta a la influencia paterna que una meta propia.

Por el contrario, en el caso de la familia 7 el niño quiere estudiar su primaria completa para ser presidente del sector en donde vive. Su deseo por estudiar es lo que conduce a la madre a permitírselo, además su condición de varón le favorece, en ese sentido su escolaridad corre más libre, sin presiones por el momento pues aún es pequeño.

A diferencia de las otras familias, estas familias muestran expectativas encontradas entre padres, madres y niños. El niño de la familia 5 quiere estudiar pero le cuesta mucho esfuerzo y siente que está defraudando a su padre. El niño de la familia 6 parece que no le interesa la escuela pero dice que quiere estudiar hasta concluir. El niño de la familia 7 quiere estudiar, aunque su madre no tiene los medios para ello.

- ¿Cómo son las prácticas familiares de los académicamente exitosos?

Las prácticas familiares permiten observar las acciones concretas de las familias, es decir, permiten ver el uso de los recursos familiares en la vida cotidiana y como ello contribuye a la escolarización.

En este sentido, cada padre o madre colabora con la educación de su hijo o hija de acuerdo a sus propias posibilidades. En la familia 1, el padre y la madre envían a la niña a la escuela prescindiendo de su apoyo durante todo el horario escolar. Asimismo, el padre procura que no le falte los útiles escolares, y siempre tiene un cuaderno, su lápiz, lapicero y borrador para usar en el aula, además tiene una cajita de plumones. La madre los apoya cubriendo sola las actividades domésticas, donde la niña colabora en menor medida. El padre, por su parte, cumple un rol activo reforzando los aprendizajes escolares, revisa sus cuadernos, le pregunta sobre lo que han hecho en clase, si hay tarea le ayuda a hacerla y si no hay, él mismo le deja tarea, poniendo su mayor esfuerzo en que su hija aprenda a leer y escribir. Este esfuerzo no termina en ayudar a la niña en sus tareas, sino que también está acompañado de conversaciones con el docente y visitas a la escuela para observar la enseñanza. El general descontento por la escuela de la comunidad, fue lo que motivó al padre a matricular a su hija en el centro poblado de Huaro el año pasado —donde tiene a una comadre—, para que su hija estudie en una mejor escuela. Según el padre, la niña estuvo tres semanas pero no aguantó y regresó a su casa y a su escuela.

La niña tiene una alta dedicación a la escuela y hace mucho esfuerzo por aprender, a pesar de ser la única mujer en su grado, aun cuando ella se ve muy afectada por algunas burlas de sus compañeros, especialmente cuando es su propia femineidad la que ellos ponen en juego. En ese sentido, su madre la apoya mucho para que no les haga caso.

En una oportunidad que visitaba a la familia, la niña no quería llevar una mochila que su papá le había hecho para que lleve sus útiles a la escuela. "Los niños me fastidian mamá, dicen que las mochilas son de varones, que si acaso soy varón". Su madre le miró muy dulcemente y le dijo: "y a ti qué te importa lo que ellos piensen". La niña sonrió a su mamá como aliviada, pero luego dijo que prefería llevar su qeperina.

En la familia 2, el padre y la madre envían frecuentemente a la niña a la escuela. Sin embargo, en las ocasiones en que la madre necesita algún apoyo es a ella entre sus hijos a quien la hace faltar para que paste las ovejas. La madre se ocupa de que a la niña no le falten útiles escolares, y tiene sus cuadernos, lápiz, lapicero y borrador, y todo lo que la escuela le pida. La niña suele hacer su tarea alrededor de las 5 de la tarde en compañía de sus hermanos menores, ella dice que se esfuerza bastante, pero que a veces no puede.

Cuando la madre tiene tiempo, intenta reforzar la lectoescritura, a veces en la pampa mientras pastean las ovejas y otras veces tarde en casa.

"Yo les enseño lo que puedo y también les enseñaría más pero no hay tiempo. Una vez he llevado los libros donde pastean y le he preguntado a ver qué dice acá y calladitos se han quedado, no han podido... Más que todo quiero que sepan leer y escribir para saber más."

En la familia 3, la madre y el padre envían al niño a la escuela sin falta, además ambos se encargan de que el niño tenga los útiles necesarios. En este caso tanto el padre como la madre están muy ocupados con las tareas agrícolas, pues tienen gran cantidad de tierras y animales y casi no se dan abasto aun con la colaboración de todos sus miembros. El apoyo en las tareas de la escuela y el refuerzo del aprendizaje escolar, por lo tanto, lo realizan los hermanos mayores que ya han asistido a la escuela. Sin embargo, madre y padre están siempre pendientes de que el niño cumpla con sus responsabilidades escolares, de esta manera, las tareas de la escuela son su primera responsabilidad diaria, y es recién al terminarlas que el niño debe alcanzarlos con el ganado o en la chacra. El niño hace mucho esfuerzo por aprender en la escuela, tanto en la clase como en el cumplimiento de sus tareas en casa, y me comenta que su hermano que está ahora en el colegio es el que más lo ayuda con sus tareas.

En la familia 4, la madre y el padre envían al niño a la escuela asiduamente, y las esporádicas ausencias son causa de algún resfrío o enfermedad. La madre además se ocupa de comprarle todos los útiles necesarios. Aunque el niño dice que él hace sus tareas solo y que nadie le ayuda, su madre está muy pendiente de su avance en la escuela y revisa su cuaderno para estar al tanto de lo que han hecho. Además le hace preguntas sobre lo que dice en el cuaderno y en una ocasión que llegué a visitarlos le estaba tomando la tabla de multiplicar. Asimismo, la madre tiene una cercana relación con los profesores y habla con ellos sobre el avance del niño. Este niño tiene una gran dedicación a la escuela, y participa en todas las actividades, partidos de fútbol y eventos, en las que suele ser seleccionado para representar a la escuela.

Además, todas estas familias colaboran con la escuela de diferentes maneras. Las madres van a cocinar por turnos a la escuela, asisten a reuniones de padres de familia, participan en faenas agrícolas para el huerto escolar, así como en faenas para pintar la escuela y otras actividades en las que los maestros requieren y exigen el tiempo y el trabajo de los padres de familia.

-     ¿Cómo son las prácticas familiares de
      los académicamente poco exitosos?

Las familias rurales, en general, realizan un gran esfuerzo por la escolarización, que se puede apreciar mejor en las propias prácticas destinadas a este fin. Si bien las prácticas están restringidas a las propias condiciones y actitudes familiares, éstas representan un esfuerzo por apropiarse de los contenidos escolares.

En el caso de la familia 5, el padre y la madre envían al niño a la escuela frecuentemente pero en la época de la siembra es difícil que la familia prescinda de él, pues se encarga de pastear las ovejas mientras su madre y su padre van a la chacra. Esta ausencia prolongada, hace que el niño se sienta atrasado cuando vuelve a la escuela y luego ya no quiere seguir, lo cual termina con su retiro ese año. Sin embargo, su padres se ocupan de comprarle todo lo necesario, y el niño cuenta con varios útiles, dos lápices, borrador y plumones (que es un bien preciado al interior de las aulas rurales de la sierra). Parecería como que los padres no tomaran conciencia de que las ausencias de la escuela tienen una directa repercusión en el atraso escolar del niño.

El padre es muy exigente con el niño y considera que le da todo para que estudie, ya sea dándole una buena alimentación o comprándole todos los útiles. La madre es muy cariñosa y lo apoya sin importarle si va a o no a la escuela, además lo consuela cuando está triste y le da confianza. El niño tiene una gran dedicación a la escuela pero la presión del padre como del maestro lo atemoriza.

En una visita a la familia el niño no fue a la escuela porque no tenía vinifan para forrar su libro, y tenía miedo que el profesor le pegue si no llevaba el libro forrado. Su padre se había ido a Urcos a comprar vinifan para el cuaderno de su hijo. Su mamá comentó: "algunos profesores son malos"
El padre tampoco está contento con la escuela de la comunidad, él quiso llevar a su hijo a la escuela de Urcos este año, pero cuando fue a averiguar costaba 25 soles la matrícula, y además su hijo repitió de año. El padre me contó que en el momento que supo que su hijo había repetido se amargó y casi le pega. Me dijo que él había querido estudiar y no había podido, y su hijo tiene todo para estudiar pero parece que no puede. "Yo le voy a dar de todo, lo que sea para que estudie, pero no creo que llegue al colegio. Si de mí depende que vaya al colegio a Urcos le voy a mandar, con todo lo que necesite, papa, lisa, todo... Otro niño Eustaquio le ha ganado a mi hijo, él ya está en el colegio... No se puede quedar mi hijo, como sea tiene que alcanzar...".

En la familia 6, el padre y la madre envían frecuentemente al niño a la escuela. Sin embargo, en las ocasiones que el padre está fuera de la comunidad y la madre tiene mucho trabajo, ella lo hace faltar para que la ayude con el ganado. El padre, por su parte, hace un seguimiento a los aprendizajes escolares de su hijo cuando está presente, revisando los cuadernos y preguntando sobre lo que está escrito. Sin embargo, cuando se da cuenta de que su hijo no sabe, se molesta y no lo ayuda, pues siente mucha frustración de ver que su hijo no aprovecha todo el esfuerzo realizado para su educación. El niño tiene sus útiles completos, cuadernos, lápices, lapicero, borrador y hasta un tarjador de lápiz, que es otro bien escaso en las escuelas rurales, pues generalmente tarjan los lápices con una navaja de afeitar o con un cuchillo.

Al niño se le ve en el aula muy distraído, como ausente, y las actividades o tareas generalmente no las termina o las deja a medias, al parecer, porque se cansa muy pronto de una actividad. Además me dice que estudiar le es muy difícil.

En la familia 7, la madre envía al niño a la escuela frecuentemente, sin embargo, en las ocasiones de mayor trabajo agrícola el niño tiene que apoyar a la madre y suele faltar por periodos prolongados que generalmente coinciden con la siembra. El niño tiene escasos útiles, un cuaderno borrado, donde este año está volviendo a escribir, y un pequeño lápiz que casi desaparece entre sus manos cuando escribe. Sin embargo, el niño tiene una gran dedicación a la escuela, y en clase está siempre atento y es responsable con sus tareas. El dice que no tiene quien le ayude en casa, pero que él ayuda a su hermana menor con sus tareas. Además, el niño asume una gran responsabilidad con sus estudios, pues es casi un proyecto propio que tiene que demostrar ante su familia que vale la pena. El niño nos contó que cuando repitió de año su madre se enojó mucho:

"Cuando he repetido mi mamá me ha reñido: "vas a ver porque estás repitiendo, ni siquiera tenemos plata". Pero cuando paso de grado no me dicen nada".

2.5. ¿Cómo cumple la escuela las expectativas familiares?

Se han visto las diferentes formas en que las familias se esfuerzan por la educación de sus hijos e hijas: prescindiendo de su apoyo en las actividades domésticas y productivas, comprando los útiles necesarios, participando en faenas en favor de la escuela, preparando el desayuno escolar, reforzando los aprendizajes escolares en lo posible, dando un tiempo para realizar la tarea, y donde la alta valoración de la educación es compartida por la mayoría de padres y madres.

Este esfuerzo, sin embargo, no es siempre recompensado por la escuela y son frecuentes las quejas de padres y madres: sobre la tardanza de los maestros, el incumplimiento del horario, la mala enseñanza, la falta de control de limpieza, la ausencia de tareas, la pérdida de tiempo, el exceso de juego[24], etcétera.

Sin embargo, las quejas de los padres y las madres de familia no se limitan a los procedimientos diarios y cotidianos del desempeño docente o al funcionamiento de la escuela[25]. Los principales reclamos de los padres y las madres se refieren a los logros educativos, donde las principales expectativas por la escolarización de las familias no son cumplidas o son cumplidas parcialmente por la escuela.

Las principales expectativas de los padres y madres de las familias campesinas son ya conocidas: el castellano —para poblaciones de habla vernácula— y la lectoescritura conforman los bienes más preciados que la escuela puede otorgar. Sin embargo, las familias protestan porque los niños y las niñas que asisten a la escuela están muy lejos de lograr ese fin.

Considerando que estos contenidos de aprendizaje son objetivos de los primeros años de primaria, un niño que ingresa a la escuela rural debería completar satisfactoriamente estas expectativas. Sin embargo, padres y madres no parecen satisfechos con los resultados escolares, y una de las principales causas del retiro de alumnos/as de la escuela, es que no ven los resultados esperados. En otras palabras, el alto costo de enviar al niño a la escuela en el campo no se ve recompensado.

En este sentido, es importante considerar cómo las condiciones, actitudes y prácticas del docente juegan un importante rol en

24 Indudablemente, algunas de estas demandas provienen de la desinformación de las familias sobre los nuevos enfoque educativos —donde, por ejemplo, el juego es un componente central— sin embargo, es un error de la escuela el no haber informado debidamente a padres y madres.
25 Si las madres o padres vieran a sus niños y niñas jugar en la escuela, y simultáneamente notaran un avance en el aprendizaje de los contenidos escolares, no se preocuparían ni reclamarían tanto.

la relación del niño y sus familias con la escuela; así cómo el propio contexto escolar atrae y expulsa a ciertos niños y niñas. La relación del padre o la madre con el maestro, la actitud y cumplimiento del maestro así como los logros educativos de los alumnos y alumnas, son variables cruciales que afectan la relación del niño con la escuela tanto o más que las condiciones familiares. Estos factores pueden motivar la asistencia de los niños y las niñas a la escuela y fomentar el esfuerzo familiar o decepcionar a las familias y sus niños con ausencias, maltratos y bajos contenidos de aprendizajes.

Sobre los objetivos de aprendizaje logrados, se realizó un concurso de dibujo acompañado de una breve evaluación en escritura, que tenía como objetivo ob tener un panorama general del estado de la escritura de los niños y niñas, entre 3ero y 6to grado. La prueba tenía dos partes: un dictado de 4 oraciones, y la producción escrita de una oración en base a una fotografía. Muchos niños y niñas, no quisieron participar en esta prueba, porque decían que todavía no sabían leer ni escribir. Adicionalmente, durante el concurso de dibujo los niños y niñas debían escribir sus nombres, grado y edad, lo cual fue de mucha utilidad para ver las habilidades de escritura de aquellos niños y niñas que no participaron en la evaluación.

Ninguno de los niños de 3er grado quiso participar en la prueba escrita. Durante el concurso de dibujo, al pedirles que escriban sus nombres, los niños y las niñas sacaron sus cuadernos y comenzaron a copiar sus nombres de la carátula hecha en su cuaderno por el profesor. Sin embargo, muchos no pudieron copiarlo correctamente. Muy pocos alumnos de 4to grado realizaron la prueba escrita, y muchos de ellos siguieron el mismo patrón de copiar el nombre del cuaderno durante el concurso, pero con mejor resultado que los niños y niñas de tercer grado. La mayoría de los niños de 5to y 6to grado realizó la prueba escrita, entre los que habían grandes diferencias. Algunos escribieron el dictado correctamente y varios produjeron una oración escrita, sin embargo, paralelamente otros niños del mismo grado escribían deficientemente, y unos pocos no alcanzaban siquiera a escribir sus nombres.

Particularmente sobre los niños y niñas seleccionadas, se encontró que el niño 4 (6to grado) sabe escribir bien, es decir, escribió su nombre autónomamente, sin ningún error, y con buena caligrafía. En la prueba de escritura tuvo uno de los mejores desempeños.

Resolvió el dictado escribiendo las 4 oraciones siguientes:
"el mercade de urcos"
"Mi comunidad es muy grande"
"3 hermanos"
"en me casa tengo oveja borro y vaca"

Produjo la siguiente oración en base a la foto mostrada:
"un neñeta aciendo dar comeda al chancho"

La niña 1 (5to grado) dio el examen de escritura, y si bien sabe escribir tiene aún dificultades. En el dictado escribió las cuatro oraciones, pero no pudo producir una oración escrita en castellano, a pesar de que en quechua comentó largamente la fotografía. La niña sabe escribir su nombre correctamente.

Resolvió el dictado escribiendo las 4 oraciones siguientes:
"El mecade ocasa"
"Mi coda do codta"
"T oemota iemovo"
"Mo mi cava dtuc ojo vrori vaca"

Produjo las siguientes oraciones en base a la foto mostrada:
"la pato voto"
" la mora toda"

La niña 2 (4to grado) intentó dar la prueba escrita, pero no pudo concluirla. La niña escribió su nombre correctamente.

Resolvió el dictado escribiendo las 4 oraciones siguientes:
"El mece c"
"Mi com"
"3 oeoc"
-*"Mi asa"*

No pudo producir oraciones o palabras escritas en base a la foto mostrada.

El niño 3 (4to grado) no intentó hacer la prueba escrita, me dijo que él no sabía leer ni escribir todavía. Además, el niño tuvo algunos errores al copiar su nombre del cuaderno.

Los niños 5, 6 y 7 tampoco realizaron la prueba escrita, porque me dijeron que no sabían escribir. Los niños 5 y 6 no pudieron siquiera escribir sus nombres, pero luego que yo se los escribí en su hoja, los copiaron correctamente debajo. El niño 7 escribió su nombre copiándolo correctamente de su cuaderno.

Estos desempeños diferenciados en la escritura muestran las diferencias entre unos y otros niños, y las razones por las cuales unos han repetido más que otros. Es decir, parece que no hay una repetición arbitraria de niños y niñas por parte del docente, pues efectivamente los niños/as revelan desempeños diferentes en la escritura que corresponden a diferentes niveles educativos. Estos diferenciados desempeños en la escritura —que es la mayor demanda de padres y madres— muestran también el resultado que niños, padres y madres obtienen luego de años de esfuerzo por la educación. Y son estos resultados los que miden el costo —beneficio de la educación en el campo y los que influencian las decisiones familiares para que el niño y la niña permanezcan o no en la escuela. Por un lado, mayores logros escolares suponen mayores beneficios familiares, ya que el esfuerzo familiar se ve recompensado, sin embargo, menores logros suponen mayores costos y desilusiones frente al esfuerzo realizado. Estas diferentes respuestas a las expectativas familiares, son los que terminan por impulsar o desalentar el esfuerzo familiar por la educación.

En relación a la demanda familiar de los campesinos por la lectoescritura, es preciso aclarar que ésta no es una demanda por apropiarse de un medio de expresión, sino que representa la adquisición de un instrumento de poder, de negociación y de inserción en espacios que trascienden la comunidad.

En este sentido, si bien los logros en lectoescritura son deficientes, es importante revalorizar aquello que el maestro rural logra desarrollar en algunos niños y niñas, es decir, reconsiderar el valor local que tiene la habilidad de copiar un texto escrito (copiado), así como la habilidad de reproducir un texto oral en escrito (dictado), que son dos habilidades centrales en la reproducción de actas, solicitudes, cartas y demás documentos formales. En las comunidades campesinas este tipo de documentos son los que tienen mayor demanda, por tanto la enseñanza de la lectoescritura escolar del campo, que muchas veces calificamos como desprovista de todo valor —por considerarla extremamente formal y carente de significado para los usuarios— tiene un alto significado en dichos contextos.

Siguiendo las reflexiones de Frank Salomon expuestas en un libro de próxima publicación[26], la lectoescritura como herramienta que refleja sentimientos y emociones personales, es una herramienta válida y funcional en un contexto común, es decir, dentro de una comunidad de hablantes, pero fuera de ella o en un contexto plurilingüe y multicultural, de jerarquías claras entre unos y otros, el acceso a la lectoescritura tiene un rol homogeneizador, que permite comunicarse e intercambiar, negociar entre grupos de códigos, estilos y modos diferentes de expresión. En este sentido, la lectoescritura formal y rígida abre las puertas para la comunicación y especialmente para la negociación política, social y económica entre partes diferentes. De esta manera, la escuela rural logra —aunque muy parcialmente— un pequeño avance en la democratización de la población.

3. DESAFÍOS DE LA EDUCACIÓN EN EL CAMPO

Las familias campesinas cumplen un rol muy importante en la escolarización de sus niños, prueba de ello son las heterogéneas condiciones socioeconómicas de las familias cuyos niños permanecen más de cinco años en la escuela. Estas familias realizan grandes esfuerzos por educar a sus hijos, donde el elemento común entre ellos es la valoración de la educación.

Sin embargo, las diferencias existentes entre estas familias plantean contextos diversos, en donde no todas tienen las mismas posibilidades para apoyar la escolaridad de sus hijos. De esta manera, no es casual que las familias de los niños académicamente poco exitosos presenten más condiciones desfavorables a la esco-

---

26 Conferencia "¿Pero qué es la lectoesccritura?" presentada en el Instituto de Estudios Peruanos. Agosto, 1999.

larización, en comparación con las condiciones de los niños y niñas que he denominado académicamente exitosos.

No obstante, es preciso considerar que las familias que conforman el grupo de los académicamente poco exitosos, no representan familias en situaciones desfavorables extremas, no son familias que se ubican en zona de altura, dedicadas al pastoreo, sino que más bien representan a la familia campesina pobre, con bajos grados de escolaridad, que caracteriza a las familias campesinas del sur andino. Por otro lado, las familias de los niños y niñas académicamente exitosos presentan condiciones más bien atípicas, caracterizadas por un acercamiento mayor a la cultura urbana y sus códigos, tanto en el manejo del idioma, de la lectoescritura como de las negociaciones económicas. Esto representa un grave problema, pues la escuela rural en las condiciones actuales parece que sólo permite el aprovechamiento escolar para niños y niñas de estos atípicos contextos familiares.

De esta manera, si bien las condiciones familiares no son determinantes para la asistencia escolar —pues las familias con una alta valoración por la educación pueden hacer un esfuerzo por superar las condiciones y educar al menos a uno de sus hijos— sí tienen una significativa importancia en el desempeño que la niña o el niño tiene en la escuela. En otras palabras, si bien las condiciones pueden favorecer o perjudicar la asistencia a la escuela, éstas parecen tener un mayor impacto en los propios logros educativos que niños y niñas alcanzan en la escuela.

En este sentido, ciertas condiciones como el nivel de educación, el conocimiento del castellano, las redes y contactos fuera de la comunidad son elementos cruciales en el tipo de prácticas que los padres y las madres realizan en favor del niño que asiste a la escuela. Así, en el presente trabajo hemos visto cómo las prácticas que unas y otras familias realizan son cualitativamente diferentes.

El rol de la familia no concluye con el envío del niño a la escuela, sino que los padres, las madres, los hermanos mayores y el mismo niño, son altamente responsables de los logros escolares. Es por ello que las familias mejor insertadas en el mercado, con mayores niveles educativos y de cierta manera más vinculadas a la propia cultura escolar logran que sus hijos puedan aprovechar mejor la enseñanza escolar, y aquéllos cuyas condiciones se alejan de "lo esperado" por la escuela, se encuentran en una situación desventajosa, que no permite el adecuado aprovechamiento de la escuela, dando como resultado un mal desempeño y constantes repeticiones que terminan por retirar al niño de la escuela, a pesar del deseo familiar por la educación.

Este problema en el desempeño escolar es un vacío que no todas las familias campesinas están en capacidad de cubrir. No se le puede exigir a un padre analfabeto, que refuerce el aprendizaje escolar. Es la escuela la responsable de brindar una educación de calidad y con equidad, que permita y haga accesible los conocimientos a los niños y las niñas de diferentes condiciones socioeconómicas y culturales.

En los casos descritos, considero que el éxito escolar de las familias es un gran logro del esfuerzo que hacen para apropiarse de la cultura urbana más cercana a los contenidos escolares. Por otro lado, considero que el fracaso de los niños con mal desempeño escolar es responsabilidad de la escuela rural, por no considerar las particularidades de estos niños, quienes aprenden más lentamente y repiten recurrentemente, a pesar del gran esfuerzo realizado. Estas familias que están apostando por la educación pero que sus hijos tienen un mal desempeño, necesitan mayor apoyo de la escuela, mediante asesorías, escuelas de padres y visitas a la familia que puedan brindar orientaciones básicas para apoyar mejor a sus niños y niñas, dentro de sus posibilidades. Sin embargo, al ser abandonados o excluidos por la propia experiencia escolar de los padres o por las condiciones de pobreza, sólo ven agudizar sus condiciones familiares y tener mayores dificultades para su aprendizaje.

De esta manera, no basta el esfuerzo familiar que los campesinos realizan por superar sus precarias condiciones de vida y educar a sus hijos, hay que considerar también las características propias de la escuela rural, que en muchas ocasiones no sólo desestima el esfuerzo familiar, sino que lo desalientan con la repetición constante o con los escasos contenidos transmitidos. La escuela en el campo, en la mayoría de los casos, no cubre la expectativa familiar por el aprendizaje del castellano y la lectoescritura en sus niños y niñas, y sólo unos cuántos alcanzan este fin, lo que constituye un fuerte elemento de desánimo.

Es preocupante que la escuela sea quien termine por agudizar las diferencias socioeconómicas de las familias, favoreciendo la escolarización de unos y dificultando aun más la escolarización de otros. Dando como resultado un grupo de niños exitosos y otros poco exitosos cuyas características familiares diferenciadas ya he descrito; donde no hay esfuerzo familiar que pueda lograr que el niño o niña de estos contextos aproveche "esta" escuela. Si la calidad de la escuela rural mejorara, es decir, si padres, madres, niños y niñas vieran al menos sus expectativas de escolarización satisfechas —saber castellano, saber leer y escribir y saber las cuatro operaciones matemáticas básicas— los enormes esfuerzos realizados hoy a favor de la educación por varias familias, se incrementarían considerablemente y se expandirían a otras familias que hoy desconfían —con razón— de la utilidad de la escuela.

* * * * *

Este trabajo ha sido posible gracias al apoyo de diversas personas e instituciones a las que quiero expresar mi más sincero agradecimiento. Para comenzar quiero mencionar a la comunidad donde se realizó el trabajo de campo y agradecer en especial a las familias, a los padres, madres, niños y niñas que me acogieron en sus casas, quienes me permitieron compartir su vida cotidiana, sus problemas y sus esperanzas. De la misma manera, quiero agradecer a la escuelita de la comunidad y a los profesores que día a día trabajan en ella, finalmente espero que este trabajo pueda contribuir en algo a la comprensión de esta realidad y de esta manera, repercutir en una mejora de las condiciones de vida y escolaridad de los niños y niñas del campo.

Por otro lado, quisiera mencionar a aquellos que me brindaron las facilidades para poder realizar el trabajo de campo en Cusco: en este sentido quiero agradecer a Cesar Aguirre, quien una vez más me acogió y me facilitó enormemente el trabajo; a través de él quiero agradecer a toda la institución del CCAIJO-Andahuaylillas y a las personas que me apoyaron y acompañaron en ese periodo. En especial agradezco todo el apoyo y la amistad brindadas por Raquel Ochoa, quien fue una invalorable ayuda en la preparación y complemento del trabajo de campo; de la misma manera quiero agradecer a Santos Turpo, por su enorme colaboración en la ampliación y confirmación de los datos de las familias. Asimismo, quiero extender mi agradecimiento a la enorme generosidad de Alexander Chávez, quien una vez más me alojó en Cusco haciéndome sentir en casa.

Al Instituto de Estudios Peruanos y a la Fundación Ford agradezco la beca de investigación que me brindó la oportunidad de realizar este trabajo. En las discusiones internas en el IEP, colaboraron Martín Tanaka, David Sulmont, Carlos Vargas, Patricia Ames, Cecilia Blondet, Romeo Grompone, Carlos Ivan Degregori, Patricia Oliart y Carmen Montero, a todos ellos quiero agradecerles sus oportunos comentarios y críticas. Asimismo, quiero agradecer los comentarios de Jeanine Anderson y Gonzalo Portocarrero en el seminario de presentación de este trabajo. A Patricia Oliart quiero agradecerle especialmente, pues si bien participó en las reuniones de discusión, su ayuda trascendió largamente estos espacios, ayudándome en diferentes momentos a focalizar el trabajo y a organizar el análisis de la información. A Patricia Ames, quiero agradecerle también el haber compartido este proyecto juntas, por lo enriquecedor y motivador que su compañía supuso durante todo el proceso.

Quiero agradecer también a Paola Uccelli y Maria Teresa Labarthe, por la lectura y comentarios al borrador de discusión. Finalmente, hay a una persona muy importante, sin la cual este trabajo difícilmente hubiera sido posible: a Juan Pablo todo mi agradecimiento por su constante compañía, sus comentarios y, en especial, por su paciencia.

BIBLIOGRAFÍA

ANSIÓN, Juan
1986   "La escuela asustaniños o la cultura andina ante el saber de occidente". En: *Páginas*. Revista del Centro de Estudios y Publicaciones (CEP). Vol. XI, N° 79.

1989   *La escuela en la comunidad campesina*. Lima: Ed. Escuela, Ecología y Comunidad Campesina, p. 194 .

BERNEX, Nicole y Equipo CCAIJO
1997   *Atlas Provincial de Quispicanchi*. Centro de Capacitación Agro-Industrial "Jesús Obrero"-CCAIJO/Pontificia Universidad Católica, Centro de Investigación en Geografía Aplicada.

BOURDIEU, Pierre & Jean-Claude PASSERON
1970   *La reproducción. Elementos para una teoría del sistema de enseñanza*. Barcelona: Editorial Laia.

CASOS, Victoria
1990   *La mujer campesina en la familia y la comunidad*. Cusco: Ediciones Flora Tristán.

CERRÓN PALOMINO, Rodolfo
1987   "Multilingüismo y política idiomática en el Perú". En: *Allpanchis. Lengua y Nación en el Mundo Andino*. N° 29/30 Año XIX. Cusco: Instituto de Pastoral Andina.

CHIROQUE CHUNGA, Sigfredo
1990   *Mapa de la pobreza educativa en el Perú*. Lima: Instituto de Pedagogía Popular, Asociación Gráfica Tarea.

CLARK, Reginald
1983   *Family Life and School Achievement. Why Poor Black Children Succeed or Fail*. Chicago y Londres: The University of Chicago Press.

COOK-GUMPERZ, Jenny (comp.)
1988   *La construcción social de la alfabetización*. Buenos Aires: Paidós.

CUETO, Santiago, Enrique JACOBY y Ernesto POLLITT
1997   "Rendimiento de niños y niñas de zonas rurales y urbanas del Perú". Programa de pediatría y programa de nutrición internacional de California. Separata. *Revista de Psicología* de la PUCP. Vol.Xv, 1.

1997   "Factores predictivos del rendimiento escolar en un grupo de alumnos de escuelas rurales". Separata. *Educación*. Vol.Vi, N° 12, Setiembre.

DELGADO-GAITÁN, C. & Henry TRUEBA. (eds.)
1988   *School and Society. Learning throuhh Culture*. New York: Greenwodd Press.

DRAPER, Patricia
1974   "Comparative Studies of Socialization". En: *Annual Review of Anthropology*.

ELICHIRY, Nora
1991   *Alfabetización en el primer ciclo escolar. Dilemas y alternativas*. Chile: Unesco/Orealc.

FERREIRO, Emilia
1990   *Proceso de alfabetización. La alfabetización en proceso*. Buenos Aires: Centro Editor de América Latina.

GEE, James Paul
1991   "What Is Literacy?" En: *Rewriting Literacy. Culture and the Discourse of the Other*. New York: Bergin & Garvey.

GIROUX, Henry
1991   "Literacy, Difference, and the politics of Border Crossing". En: Rewriting Literacy. Culture and the Discourse of the other. New York: Bergin & Garvey.

HARVEY, Penelope
1987   "Lenguaje y relaciones de poder: consecuencias para una política lingüística". En: *Allpanchis. Lengua y Nación en el Mundo Andino*. N° 29/30 Año XIX. Cusco: Instituto de Pastoral Andina.

1997   "Peruvian Independence Day. Ritual, Memory, and the Erasure of Narrative". En: *Creating Context in Andean Cultures*. New York, Oxford: Oxford University Press.

HORNBERGER, Nancy H.
1997   "Introduccion". En: *Indigenous Literacies in the Americas: Language Planning from the Buttom Up*. Berlin, New York: Mouton De Gruyter.

JUNG, Ingrid
1987   "Acerca de la política lingüística, bilingüismo y biculturalidad y educación" En: *Allpanchis. Lengua y Nación en el Mundo*

Andino. N° 29/30 Año XIX. Cusco: Instituto de Pastoral Andina.

LAVE, Jean
1997   *Cognition in Practice.* Cambridge University Press, 1988.

LAVE, Jean & Etienne WENGER
1998   *Situated Learning. Legitimate Peripheral Participation.* Cambridge University Press, 1991.

LEWIS, Oscar
1969   *Antropología de la pobreza: cinco familias.* 6a. ed. México: Fondo de Cultura Económica.

LÓPEZ, Luis Enrique
1987   "Balance y Perspectivas de educación Bilingüe en Puno". En: *Allpanchis. Lengua y Nación en el Mundo Andino.* N° 29/30 Año XIX. Cusco: Instituto de Pastoral Andina.

LUND Skar, Sarah
1997   "On the Margin: Letter Exchange Among Andean Non-Literates". En: *Creating Context in Andean Cultures.* New York, Oxford: Oxford University Press

MACLEOD, Jay
1987   *Ain't No Making' It. Leveled Aspirations in a Low-Income Neighborhood.* Boulder, Colorado: Westview Press.

MENDOZA MUÑIZ, Miluska
199?   *Gestión compartida de la familia y los profesores en una propuesta de educación para el medio rural del Sur Andino: Balance de la experiencia educativa "Vínculo escuela-comunidad" del Proyecto Escuela, Ecología y Comunidad Campesina.* Cusco: Centro Bartolomé de las Casas.

MITCHELL, Candace & Kathleen WEILER (eds.)
1991   *Rewriting Literacy. Culture and the Discourse of the Other.* New York: Bergin & Garvey.

MINISTERIO DE EDUCACIÓN
1993   *Censo Escolar.*

MONTERO, Carmen (ed.)
1990   *La escuela rural. Variaciones sobre un tema. Selección de lecturas.* Lima: Fao.

MONTERO, Carmen, Patricia OLIART, Patricia AMES,
Zoila CABRERA y Francesca UCCELLI
1998   "La escuela rural: estudio para identificar modalidades y prioridades de intervención". Informe final de Investigación. Ministerio de Educación-Instituto de Estudios Peruanos.

OLIART, Patricia
1997   "Determinantes económicos, culturales y educacionales de la escolaridad infantil en las zonas rurales de la sierra peruana". IEP.

1998   "Leer y escribir en un mundo sin letras. Reflexiones sobre la globalización y la educación en la sierra rural". Documento inédito.

ORTIZ, Alejandro y Jorge YAMAMOTO
1994   "Un estudio sobre los grupos autónomos de niños a partir de un trabajo en Champacchocha, Andahuaylas". Proyecto de innovaciones pedagógicas no formales N° 3. Documento de trabajo. Lima: Fundación Bernar Van Leer-Ministerio de Educación.

PÁUCCAR MEZA, Lidia Nelly
1996   "La importancia del cuerpo y la vestimenta en la construcción del género". Lima: PUCP-Diploma de Estudios de Género.

PORTUGAL CATACORA, José
1988   El niño indígena. Lima: CONCYTEC.

RODRÍGUEZ, José
1998   "Adquisición de educación escolar básica en el Perú: estudio del uso del tiempo de los menores en edad escolar". Ministerio de Educación. Documento inédito.

ROGOFF, Barbara
1993   "Thinking and Learning in Social Context". En: Everyday Cognition. Coeditado por Barbara Rogoff & Jean Lave.

ROGOFF, Barbara y otros
1993   Guided Participation in Cultural Activity by Toddlers and Caregivers. Illinois: University Of Chicago Press.

SNOW, Catherine et al.
1991   Unfulfilled Expectations: Home and School Influences on Literacy. Cambridge, Mass.: Harvard University Press.

STREET, Brian V.
1985   *Literacy in Theory and Practice*. Cambridge University Press, 1984.

TOREN, Christina
1990   *Making Sense of Hierarchy. Cognition as Social Process in Fiji*. London, Atlantic Highlands, New Jersey: The Athlone Press.

UCCELLI LABARTHE, Francesca
1996   "Socialización infantil a través de la familia y la escuela: comunidad campesina Santa Cruz de Sallac, Cusco". Tesis de Licenciatura. Lima.: PUCP.

UNICEF/FONDO DE COMPENSACIÓN Y DESARROLLO SOCIAL/ INSTITUTO CUÁNTO
1994   *El mapa de la inversión social. Pobreza y actuación de Foncodes a nivel departamental y provincial*. Lima: Ed. Universo S.A.

VALDÉS, Guadalupe
1996   *Con respeto. Bridging the Distances Between Culturally Diverse Families and Schools*. New York, N.Y.: Teachers College.

VALIENTE, Teresa
1987   "Historia social, Historia local y educación bilingüe". En: *Allpanchis. Lengua y Nación en el Mundo Andino*. N° 29/30 Año XIX. Cusco: Instituto de Pastoral Andina.

ZUÑIGA, Madeleine
1987   "El reto de la educación intercultural y bilingüe en el sur del Perú". En: *Allpanchis. Lengua y Nación en el Mundo Andino*. N° 29/30 Año XIX. Cusco: Instituto de Pastoral Andina.

ANEXO*

1. Seguimiento escolar de niños y niñas matriculados entre 1995 y 1999

Según el análisis de las actas de matrícula de 1995 y 1999, cinco años después (1999), de los 30 matriculados en primer grado en 1995, quedan 21 distribuidos en diferentes grados.

cuadro según nómina de matrícula 1995 y 1999

grado que cursa (1999)	# de niños	# de niñas	total
5to grado	2	1	3
4to grado	5	5	10
3er grado	5	3	8
Total	12	9	21

Esta información resulta alarmante por diferentes razones. En primer lugar porque un tercio de los matriculados ya no asiste a la escuela; en segundo lugar, porque sólo tres de los que asisten, dos niños y una niña, se encuentran en el grado esperado de acuerdo al número de años de escolarización (5to grado); y en tercer lugar y quizás lo más grave es que esta información no refleja la realidad de los que continúan en la escuela. El trabajo de campo muestra que los números son aún menores a los que indican las nóminas, donde más de la mitad (56.6%) de los matriculados en 1995, ya no asiste a la escuela cinco años después. Esto es más significativo en el análisis del acceso escolar de las niñas.

Para el grupo observado, sólo un niño que figura matriculado en 4to grado no asiste a la escuela de la comunidad, pues él ha sido entregado a una familia en el centro poblado y se encuentra estudiando en la escuela de ese lugar. Sin embargo para el caso de las niñas se observa que ninguna de las tres que figuran matriculadas en 3er grado de primaria asiste a la escuela, ellas asisten regularmente al pro-

---

*   El anexo muestra algunos detalles de la información presentada en el texto, para este fin se ha optado por mantener en el anonimato a las familias, los niños y las niñas que forman parte del estudio.

grama no escolarizado de alfabetización por las noches; asimismo
tres de las cinco niñas matriculadas en el 4to grado han dejado de
asistir a la escuela hace un año atrás. Esto revela un manejo de la matrícula por profesores en busca de plazas ya identificado en otros estudios rurales (Montero *et al.* 1998), que es preciso tener en cuenta en
el momento del análisis exclusivo de este tipo de fuentes.

cuadro corregido por el trabajo de campo, 1999

grado que cursa (1999)	# de niños	# de niñas	total
5to grado	2	1	3
4to grado	4	2	6
3er grado	5	0	5
Total	11	3	14

casos seleccionados

# de niños	# de niñas
-	1
1	1
3	
4	2

De los 16 niños y niñas que ya no están en la escuela, 14 son mujeres y 2 son varones. Sin embargo, como se ha mencionado, uno de
estos varones está asistiendo a la escuela en Urcos y el otro ya no
asiste porque ha fallecido uno de sus padres. Las niñas resultan tempranamente retiradas de la escuela, donde la principal razón es la necesidad de colaborar activamente en las tareas domésticas y productivas, pues para muchas familias se considera importante que la niña
asista sólo hasta el 3er grado. Pero, varias familias han adelantado
este retiro, por la pérdida de uno de los padres o madres, en cuyo
caso el retiro escolar es inmediato. Otras familias se han mudado de
la comunidad y varias viven alejadas de la escuela, en el límite entre
una y otra comunidad, lo cual ha llevado a los padres a matricular a
sus hijos en una y otra escuela, hasta finalmente retirarlos por la distancia. Para muchas de las niñas la principal razón de abandono escolar es que ya no quieren asistir a la escuela, pues consideran que la
escuela es para los pequeños, pero varias quisieran continuar aunque las necesidades familiares no se lo permiten. De esta manera, de
las 11 mujeres 7 asisten al programa no escolarizado de alfabetización por las noches, pero ningún varón asiste. Estas 7 niñas dicen que
asisten al programa de alfabetización porque quieren saber firmar,
para que no les llamen ignorantes. Si bien, todas tienen experiencia
escolar, dicha experiencia no les ha sido suficiente para poder aprender a firmar sus nombres.

Cuadro: Evolución de la escolaridad por año, del grupo de alumnos y alumnas matriculados en 1er grado en 1995

	Nombre	1993	1994	1995	1996	1997	1998	1999
1.	Salomena	-	-	1er grado	2do grado	2do grado	3er grado	-
2.	Cecilia	-	1er grado	1er grado	2do grado	2do grado	3er grado	-
3.	Cirilo	-	-	1er grado	2do grado	2do grado	3er grado	-
4.	Niño 5	1er grado	1er grado	1er grado	2do grado	2do grado	3er grado	3er grado
5.	Judith	-	1er grado	1er grado	2do grado	3er grado	3er grado	4to grado
6.	Walter	1er grado	1er grado (retirado)	1er grado	2do grado	3ro grado	4to grado	3er grado
7.	Patricia	-	-	1er grado	2do grado	-	-	-
8.	Maruja	1er grado	1er grado	1er grado (retirada)	-	-	-	-
9.	Ernestina	-	-	1er grado (retirada)	-	-	-	-
10.	Julia	-	-	1er grado (retirada)	-	-	-	-
11.	Ramosa	1er grado (retirada)	1er grado	1er grado	2do grado	3er grado	3er grado	-
12.	Ceferina	-	-	1er grado	-	-	-	-
13.	Karina	-	-	1er grado	2do grado	2do grado	3er grado	-
14.	Niña 1	-	1er grado	1er grado	2do grado	3er grado	4to grado	5to grado
15.	Niño 7	-	1er grado	1er grado	2do grado	2do grado	3er grado	3er grado
16.	Julián	-	1er grado	1er grado	2do grado	3er grado	4to grado	4to grado
17.	Hilario	-	1er grado	1er grado	2do grado	3er grado	4to grado	-
18.	Aydee	-	-	1er grado	2do grado	-	-	-
19.	Elsa	1er grado 1992 y 1993	1er grado (retirada)	1er grado	2do grado	3er grado	3er grado	-
20.	Vicentina	-	-	1er grado	-	-	-	-
21.	Walther	1er grado	1er grado	1er grado	2do grado	3er grado	4to grado	5to grado
22.	Julia	-	-	1er grado	-	-	-	-
23.	Cirila	-	-	1er grado	-	-	-	-
24.	Edilberto	-	1er grado	1er grado	2do grado	2do grado	3er grado	4to grado
25.	Niño 3	-	1er grado	1er grado	2do grado	3er grado	4to grado	4to grado
26.	Niño 6	-	-	1er grado	2do grado	2do grado	3er grado	3er grado
27.	Jaime	-	-	1er grado	2do grado	2do grado	2do grado	3er grado
28.	Roger	-	-	1er grado	2do grado	3er grado	3er grado	4to grado
29.	Santos	-	1er grado	1er grado	2do grado	3er grado	4to grado	5to grado
30.	Niña 2	-	1er grado	1er grado	2do grado	3er grado	4to grado	4to grado

2. Cuadro de dimensiones del contexto familiar

condiciones	dimensiones del contexto familiar	
	actitudes hacia la escolarización	prácticas para la escolarización
1. ubicación de la casa (distancia de la escuela, de otras casas, de las chacras, de los pastos de la carretera)	Valoración de la educación: madre, padre, niño/a	envío del niño/a a la escuela : matrícula, no matrícula, frecuencia con la que asiste a la escuela
2. condiciones materiales de la vivienda (materiales: techo paja o tejas, paredes de cemento o adobe, número de habitaciones, tipo de servicio de agua, tipo de servicio eléctrico, tipo de cocina, artefactos y medios de comunicación, número de animales, número y calidad de chacras a cargo y tipo de producto que cultivan)	Expectativas en la escuela: madre, padre, niño/a	condiciones del envío del niño a la escuela : tiene los útiles necesarios, qué distancia tiene que caminar, qué tiene que hacer antes de ir a la escuela
3. composición y estructura familiar (familia completa o incompleta, nuclear o extensa, número de adultos a cargo de actividades, edades, sexo y posiciones de los hijos/as, número de hermanos y hermanas, colaboración de hermanos y hermanas)	expectativas de logros educativos en los niños: madre, padre, niño/a • profesor	apoyo familiar : refuerzo de los aprendizajes escolares en casa, revisa la tarea, le deja tarea, le pregunta qué ha hecho en clase.
4. tipo de actividades de la familia (actividades de autoconsumo y actividades remuneradas; actividades en la comunidad: agricultura, pastoreo, comercio, tala de madera; fuera de la comunidad: venta de mano de obra, migración temporal, ausencia prolongada)	metas para niño/as: madre, padre, niño/a	relación con la escuela : padre o madre participa en reuniones de padres de familia, colabora en faenas, desayunos, eventos
5. redes de la familia (número y ubicación de parientes y conocidos en y fuera de la comunidad, red de apoyo en actividades productivas y domésticas, red de apoyo para migración, relación con autoridades)	medios para lograr metas: madre, padre, niño/a	relación con el maestro : conversa sobre el avance del niño, visita la escuela, observa como se desenvuelve el maestro, está al tanto de si asiste o no, si cumple el horario y cómo enseña.
6. características de p/madre (edad, nivel educativo, años de escolarización, sabe castellano, sabe leer y escribir, sabe las cuatro operaciones básicas de matemáticas; cargo como autoridad local o de cuenca)		niño/a en la escuela : como se comporta, participa, cumple con sus tareas, está atento, está distraído, que interés muestra, etc.
7. relaciones familiares (relaciones entre hermanos/as, entre padre y madre, entre p/madre e hijo/a.)		logros escolares de niños y niñas : al niño/a le va bien o mal en la escuela, repite, aprueba, sabe escribir, sabe leer, etc.

3. Datos de las familias seleccionadas*

FAMILIA 1

DATOS GENERALES	MADRE	PADRE
lugar de nacimiento	en la comunidad	Puno
Edad	41	42
Educación	-	3er grado
# de hijos	3 hijos de su anterior esposo	4 hijos de padre y madre
# de hijos que viven en la casa	5 (tres hijos y dos hijas)	
# de hijos casados	2 (dos hijas)	

Estructura y composición familiar y educación

hijos e hijas casados	sexo	educación/ edad actual
Hija 1	F	3er grado en Cusco antes de 1995 /26 años
Hija 2	F	asistió hasta 3er grado antes de 1995/ 19 años

hijos e hijas que viven en casa	sexo	edad / educación (agosto 1995)	edad / educación (mayo 1999)
Hijo 3	M	13 años /4to grado	17 años / terminó la escuela 1998
Hija 4 (primera hija del segundo matrimonio)	**F**	**9 años / en 1er grado**	**12 años / 5to grado**
Hijo 5	M	5 años/ inicial	9 años / 4to grado
Hija 6	F	1 año 8 meses	5 años / inicial
Hijo 7	M	-	3 años

FAMILIA 2

DATOS GENERALES	MADRE	PADRE
lugar de nacimiento	en la comunidad	en la comunidad
Edad	29	34
Educación	1er grado	4to grado
# de hijos	4	
# de hijos que viven en casa	4	

* En **negritas** los niños y las niñas seleccionados.

Estructura y composición familiar y educación

hijos e hijas	sexo	edad / educación (agosto 1995)	edad / educación (mayo 1999)
Hija 1	F	**9 años / 1er grado**	**12 años / 4to grado**
Hijo 2	M	6 años / inicial	10 años / 4to grado
Hijo 3	M	3 años	7 años
Hijo 4	M	8 meses	4 años / inicial

FAMILIA 3

DATOS GENERALES	MADRE	PADRE
lugar de nacimiento	en la comunidad	en la comunidad
Edad	35	36
Educación	2do grado	5to grado
# de hijos	9 (5 hombres y 4 mujeres)	
# de hijos que viven en casa	7 (dos mujeres y 5 hombres)	
# de hijos casados	2 (un hombre y una mujer)	

Estructura y composición familiar y educación

hijos e hijas casados	sexo	edad 1995/ educación/ edad 1999
Hijo 1	M	19 años /estudió hasta 2do de secundaria/ 23 años
Hija 2	F	17 años / estudió hasta 3er grado/ 21 años hoy dos hijos

hijos e hijas que viven en la casa	sexo	edad / educación (agosto 1995)	edad / educación (mayo 1999)
Hija 3	F	15 años/ estudió hasta el 3er grado antes de 1995 19 años/ asiste a alfabetización	
Hijo 4	M	11 años / 3er grado	15 años / 1ero de secundaria
Hijo 5	M	8 años / 3er grado	12 años/ 6to grado
Hijo 6	M	**6 años/ 1er grado**	**10 años / 4to grado**
Hija 7	F	5 años	9 años / 3er grado
Hijo 8	M	3 años	7 años / 1er grado
Hija 9	F	6 meses	4 años / inicial

FAMILIA 4

DATOS GENERALES	MADRE	PADRE
lugar de nacimiento	en la comunidad	en la comunidad
edad	27	31
educación	3ero	2do
# de hijos	4 (dos hombres y dos mujeres)	
hijos que viven en casa	4	

Estructura y composición familiar y educación

hijos e hijas	sexo	edad / educación (agosto 1995)	edad / educación (mayo 1999)
Hijo 1	M	**6años / 2do grado**	**10 años / 6to grado**
Hija 2	F	4años / inicial	7años / 2do grado
Hijo 3	M	-	4años/ inicial
Hija 4	F	-	2 años

FAMILIA 5

DATOS GENERALES	MADRE	PADRE
lugar de nacimiento	en la comunidad	en la comunidad
Edad	30 años	39 años
Educación	1ero	2do grado
# de hijos	3 (dos hombres y dos mujeres)	
hijos que viven en casa	3	

Estructura y composición familiar y educación

hijos e hijas	sexo	edad / educación (agosto 1995)	edad / educación (mayo 1999)
Hijo 1	M	**8 años/1er grado**	**13 años/ 3er grado**
Hija 2	F	1 año	6 años/1er grado
Hijo 3	M	-	3 años

FAMILIA 6

DATOS GENERALES	MADRE	PADRE
Lugar de nacimiento	en la comunidad	Puno
Edad	27 años	41 años
Educación	-	4to grado
# de hijos	2 (solo hombres)	

Estructura y composición familiar y educación

Hijos e hijas	sexo	edad / educación (agosto 1995)	edad / educación (mayo 1999)
Hijo 1	M	7 años / 1er grado	10 años / 3er grado
Hijo 2	M	-	9 años/ 2do grado

FAMILIA 7

DATOS GENERALES	MADRE (viuda)
lugar de nacimiento	en la comunidad
Edad	39 años
Educación	-
# de hijos	4 (dos hombres y dos mujeres)
hijos que viven en casa	3
hijo que vive fuera	1 (hombre independiente, no colabora con la madre hace varios años)

Estructura y composición familiar y educación

hijos e hijas	sexo	edad / educación (agosto 1995)	edad / educación (mayo 1999)
1. Hija 1 (casada)	F	ahora está en alfabetización/ 19 años	
2. Hijo 2	M	6años/1er grado	10 años/3er grado
3. Hija 3	F	3 años	8 años/2do grado

4. Cuadro resumen de las familias seleccionadas*

Algunas características de las familias seleccionadas	Académicamente exitoso/as				Académicamente poco exitosos		
	Familia1	Familia2	Familia 3	Familia 4	Familia 5	Familia 6	Familia 7
Condiciones							
1. ubicación de la casa en relación a la escuela	15 minutos caminando	10 minutos caminando	40 minutos caminando	20 minutos caminando	45 minutos caminando	45 minutos caminando	45 minutos caminando
2. condiciones de la vivienda: material, animales, tierras, etc.	mayor pobreza	menor pobreza	menor pobreza	menor pobreza	menor pobreza	menor pobreza	mayor pobreza
3. composición familiar	nuclear completa	nuclear completa	nuclear completa	nuclear completa	nuclear completa	nuclear completa	nuclear incompleta
4. actividad familiar principal	agricultura de autoconsumo	agricultura de autoconsumo, tienda	agricultura para vender, ganadería	agricultura de autoconsumo y tala de madera	agricultura de autoconsumo y venta exógena de mano de obra	agricultura de autoconsumo y venta exógena de mano de obra	agricultura de autoconsumo
5. dentro de las redes: experiencia como autoridad	padre	padre	padre	padre y madre	padre	-	-
6. características de p/madres:	Padre / Madre	Padre / Madre	Padre / Madre	Padre / Madre	Padre / Madre	Padre / Madre	Padre / Madre
• edad actual	42 / 41	34 / 29	36 / 35	31 / 27	39 / 30	41 / 27	- / 39
• primaria alcanzada	3ero / -	4to / 1ero	5to / 2do	2do / 3ero	2do / 1ero	4to / -	- / -
7. relaciones familiares: entre hermanos y hermanas	hermanos colaboradores	hermanos colaboradores	hermanos colaboradores	hermanos colaboradores	hermanos colaboradores	hermanos colaboradores	hermanos colaboradores

*   El cuadro presenta un resumen de algunas de las características familiares descritas en el texto. Descripciones como "mayor pobreza" "alta valoración de la educación" "medianas expectativas de escolarización", tienen su debida explicación en el contexto de la descripción de cada familia.

actitudes							
1. valoración de la educación	alta	alta	alta	alta	alta	alta	mediana
2. expectativas de logros educativos de sus hijos/as	medianos	medianos	altos	altos	bajos	bajos	bajos
3. metas de los niños	enfermera	profesora	ingeniero	chofer	comerciante	no sabe	presidente de su sector
prácticas							
1. envío del niño a la escuela	no falta	falta poco, cuando hay que pastear las ovejas	no falta	no falta	falta en épocas de siembra	falta poco, para pastear el ganado	falta en épocas de siembra
2. condiciones del envío	útiles completos	útiles completos	útiles completos	útiles completos	útiles completos	útiles completos	útiles incompletos
3. apoyo familiar en tareas	padre supervisa, corrige y deja tareas.	madre cuando tiene tiempo revisa tareas	hermanos mayores ayudan con las tareas	madre supervisa y corrige tareas	-	el padre cuando está presente supervisa tareas	

EL PODER EN EL AULA:
un estudio en escuelas rurales andinas*

Patricia Ames

INTRODUCCIÓN

Considerando la escuela como un espacio social en el que se experimentan cotidianamente relaciones de poder entre los diversos actores que interactúan en ella, la investigación que presentamos se propone describir y analizar las prácticas en torno al poder y la autoridad que tienen lugar en las escuelas rurales de la sierra peruana y que formarían parte de la "cultura escolar". Intentamos ver la escuela en una doble perspectiva: como un reflejo de la sociedad que la produce y como expresión de una cultura específica (en tanto constituye una institución específica). Asimismo, intentamos mostrar el papel activo de los actores del espacio escolar en la medida en que sus interacciones reproducen, transforman y producen relaciones y prácticas al interior de la institución.

Atendiendo a la relevancia de estas prácticas y experiencias escolares para la conformación de comportamientos políticos y para el ejercicio de la ciudadanía, esta investigación se enmarca en una preocupación más amplia sobre los espacios de formación y fortalecimiento de la democracia y la ciudadanía en nuestro país. Asimismo, se centra en el estudio de grupos que histórica-

---

* Una versión preliminar de este ensayo fue publicada como Documento de Trabajo (DT N° 102, IEP, 1999).

mente han sido marginados del ejercicio pleno de su ciudadanía, para los que la escuela pública ha constituido tanto una primera relación institucional con el Estado peruano, como un medio para "integrarse" a la sociedad peruana.

La escuela como espacio de socialización política

La escuela constituye uno de los primeros ámbitos en que los niños, niñas y jóvenes se interrelacionan con otras personas más allá de su referente social y cultural inmediato, que es la familia y el grupo de parentesco; es asimismo una de las primeras experiencias de pertenencia a un espacio institucional público, en el que existen normas, reglas y prácticas de interacción con "otros".

En la escuela se generan y trasmiten -tanto en los contenidos que imparte como en las prácticas que alberga y propicia- pautas, valores y creencias en torno al poder y la autoridad. Los sujetos del espacio escolar no cumplen un rol pasivo en este proceso, pues sus interacciones afirman, niegan o reformulan dichas pautas y valores[1].

Desde la década de 1970, diversos estudios de socialización política realizadas desde la perspectiva de la sociología y las ciencias políticas han llamado la atención sobre la importancia de la escuela en la adquisición y construcción de valores políticos (Dawson, Dawson y Prewitt, 1977; Segovia, 1975; Weissberg, 1974; Easton y Dennis, 1969; Hess y Torney, 1967).

Estos estudios se han ocupado de los procesos a través de los cuales la cultura política es trasmitida, aprendida e internalizada, buscando determinar los principales agentes de procesos de

---

1   Aunque algunos autores han remarcado el papel de la escuela en el mantenimiento de un orden determinado (Bourdieu y Passeron, 1981; Vasconi, 1970) el desarrollo posterior de la sociología de la educación, la teoría crítica y la introducción del enfoque cualitativo (ligado a la etnografía) han puesto de relieve el papel activo de los sujetos en el espacio escolar, dejando de considerar la escuela únicamente como un ente trasmisor de los mensajes "oficiales" y presentándola más bien como un espacio de interacción más complejo, donde tienen lugar procesos de redefinición, apropiación, resistencia y negociación de los significados, realizados por los diferentes sujetos del espacio escolar (Willis, 1981; Anyon, 1981; Levinson et al., 1996).

aprendizaje políticamente relevantes, durante las diferentes etapas del desarrollo de las personas. Se basan en el supuesto de que las conductas políticas son en gran medida aprendidas y que por ende, están condicionadas por el entorno.

Desde esta perspectiva, centrada en la forma en que los individuos aprenden su rol político, existe un acuerdo en que la socialización política comienza en la niñez temprana. Los principales agentes de socialización identificados son la familia, la escuela, el grupo de pares y los medios de comunicación.

Una buena parte de los estudios de socialización política en la niñez se han ocupado de investigar elementos cognoscitivos, afectivos y morales de contenido político, es decir, qué conocen, qué sienten y qué juicios elaboran los individuos respecto al sistema político del cual forman parte.

Sin embargo, también se ha señalado la necesidad de incluir aprendizajes que aun sin tener un contenido explícitamente político, se refieran a actitudes sociales políticamente significativas y a la adquisición de características de personalidad que sean políticamente relevantes.

Es así como se ha diferenciado dos tipos de socialización política: una manifiesta y otra latente. Esta última se refiere justamente al aprendizaje no explícitamente político pero que influye en la conducta política de una persona.

Así, por ejemplo, se señalan factores no políticos que pueden ser relevantes para la personalidad política: la autoestima, los roles sociales, las habilidades individuales y la identificación social o personal con determinado grupo (etnia, clase, etc.) (Weissberg, 1974). También se distinguen formas de socialización política latente en la niñez, como las transferencias interpersonales, referidas a las experiencias tempranas con la autoridad que luego son traspasadas a las autoridades políticas; el aprendizaje por experiencia, que alude a cómo mediante sus experiencias sociales se generan en los niños las capacidades y conocimientos que les servirán posteriormente como orientación frente a situaciones de orden político; y la generalización, referida a que los principios generales básicos de una persona tienen efectos respecto a los objetos políticos (Dawson, Dawson y Prewitt, 1977).

Si bien estos elementos nos son útiles para interpretar las implicancias de las prácticas escolares, es necesario señalar los límites de esta aproximación teórica. Estos tienen que ver con el carácter conservador de los primeros estudios sobre el tema, que ponen un énfasis en el significado de la socialización política para la conservación del sistema político[2], lo que genera una tendencia a identificarla con la perpetuación del *statu quo*, criticada posteriormente por otros autores (Easton y Dennis, 1969). En efecto, se puede notar una preocupación por garantizar la internalización de valores políticos y de identificación con el sistema, desde las instancias de socialización que limitan una visión más crítica de la sociedad y el sistema político al que se pertenece.

Los estudios de socialización política han encontrado un nuevo impulso en la década de 1980 en relación al tema de la educación ciudadana, el cual adquiere creciente importancia en Latinoamérica y en países europeos (especialmente de Europa del Este). La educación ciudadana, ligada a la preocupación por lo procesos de democratización y el fortalecimiento de la democracia, considera al sistema educativo como un espacio fundamental para la construcción y práctica de estos valores (Arregui y Cueto, 1998).

El interés por la socialización política y la formación ciudadana también viene desarrollándose en el campo de la sicología política. Manzi y Rosas (1997) elaboran un modelo de desarrollo de la ciudadanía que se ocupa de los principales factores sicosociales que inciden en la formación de actitudes relevantes al sistema político y a su sustentación. Por un lado, se preocupan de los antecedentes que conducen a la conformación de predisposiciones actitudinales, en relación al sistema político que aluden a sentimientos de compromiso, lealtad e identidad. Por otro lado, se interesan en la participación, como una dimensión central de la ideología democrática.

Entre los antecedentes de la participación nos interesa resaltar particularmente dos: el primero se refiere a las experiencias participativas previas, señalando que el hecho de intervenir genera una predisposición favorable para participar en el futuro, te-

---

2   Ver por ejemplo Segovia, 1975 y la crítica a Almond en Dawson, 1974 y Easton
     y Dennis, 1969.

niendo en cuenta el carácter y la evaluación de tal participación. Es decir, si se percibe como satisfactoria y si tiene efectos prácticos. El segundo se refiere a las predisposiciones personales, entre las que son fundamentales la autoestima, el sentido de eficacia personal y la resolución de necesidades básicas.

Así, podemos encontrar diversas aproximaciones que señalan que las vivencias en torno a la autoridad y las relaciones de poder que se experimentan cotidianamente en la escuela, tienen necesariamente implicancias en la forma en que los sujetos se plantearán después el tipo de participación que pueden ejercer en otros espacios públicos.

Sin embargo, las formas en que dichas vivencias se construyen cotidianamente son escasamente abordadas desde estas aproximaciones. De ahí nuestro interés por investigarlas desde un enfoque etnográfico. Este enfoque, al partir de un registro detallado de los hechos, permite acceder a las prácticas que cotidianamente tienen lugar en la escuela y determinar en qué medida los actores pueden producir cambios que escapen a las determinaciones estructurales o bien reproducir de manera activa las desigualdades al interior de la institución (Oliart 1996). En este sentido, considera que los sujetos desempeñan un papel activo en la producción y reproducción de las prácticas sociales que tienen lugar en la escuela.

El examinar las interacciones en el espacio escolar, las prácticas recurrentes que conforman parte de una cultura institucional, nos permite señalar algunos elementos relacionados a la formación ciudadana y al tipo de ciudadanos que propone la escuela como modelo.

Es necesario recordar, además, que la escuela pública, en tanto institución estatal, constituye una primera relación con el Estado. En las zonas rurales más dispersas y alejadas, la escuela ha sido la única institución que representa al Estado de modo constante. El rol y la finalidad de la institución escolar en estas zonas ha merecido largos debates y luchas a lo largo del siglo en torno a la integración y los derechos de un importante sector de la población. Estos debates nos llevan a pensar en la posibilidad de un "modelo de ciudadano" que implícita o explícitamente forme parte del sistema escolar. De hecho, algunos autores muestran la existencia de tal situación al analizar la expansión de la escolaridad pública masiva en Occidente, en relación a las necesidades del proceso de construcción del Estado-Nación en Europa (Boli, 1992; Boli y Ramírez, 1989).

Hemos buscado aproximarnos a las prácticas escolares existentes en torno al ejercicio del poder y la imagen de la autoridad, como elementos centrales para pensar en la formación de sujetos democráticos, considerando que la posibilidad democratizadora de la escuela no puede centrarse solamente en los contenidos que imparte o no, ya que esos contenidos están mediados por la forma en que se trasmiten. De ahí nuestro interés por abordar la práctica de los actores como eje central del análisis.

En una primera parte, nos centramos en el docente y la forma en que ejerce cotidianamente su autoridad en el aula, en la que resalta como rasgo dominante el control hacia los niños y las niñas y la importancia del "orden" en la clase; la forma en que se fijan las normas que rigen el espacio del aula son también descritas en esta parte, poniendo atención en los conflictos que se derivan de su transgresión y en las formas en que se resuelven. Finalmente se resalta el carácter institucional de muchas de estas prácticas que restringen las posibilidades de maestros y maestras para generar nuevos modos de relación, si bien se puede encontrar la presencia de algunos cambios.

La segunda parte es complementaria a la primera y se centra en las diversas respuestas de los alumnos frente a las exigencias de orden y control del docente y la escuela, mostrando su papel activo en el espacio escolar. En una tercera parte abordamos el lugar de la diferencia en la escuela y cómo la pertenencia a determinados grupos también se encuentra en la base de las relaciones que entablan los docentes y la escuela con los padres y niños de las escuelas rurales. En la última parte, señalamos algunas de las implicancias de las prácticas descritas en los acápites anteriores en la conformación de comportamientos políticamente relevantes.

La metodología de investigación

La investigación se realizó desde un enfoque cualitativo de tipo etnográfico. El enfoque etnográfico busca abordar a profundidad una realidad determinada, comprometerse con los detalles de la práctica a fin de determinar su sentido en un contexto específico. Sin embargo, creemos que ello no va reñido con la posibilidad de comparar las prácticas que tienen lugar en escuelas que comparten ciertas características y difieren en otras, a fin de avanzar en interrogantes sobre lo común y lo diverso al interior del sistema educativo y sobre aquello que forma parte de una cultura escolar que va más allá de las características locales de tal o cual escuela.

Por ello, nos hemos basado en información etnográfica sobre la vida escolar en 12 escuelas rurales andinas, recolectada entre 1997 y 1999 en los departamentos de Ancash, Apurímac, Ayacucho, Cajamarca, Cusco, Junín y Puno. Seleccionamos una de estas escuelas para profundizar en las preguntas específicas de esta investigación y es a partir de este caso específico que desarrollamos el documento, señalando las semejanzas que pueden observarse con las escuelas de las cuáles disponemos de información etnográfica similar.

En la selección de los casos se consideraron diversas realidades educativas, sociales y culturales que reflejan la heterogeneidad propia de la zona rural andina. Al mismo tiempo, decidimos restringir la comparación, excluyendo escuelas de otras regiones geográficas, de otros ámbitos (urbano), o que ofrezcan otros niveles educativos (secundaria, por ejemplo), debido al tiempo de que disponíamos, pues hubiera sido necesario profundizar en las características propias de cada uno de esos contextos.

Sin embargo, creemos que los casos seleccionados toman en cuenta una serie de diferencias relevantes para comprender la especificidad de las prácticas escolares más allá de las características particulares, cuidando siempre de no desligarlas de su contexto. Para ello nos hemos centrado en la escuela de Nanay[3], en la cuál hemos venido trabajando a lo largo de tres años consecutivos, de modo que la lógica de las relaciones que observamos pueda interpretarse en el marco de un contexto específico y a partir de ahí determinar los elementos recurrentes que pueden observarse en otras escuelas.

---

3   Todos los nombres de los lugares y las personas que aparecen en este documento han sido cambiados.

Las escuelas y las comunidades

Las comunidades en las que se recogió el material etnográfico difieren respecto a las características de su economía en cuanto a la producción, los recursos, el tipo de agricultura y riego, la presencia de actividades complementarias, el acceso al mercado y el destino predominante de la producción. Ello está ligado también al piso ecológico en el que se ubica el asentamiento, que impone determinadas condiciones a la actividad económica y productiva. Asimismo, tenemos que el tipo de organización social varía con la presencia o no de la organización comunal, encontrando comunidades campesinas y caseríos compuestos por pequeños propietarios. Culturalmente, la zona rural tampoco es homogénea. En algunas regiones hay una presencia predominante de población indígena quechua y aymará, mientras que en otras es casi inexistente. Considerando esta variedad y las diferencias de prestigio entre la lengua castellana y las vernáculas, y las relaciones de poder diferenciadas que se establecen entre los hablantes de las lenguas más y menos prestigiosas en el país, así como la importancia central de la lengua en el proceso educativo, se consideran casos donde la población es vernáculohablante así como otros en los que es mayoritariamente bilingüe e incluso castellanohablante.

Cinco de nuestros casos corresponden a comunidades de altura, que se ubican por encima de los 3,800 msnm. En estas comunidades la actividad agrícola depende de las lluvias (secano), en la producción predominan los tubérculos y la mayor parte de ésta se destina al autoconsumo. Existe también una intensa actividad ganadera, principalmente de ovinos y camélidos andinos.

Es en estas comunidades donde encontramos una mayor pobreza, cuentan con escasos servicios básicos y la dificultad de acceso a ellas es mayor que en los otros casos. La población de cuatro comunidades es quechuahablante; la quinta es castellanohablante.

Todas las escuelas de estas comunidades comparten la pobreza del medio, excepto en un caso, en el que la intervención de un proyecto de educación bilingüe recientemente implementado ha mejorado las condiciones de la infraestructura escolar. Dos escuelas son unidocentes[4] y ofrecen educación primaria incompleta. Otras dos escuelas cuentan con 2 profesores para los 6 grados de primaria y la última tiene 3 docentes y ofrece también primaria completa.

Otros cinco casos corresponden a caseríos y comunidades de ladera ubicadas en un amplio rango de altitudes, que va desde los 2,300 a los 3,700 m.s.n.m. La producción agrícola en estas comunidades es más diversificada (tubérculos, cereales, leguminosas). Tres de ellas cuentan con sistemas de riego. La ganadería es principalmente de ovinos con ganado vacuno en pequeñas cantidades. La mayor parte de estas comunidades están ubicadas más cerca de las capitales distritales o provinciales, por lo que tienen mayor facilidad para comercializar sus productos.

Las escuelas de estas comunidades ofrecen todas la primaria completa, en la modalidad de polidocencia multigrado[5] (4) y polidocencia completa[6] (1). En este último caso se trata de una comunidad de mayor tamaño y que acaba de adquirir el status de Consejo Menor en su distrito.

Adicionalmente, se trabajó en una comunidad próspera de la sierra central, ubicada en el valle, que es a la vez capital distrital. Una parte importante de su producción (cereales y leguminosas) se destina a la comercialización y otra parte (maíz y tubérculos) al consumo local. Como un caso especial por el que optan algunas familias campesinas respecto a la educación de sus hijos, se observó una escuela de pueblo a la que asisten niños de comunidades rurales aledañas. En ambos casos el servicio educativo ofrece el nivel primario completo y con un profesor para cada grado.

La escuela de Nanay, en la que hemos centrado el análisis, se ubica en el sur andino, en una comunidad campesina quechuahablante, a unas 5 horas de la capital departamental. Es una comunidad pequeña (unas 60 familias) ubicada entre los 3,300 y 3,700 msnm., corresponde al segundo grupo descrito y sus principales actividades son la agricultura de cereales y tubérculos y la gana-

---

4   Un solo profesor para todos los grados.
5   Dos o más profesores que se encargan de todos los grados, debiendo algunos (o todos) asumir la enseñanza de más de un grado a la vez.
6   Cada grado cuenta con un profesor.

dería de ovinos. Una parte de la producción agrícola es dedicada al comercio y la otra al autoconsumo. No existe electricidad ni teléfono, el abastecimiento de agua es a través de una red pública ubicada fuera de cada vivienda y sólo existen dos letrinas en la comunidad, cercanas a la escuela.

Nanay cuenta con una pequeña escuela con dos aulas y dos docentes que se distribuyen los 6 grados de la primaria, encargándose uno de 1° y 2° y otro de 3°, 4°, 5° y 6°. El local escolar tiene unos 30 años de antigüedad y está en buenas condiciones físicas, a diferencia de otras escuelas similares.

Los docentes permanecen en la comunidad de lunes a viernes dada la distancia con la ciudad en que viven y la dificultad de conseguir transporte. Sus viviendas son bastante precarias, apenas una habitación oscura de adobe que funciona como dormitorio, cocina y espacio de trabajo. Las gestiones ante instancias administrativas del sector, así como el cobro mensual de sus remuneraciones son actividades que toman un tiempo considerable por la distancia y los medios de transporte, con lo cual suelen perderse algunos días de clase de modo regular.

1. EL CONTROL COMO RASGO DOMINANTE DE LA INSTITUCIÓN ESCOLAR

"Parados, sentados, callados... "orden" quiere decir silencio, obediencia... pero los niños cuchichean, hablan entre ellos, el "ruido" aumenta... entonces el profesor descuelga el pequeño látigo que descansa en un clavo, atrás del escritorio... y el silencio retorna inmediatamente... los niños se inmovilizan en sus asientos, sus pequeños cuerpos rígidos, casi conteniendo la respiración para no correr el riesgo de ser destinatario de un chicotazo... pero el movimiento es natural, como volver la vista hacia la ventana y distraerse de lo que el profesor dice... hasta que un golpe del chicote logra que la mirada se concentre otra vez en la pizarra..."

Ab: Aula 1°/3°

Encontrar, de modo recurrente, diversas estrategias de control del movimiento de los cuerpos, del fluir de las voces, de la ac-

tividad en general de niños y niñas nos lleva a considerar estas estrategias como un rasgo central de la institución escolar. En todas
y cada una de las escuelas visitadas, en las etnografías revisadas,
en los estudios de caso de otras escuelas dentro y fuera del país
aparecen diversas acciones orientadas por el mismo propósito:
garantizar un orden, mantener una disciplina determinada.

Los rasgos centrales de lo que implica el "orden" en las escuelas estudiadas tienen que ver con el silencio, la obediencia y el
control corporal. Una gran proporción del tiempo en el aula se invierte en el esfuerzo de callar a los niños, ubicarlos, inmovilizar-
los y lograr que sigan las indicaciones dadas. Las estrategias empleadas son muy similares aun entre escuelas muy distantes y
diferentes: recursos verbales como amenazas, gritos, llamadas de
atención, pedidos de orden, etc. Cuando no hacen efecto, se apli-
can castigos, muy frecuentemente físicos. Otros recursos verbales
indirectos, como el escarnio, la burla o los comentarios negativos
acerca de lo que hacen los niños o la forma en que lo hacen también forman parte de este repertorio.

En esta primera parte desarrollo estos elementos a partir de
las observaciones realizadas, de modo que permitan una visión
más precisa de las formas en que se ejerce cotidianamente la autoridad. Los niños y niñas elaboran sus propias respuestas, de variado contenido, frente a las exigencias de sometimiento y obediencia que propone la escuela. Estas respuestas son analizadas
en la segunda parte.

1.1. El orden y los medios de control

ONN4: Aula de 3°/4°/5°/6°. Inicio de la mañana.

P: "Ahora vamos a corregir las tareas"
La profesora empieza a corregir sitio por sitio, empezando por los de 6°.
Cuando revisa el cuaderno de Carlo, le arranca una hoja:
P: "¿Qué cosa es esto?", le dice enojada, firma la siguiente hoja y deja la
página arrancada sobre la carpeta.

Hay niños parados o fuera de sus sitios. La profesora grita: "Siéntense"
y continúa revisando las tareas. Algunos vuelven a su sitio, pero un

momento después se mueven otra vez, acercándose a las carpetas donde
la profesora corrige o parándose en su sitio.

P: "¿Qué es este desorden Amrico?... (le dice a un niño al revisar su
cuaderno, pero sin esperar respuesta; luego se dirige a Alan) ¿caballo se
come, tortuga se come, abeja se come? (está corrigiendo la tarea sobre los
alimentos de origen animal)"

Su comentario provoca la risa de los niños que están alrededor. La
profesora pone un visto bueno en los dibujos que están bien y un aspa en
los que están mal. Al terminar la corrección se dirige a todos:.

P: "Ya, a ver, cierren sus cuadernos y siéntense bien! (gritando) cruzan-
do las manos me van a mirar... para el recreo vamos a castigar a José que
no ha hecho la tarea, el único"

El orden que los docentes intentar mantener conlleva un determinado "curriculum del cuerpo"; es decir, una serie de reglas
se llevan a cabo sobre y a través del cuerpo, desde que las reglas
escolares estipulan movimientos que son permitidos y sancionan
otros prohibidos en cada contexto. Como señala Gordon (1996),
"la disciplina en el aula tiene una base sustancial en regular el
comportamiento corporal". En el pequeño fragmento que hemos
seleccionado se muestra esta necesidad de regular y controlar el
movimiento corporal: las constantes llamadas de la profesora
para que los alumnos y alumnas permanezcan sentados, por
ejemplo, o la exigencia de una determinada posición para escuchar la explicación, que se repite varias veces a lo largo de la clase.

Constantemente se exige cierto comportamiento corporal y
verbal (silencio) como parte del orden en la clase. Incumplir estas
exigencias implica sanciones de parte del docente, que pueden
ser verbales (llamadas de atención o amenazas) o físicas (golpes o
castigos).

Asimismo, las estrategias disciplinarias en el campo involucran un castigo directo sobre los cuerpos: un chicotazo, un correa-
zo, una mano que jala las patillas, un libro que golpea la cabeza
de un distraído, la penca o la correa, son todos medios para corregir un error, sancionar una distracción, un movimiento o una ta-

rea que no se hizo. Son recursos usados para garantizar el "orden" y la "atención". Porque garantizar el orden en el aula es fundamental ¿qué autoridad tendría un profesor que no puede poner orden en su clase? Así que hay que hacerlo, crearlo, forzarlo tal vez. La recurrente presencia de los castigos indica que se trata de algo central para los profesores. Más allá de una necesidad propiamente pedagógica, se trata también de afirmar la autoridad (y el poder) del profesor frente a los niños, en los niños. En este sentido, Foucault llama la atención sobre la idea del cuerpo como "objeto y blanco de poder" y afirma que la necesidad de controlar el movimiento se encuentra en la base de cualquier disciplina, la cuál termina así formando cuerpos "dóciles", sometidos, ejercitados (1989:142).

Por ello, tampoco es raro que las actividades que permiten tener a los niños inmóviles por un buen rato (dictado, copiado, etc.) sean recurrentes, como parte de los métodos que el profesor utiliza en clase. Aun aquellos que realizan otro tipo de actividades, recurren en mucho casos a estos métodos tradicionales para que la clase no se "desordene"[7].

Sin embargo, los pequeños movimientos de los niños son constantes durante la clase y rompen ese ideal de quietud e inmovilidad que el docente pareciera querer implantar. Efectivamente, la resistencia de los alumnos conlleva frecuentemente dimensiones corporales: se paran cuando deberían estar sentados, se mueven por el salón, cambian de postura para hablar con el vecino o simplemente mirar lo que hace. Por ello son tan frecuentes las llamadas de atención para que se sienten o vuelvan a sus sitios, así como para lograr silencio. En este sentido, los alumnos y alumnas construyen estrategias de resistencia al poder ejercido por el docente, pues al distanciarse o transgredir este control asumen más autonomía sobre su propio cuerpo y espacio... al menos por algunos momentos, logran una pequeña victoria. Pero deben mantener cierto cuidado para no ser sujetos de sanción.

7   Lo que nos lleva a plantear que para lograr el éxito de una pedagogía activa centrada en el niño no basta con proponer nuevas actividades, sino que supone enfrentar las nociones de "orden" en el espacio del aula con la que los maestros enfrentan su labor cotidiana.

A través de medios como el castigo y las llamadas de atención o los gritos, los profesores se esfuerzan en lograr cierto grado de silencio, un determinado comportamiento corporal y la obediencia a sus indicaciones, de manera que se garantice un cierto "orden" en la clase y se reconozca su autoridad. Un tercer elemento a través del cuál el docente ejercita su poder lo constituyen las burlas y los comentarios negativos hacia sus alumnos y alumnas.

La otra violencia

"Lo has hecho mal, te voy a romper tu cuaderno", "Piensa pues hija, piensa", "Traten de hacer funcionar su cabeza", "Está mal, vuelve a hacer"... las mismas frases, distintos profesores, distintos alumnos... pero siempre remarcando el error, la incapacidad. A veces sólo el tono irónico o burlón; pocas, muy pocas veces, una actitud más comprensiva, un gesto de ayuda.

"Las expresiones de molestia, los gestos que indican que se pierde demasiado tiempo con un niño, que dice tonterías o que no ha entendido, contribuyen a inhibirlo y lo llevan a construir una imagen de sí centrada sobre sus incapacidades" (Vásquez y Martínez, 1996: 74)

El contenido de esta cita resalta los efectos de los comentarios negativos sobre los niños y las niñas. En ciertos momentos esos efectos son inmediatos y observables: el niño que baja la cabeza mientras la maestra sostiene en alto su dibujo y les dice a todos que "así no lo deben hacer", y su gesto avergonzado al voltear la hoja para empezar de nuevo su trabajo. Otras veces, los efectos no son tan inmediatos, se acumulan lentamente hasta convencer al niño o a la niña de su propia incapacidad para aprender. Por eso no es raro escuchar de una mujer joven que abandonó la escuela en 2° grado que lo justifique diciendo "yo no sirvo pa'l estudio".

Los comentarios desvalorizantes hacia los niños no tienen lugar sólo en la esfera del aprendizaje. Aunque son muy comunes frases como las arriba citadas, referidas a los errores que los niños cometen frente a una pregunta, un ejercicio, una indicación, también hay otras que tienen que ver más bien con la persona misma del niño o de la niña (y que por tanto inciden en su autoestima), como la de aquel profesor que le dice a un niño que acaba de entrar, con la cabeza mojada *"pareces un indio pishgo"*, provocando la risa de todos sus compañeros o aquella otra profesora que ante el gesto inexplicable de sus alumnos moviendo obsesivamente la cabeza les pregunta (sin esperar una respuesta) *"¿por qué sacuden la cabeza? seguro tienen piojos y me van a contagiar"*. Otros comentarios tienen que ver con la presentación y el aseo de los niños y remarcan su suciedad: *"recuerden que hoy toca revisión de aseo... han tenido dos días para bañarse"* ; *"tú te levantas, tomas tu caldo y te vienes... hay que lavarse pue"*; *"hace días que te veo con el mismo polo, ya les he dicho (a todos) hay que cambiarse de polo, sino huele"*.

Estos comentarios, siempre públicos, avergüenzan a los niños frente a sus compañeros y afirman la autoridad del profesor en perjuicio de la autoestima de los niños. También revelan algo de los prejuicios y las imágenes con las que maestros y maestras se acercan a trabajar con los niños y niñas del campo, sobre los que volveremos más adelante.

1.2. Normas y resolución de conflictos

En esta parte quisiera referirme brevemente a las normas que estructuran el orden del que hemos venido hablando, en qué consisten y de donde salen. En las varias aulas y escuelas observadas, las normas que se hacen explícitas en el espacio escolar se refieren básicamente a la limpieza y aseo personal, la puntualidad, la obediencia y el cumplimiento de las tareas por parte de los alumnos. Se trata de categorías muy amplias, como puede observarse: la obediencia, por ejemplo, puede referirse tanto a la orden de guardar silencio o no copiar de la pizarra, o quedarse quieto, etc. En otro sentido, también son muy relativas: la norma de puntualidad, por ejemplo, se observa en los castigos a los alumnos que llegan tarde... pero la hora de entrada a la escuela y la hora de inicio de clases pocas veces suelen ser puntuales, y lo mismo ocurre con los profesores.

Aquí conviene preguntarnos origen estas normas. Sin duda, su presencia constante en varias escuelas y aún en varios países nos habla de normas institucionales, es decir, que forman parte de la escuela misma. Pero en el espacio del aula es el profesor quien las fija y quien vela por su cumplimiento. Cualquier incumplimiento a estas normas supone un castigo, sanción o llamada de atención.

Las reformas en la educación primaria están tratando de cambiar las formas en que se generan y construyen las normas. Ante las normas impuestas sin explicación previa de su necesidad o sin participación de los alumnos en su elaboración, se viene proponiendo justamente que los alumnos se involucren en la elaboración de estas, de modo que resulten parte de un acuerdo colectivo de la clase. En varias aulas hemos podido observar, por ejemplo, papelógrafos con el título "Nuestras normas" que explicitan cuáles son y que supuestamente se hicieron entre todos. Sin embargo, en una ocasión pudimos observar la dinámica con la cuál se hacía este papelógrafo y qué significado tenía la "participación" de los alumnos. Por ser muy ilustrativa, conviene reproducirla en toda su extensión:

"11:40 a.m.

P: "A ver, siéntense... Todos con las manos sobre la carpeta, así... caramba, ahora están todos más ordenados... ahora vamos a hacer nuestras normas... (pregunta en quechua si deben llegar tarde)"
As: "No!!"
P: "Entonces: (escribe en el papelógrafo) Venir temprano a la escuela... ¿Van a hacer sus tareas?... Cesáreo! (grita)... vas a venir adelante, ahorita te voy a hacer arrodillar (Cesáreo se queda quieto)... ¿cómo podemos poner?... (escribe: cumplir con las tareas)... otra norma para mirar todos los días... a ver Román.. (no se oye lo que dice) muy bien, dice los que vienen sucios (entonces escribe: venir limpios a la escuela)... A ver Rene, si hablamos de respeto, ¿como debemos portarnos? (pregunta cómo escribirlo y finalmente escribe: Ser respetuoso con los demás)... ¿Qué otro puede ser? No hablar..."
Ao: "Malas palabras"
P: "¿Qué cosa mas debemos cumplir? Tener la clase ... ¿sucio o limpio?"
As: "Limpio!"
P: "A ver, vamos a sancionar a los que no cumplen"

Ao: *"Multa"*
P: *"No, es que a veces no cumplen con la multa"*
Ao: *"¿Callejón oscuro?"* (algunos niños dicen sí, otros no)
P: *"Yo les propongo que el que no cumpla cante o baile solito (escribe "cantar y/o bailar")*
Los niños acusan a Adán de que se esta moviendo y molestando.
P: *"Adán!* ... vamos a agregar al que no se porta bien (agrega: *"Obedecer y portarse bien"*)
Luego lee en voz alta todas las normas y las sanciones
P: *"¿Qué mas?"*
Ao: *"Cantar dos veces en la formación"* (agrega: *"cantar en la formación"*)
P: *"¿Qué otra sanción podemos hacer? A ver Vale, dame una sanción"*
Vale no responde. Alguien de atrás dice que ellas no hablan. La profesora dice que todos pueden hablar, que hay que escuchar, pero luego le pide a Pepe una sanción; él tampoco le da ninguna, entonces pregunta a Javier.
P: *"A ver chicos, "que sanción podemos dar?"*
Todos gritan a la vez: *"castigo, callejón oscuro"*
P: *"Sí, castigo, pero qué castigo?"*
Hablan todos a la vez. La profesora propone:
P: *"Solito va a limpiar la clase (Y agrega "barrer la clase")"*
Alguien dice *"traer los cuadernos"*
La profesora repite y pregunta si es una norma o una sanción, como no responden, explica que es una norma (pero ya no la anota, pues se le acabo el espacio en el papelógrafo)
P: *"A ver, ¿quién esta pensando en una sanción? A ver Roberto, qué está pensando?"*
Agrega una sanción: pararse en un pie (largo rato se entiende).

12:00
La profesora interrumpe la actividad, les indica que lean el libro para el lunes, los envía a tomar desayuno y se despide de ellos:
P: *"Chicos, para el lunes van a leer sus libros, entonces luneskama chicos"*
Los niños ya no volverán a clase pues las profesoras se van a la ciudad a la una."

En este fragmento podemos notar cómo la participación de los alumnos realmente no los involucra en la elaboración de las normas: éstas ya están fijadas de antemano y más bien se trata de que las recuerden o las expliciten, pero no hay espacios para que realmente propongan nuevas normas o para que comprendan su razón de ser. Por otro lado, resulta curiosa la elección de sanciones: la profesora se esfuerza para que las propongan, pero cuando los niños mencionan las sanciones acostumbradas (castigo, callejón oscuro) la profesora las rechaza y busca más bien sanciones que no involucren castigo corporal, como cantar, bailar, limpiar el salón, etc. Curioso porque es irreal, la profesora aplica constantemente castigos físicos: el día anterior pidió a los niños formar un callejón oscuro para castigar a Allen, por estar haciendo desorden (Allen lloraba desconsolado y se negaba a pasar por el callejón, así que finalmente la profesora suspendió el castigo). Incluso, durante la conversación acerca de las normas amenaza a Cesáreo con arrodillarlo si sigue haciendo desorden, sanción que en ningún momento apareció en el papelógrafo. El ejercicio de elaboración de normas termina por ser inútil a sus propósitos iniciales, pues sólo pone por escrito lo que los alumnos ya saben, lo que el profesor exige y considera sanciones irreales que pueden ser usadas o no por él quien, además, tiene la potestad de elegir otras arbitrariamente.

En este ejercicio, sin embargo, hay también un mensaje muy claro en la estructura del papelógrafo: a un lado las normas, al otro las sanciones. Es decir, el incumplimiento de las normas refiere inmediatamente a una sanción. Este aspecto de la dinámica institucional aparece muy claro cuando observamos las formas en que profesores y profesoras enfrentan los conflictos que surgen en el espacio escolar. Cuando los conflictos son causados por una transgresión a las normas (A no hizo la tarea, B llegó tarde, C se está moviendo cuando debería estar sentado, D y E conversan cuando deberían estar copiando, etc.), la respuesta es siempre la misma: una sanción, un castigo, una llamada de atención, una amenaza. Existen también una serie de conflictos que se producen entre los niños, como veremos al desarrollar las interacciones entre ellos, y en este caso las respuestas de los profesores pueden ser nuevamente una sanción, pero en muchos casos también la indiferencia. En cualquier caso, no encontramos un diálogo que permita una reflexión sobre el conflicto, sus causas o sus consecuencias, únicamente una sanción para que finalice, un castigo que penalice esa expresión. Más adelante volveremos sobre los conflictos entre los niños y la participación del profesor en su resolución. Aquí sólo queremos mencionar que al tratarse de conflictos en la esfera de las relaciones verticales (profesor-alumnos), éstos se resuelven mediante la sanción.

1.3. Qué difícil es cambiar

Hasta aquí hemos querido presentar las formas en que se ejerce la autoridad en el aula y los elementos que se ponen en juego como base del poder del docente. Hemos tratado de resaltar los rasgos recurrentes que hemos podido observar en las 12 escuelas estudiadas, partiendo de uno de los casos para ejemplificar con mayor claridad los procesos que tienen lugar en la escuela. Evidentemente, no todos los profesores actúan de la misma manera y muchos de ellos buscan formas alternativas a este modelo. Sin embargo, son estos los rasgos dominantes que podemos encontrar, con ligeras variaciones, en las escuelas rurales estudiadas y no es sencillo superarlos.

Estos rasgos provienen tanto de un modelo de disciplina y organización escolar, es decir, del marco institucional de la escuela, como de las características más amplias de la sociedad en la que está inserta. Así, si por un lado la organización escolar requiere de una determinada organización de las actividades y el control de los alumnos, asumiéndolos como un grupo homogéneo, por otro lado, la forma en que se ejerce este control está estrechamente vinculada con las valoraciones sociales más amplias sobre las características (diferenciadas) de los niños y su grupo, vale decir su cultura, lengua, procedencia social, etnicidad y género.

Por ello decimos que no es sencillo para cada docente proponer otros modos de interrelación: hay exigencias institucionales (necesidad de control, disciplina, orden) que refuerzan este modelo y a las que el docente debe responder. Finalmente es como representante formal de la institución escolar (y más ampliamente del Estado en tanto hablamos de escuelas públicas), que se re-

conoce parte de su autoridad y por ello debe actuar en determinada forma. No hacerlo puede acarrear las sanciones de sus colegas
o directivos. O incluso de los mismos padres de familia, que esperan un determinado comportamiento del docente. Y en ocasiones,
de los mismos niños.

Uno de los aspectos en los que se evidencian las presiones hacia un determinado modelo de autoridad es el de la disciplina.
Varios profesores mencionan que los padres exigen una mayor
disciplina hacia los alumnos, y algunos incluso la presencia del
castigo físico para garantizar el aprendizaje. Es decir, avalan este
tipo de sanciones y las consideran necesarias:

*"Ellos exigen eso, la mayoría de los padres vienen y nos dicen que los
castiguen, otros vienen y nos dicen que no los toquemos" (Carla, profesora de 4°, sierra norte)*

Dentro de las pautas de crianza en el campo, el castigo físico
hacia los niños es bastante común, por ello muchos padres no
cuestionan su uso en la escuela. Es más, si ellos han pasado por la
experiencia escolar, han sido también castigados y consideran
que es parte del funcionamiento "normal" de la institución, un
medio para propiciar el aprendizaje. Aunque muchos estudios
han dado cuenta de las consecuencias negativas del castigo sobre
el aprendizaje y la formación del niño (Guerrero, 1996), este conocimiento dista mucho de ser parte del sentido común en la gran
mayoría de hogares peruanos. Incluso en los hogares de los profesores. Incluso entre los mismos niños:

Notas de campo - NN

*Elia nos cuenta que este año tuvo una conversación con sus alumnos.
Les dijo lo que pensaba de ellos: que son ociosos, flojos, que no hacen sus
tareas. "Ya les he dicho lo que pienso de Uds. ahora díganme lo que
piensan de mí", les dijo.*

"Yo pensé que iban a quejarse porque les castigo — nos dice — pero no, ellos me dijeron que estaba bien que los sobe[8]*, que ellos necesitaban eso para aprender"*[9]

En distintas conversaciones con niños y niñas de las escuelas visitadas, el tema del castigo salió a relucir en toda su ambigüedad. Por un lado, algunos señalaban que quisieran que sus profesores los castiguen menos; por otro lado, reconocían varios de ellos, que a veces el castigo es necesario, que es lo que el profesor tiene que hacer.

Este ejemplo del castigo nos muestra así que no es sencillo que un profesor tome la decisión de apartarse del modelo. El resto de sus colegas pueden considerar que no sabe imponer orden en su clase, que es un mal maestro. Los padres de familia pueden considerar que no actúa con suficiente autoridad frente a los niños y los alumnos por su parte pueden también desconcertarse si ya están habituados a una determinada conducta por parte del maestro.

Esto no quiere decir que es imposible modificar los rasgos dominantes de este modelo, sólo que como tales estructuran los marcos de acción del docente y limitan sus posibilidades de actuar en forma diferente, pues hará frente a las presiones de los demás actores del espacio escolar que avalan esta práctica y a sus propias nociones sobre lo que debe hacer.

En este sentido, es necesario resaltar la propia formación que reciben los maestros, en la que no encuentran tampoco modelos alternativos que les permitan desarrollar otras formas de interacción con los alumnos. Como alumnos en los diversos niveles educativos, los docentes han pasado por similares experiencias, de modo que su propia actuación tiene un marco de referencia en el cuál encuentra sentido y legitimidad. Por otro lado, su formación

8   Golpear.
9   En este fragmento es también significativo que la profesora relate con naturalidad una conversación en la que resalta sólo los aspectos negativos de los niños y los califique por ellos (Uds. son así), sin mencionar sus aspecto positivos. Expresa así la visión que tiene de sus alumnos y les trasmite una imagen negativa de sí mismos, marcada por sus aspectos negativos, sin cuestionarse los efectos de estos comentarios.

pedagógica no les ofrece suficientes herramientas para enfrentar con éxito el proceso educativo en situaciones donde predomina el uso de la lengua vernácula o donde deben enseñar a varios grados a la vez. Ello los conduce muchas veces a refugiarse en estrategias tradicionales de enseñanza y a buscar un mayor control de sus alumnos a través de estrategias avaladas por la institución escolar, ante la ausencia de otras estrategias para actuar en el aula. Por último, las precarias condiciones de vida de los docentes rurales[10], lejos de estimularlos hacia un mejor desempeño, los predisponen más bien a buscar cuanto antes su traslado a centros educativos urbanos y disminuir su compromiso con la comunidad y la escuela en la que trabaja.

Sin embargo, las posiciones de los actores van cambiando y, como se aprecia en la cita de la profesora Carla, hay algunos padres que empiezan a rechazar el castigo; otros consideran que sólo ciertos tipos de castigos son admisibles, evitando demasiada dureza con los niños. Algunos profesores empiezan a evitar el uso de castigos, al comprender sus efectos perjudiciales, que lejos de contribuir al aprendizaje, lo limitan, e incluso llevan a la deserción de muchos niños. Y los alumnos, directamente afectados, tras su desconcierto, sin duda aprecian un mejor trato sobre su persona, a juzgar por sus pedidos de menos castigos y sus actitudes de resistencia y rechazo frente a ellos.

Estimular esos procesos de cambio requiere, sin embargo, de una crítica más profunda a los modelos de disciplina y organización escolar predominantes en el país y reformular los rasgos verticales y autoritarios que propician en las relaciones cotidianas entre los diversos actores del espacio escolar (profesor/alumnos; director/profesores, profesores/padres, etc.)[11].

10 Para más información sobre las condiciones de vida y trabajo de los docentes rurales ver Montero *et al.* (1999) y Tovar (1989).

11 Si bien nuestro estudio se centra en escuelas rurales andinas, el control como rasgo central de la institución escolar está presente en otros ámbitos, como se puede observar en los estudios realizados en colegios secundarios de Lima (Callirgos, 1995; Uccelli, 1998; Ames, 1998) y en escuelas primarias de Madre de Dios (Aikman, 1999). En otros países es también posible observar la presencia dominante de estos rasgos, como en los estudios de Anyon, 1981 y Solomon, 1992, entre otros, realizados en escuelas norteamericanas.

2. GUIÓN ALTERNO

Mientras el profesor dicta su clase, impone silencio, exige atención y organiza actividades, un cúmulo de pequeñas acciones que
no forman parte del guión que propone se desarrollan en el aula.
Estas acciones, que llevan a cabo los niños y las niñas en constante
interacción entre sí, constituyen también fuente de aprendizajes
diversos e involucran diversas respuestas de alumnos y alumnas
frente al poder del docente.

Al encontrarlas de modo constante en diversas escuelas, consideramos que forman parte de la cultura escolar existente y que
constituyen prácticas elaboradas socialmente por los alumnos, en
respuesta a las características y exigencias de la institución escolar.

Las interacciones que hemos podido observar entre los niños
presentan diversos contenidos. Hemos identificado por ejemplo
acciones de resistencia frente al poder del docente; momentos de
juego y conversación, que en sí mismos constituyen pequeñas
pero frecuentes transgresiones a las normas de la clase; también
encontramos conductas de adaptación al orden propuesto por el
docente; identificamos asimismo conductas de apoyo mutuo y
solidaridad, pero también otras de agresión entre pares y especialmente entre niños y niñas.

2.1. *Resistencia y transgresión*

Sin temor a exagerar, podemos decir que muchas veces las prácticas escolares resultan opresivas para niños y niñas, pues están sujetos constantemente a sanciones, llamadas de atención e incluso
castigos físicos que aseguren el cumplimiento de ciertas normas
fijadas de antemano por otros, sin contar los comentarios negativos sobre sus errores o las burlas sobre su persona. Ante ello, muchos alumnos optan por la inasistencia o la deserción escolar,
como rechazo a un orden institucional que los agrede y que avala
como legítima dicha agresión. Como señala Luykx para el caso
boliviano, "la forma más elemental de la resistencia estudiantil es
simplemente retirarse del encuentro académico. Donde la escolarización es obligatoria, se manifiesta en faltar a las clases o aban-

donar la escuela definitivamente" (1997:210). En las escuelas rurales peruanas podemos encontrar efectivamente altos índices de deserción[12].

Asimismo, la asistencia de los alumnos se caracteriza por su irregularidad, que si bien tiene que ver con otros factores ligados a la demanda laboral hacia el niño y las necesidades de la familia rural, no deja de tener un elemento de resistencia por parte del niño, que prefiere realizar otras actividades antes que ir a la escuela. Hemos encontrado en las escuelas estudiadas varios niños que dejaron de ir definitivamente porque habían sido castigados frecuentemente y otros que faltaban por la misma razón[13]. Si bien esta constituye una forma extrema de resistencia (en el sentido de que simplemente se abandona, es decir, se rechaza), existen otras que tienen lugar en el espacio mismo del aula y que se expresan de varias maneras.

En general, estas formas de resistencia tienen que ver con la transgresión de las normas exigidas por el profesor a distintos niveles. Tenemos situaciones, por ejemplo, en las que mientras el profesor corrige la tarea grupo por grupo, una alumna o alumno va cambiando de grupo para que el profesor no revise su cuaderno y no note así que no hizo la tarea; también hemos observado la desobediencia explícita y camuflada a una orden del profesor; en otras ocasiones, pequeñas trampas de los niños para afrontar con éxito su salida a la pizarra: los compañeros "soplan" la respuesta mientras el profesor sale unos minutos del aula; incluso hemos visto niños alterando los números de la suma que debían resolver

---

12   Los datos del Censo Nacional de 1993 muestran un alto déficit de atención en las zonas rurales: 24% de las niñas y 19 % de los niños en edad escolar no asisten a la escuela; entre los niños que trabajan en el campo se encuentran los niveles más altos de deserción: 55%. Fuente: INEI (1993) Censos nacionales de población y vivienda; INEI (1995) Atraso y deserción escolar en niños y adolescentes.

13   Las causas de la deserción escolar y la asistencia irregular en el campo tienen que ver con varios factores asociados, que no nos detendremos a examinar en este ensayo. Al respecto puede consultarse el informe final del proyecto "La exclusión educativa de las niñas del campo: dimensiones, causas y modalidades de atención", coordinado por Carmen Montero y el capítulo 7 en Montero et al., 1999.

en la pizarra a fin de hacerla más sencilla: como el profesor salía y entraba constantemente del aula, no se percató del cambio.

A la par de estas acciones, los niños y niñas están constantemente incumpliendo la norma de silencio e inmovilidad que el profesor se esfuerza por mantener: se paran, caminan, van hacia la carpeta del vecino, conversan entre ellos, ya sea en su sitio o fuera de él, intercambian objetos (lápices, borradores, colores), hacen bromas entre ellos. Aunque las interacciones son cortas, se repiten varias veces a lo largo de la clase, por lo cuál hay un constante movimiento y murmullo durante toda la jornada. Por ello también las llamadas de atención los pedidos de silencio por parte del profesor son repetitivos y constantes. En momentos en que la llamada de atención es más fuerte o se recurre al castigo, el silencio vuelve a reinar, pero luego de algún tiempo vuelven a producirse estas interacciones.

Así, durante el desarrollo de la lección, los niños se involucran momentánea pero frecuentemente en interacciones que transgreden la orden de atención y dedicación exclusiva al ejercicio propuesto. En algunas ocasiones, incluso, se ponen a jugar dentro del aula, aprovechando que el profesor sale unos minutos o que no está pendiente de ellos, mientras escribe en la pizarra o corrige los cuadernos de otro grupo.

Los varones suelen ser quiénes mayores desplazamientos y ruidos realizan, es decir los que más se apropian del espacio y hacen públicos sus movimientos y su voz, captando así gran parte de la atención del docente[14]. Las niñas tienen mayor cuidado, lo cuál no significa necesariamente pasividad, sino otro tipo de estrategias. Y es que las niñas se enfrentan tanto al poder del profesor/a, (que de alguna manera puede ser más permisivo con com-

---

14 Canaan (1990) señala que las estrategias verbales de resistencia como contar chistes, hacer bromas, son más frecuentes entre los varones de las aulas que ella observa en Finlandia e Inglaterra. Sin embargo, cuando hay un mayor número de niñas y donde la cooperación entre ellas convierte la clase en un espacio más seguro, recurren también a este tipo de acciones. Hemos podido notar situaciones parecidas en las escuelas observadas, donde las niñas generalmente optan por un perfil bajo, con algunas excepciones allí donde el grupo de niñas es más numeroso y cohesionado.

portamientos de los niños que atribuye a lo masculino) como a la sanción de sus compañeros varones.

Esto es más evidente en la participación oral pública. Ante las preguntas colectivas del profesor para la clase, los varones contestan gritando y es raro escuchar una voz femenina en el conjunto. No es que las niñas no respondan, pero lo hacen en voz más baja. Cuando se trata de preguntas dirigidas, algunas niñas no contestan o se tapan la cara en un gesto de timidez. En un aula, por ejemplo, ya casi al final de la clase, la profesora dirige una pregunta a una niña de 6° grado. Desde atrás, un niño dice "Ellas no hablan", refiriéndose al grupo de niñas de 5° y 6° que se sientan juntas. La profesora desmerece el comentario diciendo que todos pueden hablar, pero luego se dirige a un niño para que responda la pregunta.

Aunque se tiende a considerar que las niñas presentan un comportamiento más "pasivo" en el aula, es necesario cuestionar a qué estamos llamando pasividad. Luykx (1997), al estudiar diversos contextos educativos en Bolivia, señala que el silencio (de las mujeres) constituye una elección de no interactuar, una respuesta activa, momentánea (y segura) a las condiciones opresivas del aula.

"la condición del silencio no necesariamente implica una ausencia de voz o de identidad o la incapacidad de expresarse. Las personas que están subordinadas por ser quienes son dentro de ciertos arreglos de poder, a veces eligen no hablar, no abrirse o revelar sus experiencias y pensamientos a los que están distintamente ubicados" (Walsh, cit. por Luykx, 1997)

Por otro lado, Gordon (1996) llama la atención sobre la "generización" de conceptos como actividad y pasividad en el aula, medidos a través de criterios corporales. En efecto, si en la escuela se espera que se adquiera un determinado comportamiento corporal y verbal, nos dice, ¿por qué una niña que se sienta tranquila se considera pasiva o conformista? Al tomar esta actitud, esta niña controla su cuerpo, sus impulsos, sus deseos, toma una decisión activa sobre su comportamiento.

Observemos por ejemplo al grupo de niñas de 5° y 6° de Nanay. Este es el grupo de niñas "exitoso" de la escuela. Han logrado llegar hasta el final de la primaria, algo que muchas niñas no lograron en su comunidad. Hemos compartido con ellas prácticamente los tres últimos años de su estadía en la escuela y en el camino hemos visto como otras abandonaban sus estudios y desertaban del sistema escolar. Ellas mientras tanto, se fueron afirmando ante la mirada de la profesora como buenas alumnas, aprendieron las reglas de juego de la escuela y desarrollaron sus propias estrategias de defensa y prestigio frente a los niños (se sientan todas juntas, adelante y constituyen un grupo compacto) y frente a la profesora. De todo el grupo que conforma este salón, fueron las que menos llamadas de atención recibieron a lo largo de una semana (sólo una) y no estuvieron sujetas a ningún castigo.

No creo que debamos atribuir su éxito a la pasividad. Más bien, han sido muy activas en adaptarse a las condiciones del aula. Tienen al menos 6 años de experiencia en la escuela, que han sabido aprovechar para enfrentarse en mejores términos con este espacio. Las pequeñas July y Eduarda (4°), en el mismo salón, son molestadas constantemente por sus compañeros, se sientan las dos solas al final y sus frecuentes quejas a la profesora no suelen llegar a los oídos de ésta. Tienen menos experiencia que sus compañeras mayores y son, con mayor facilidad, blanco de las molestias y bromas pesadas de los varones de su grupo.

Encontramos pues una tensión constante entre los imperativos del profesor y las contrarrespuestas de los niños, que juegan a transgredir las normas, de manera más sutil que explícita, puesto que finalmente están expuestos a la sanción represiva del docente. Este juego evita una confrontación o cuestionamiento directo a la autoridad del profesor, ya que en última instancia todos saben que él o ella puede hacer uso en cualquier momento del castigo o la sanción y nadie quiere, evidentemente, recibirlos. Por ello tampoco es raro encontrar la actitud inversa, es decir, más que resistencia, adaptación o acomodo a las reglas de juego de la clase.

2.2. Adaptación

Sin duda, como señala Canaan (1990), la disciplina en las escuelas
no es posible sin una gran proporción de estudiantes que aceptan
las reglas o la necesidad de seguirlas. Es por ello que encontramos también una serie de estrategias de acomodo de los niños y
niñas a las normas que rigen el espacio escolar, cuya transgresión
implica consecuencias desagradables para ellos.

La obediencia a las indicaciones del profesor forma parte de
estas estrategias: el mantenerse silenciosos cuando lo indica, el
evitar movimientos, el guardar el orden y la conducta pautados
por la escuela. Pero también el vigilar que los demás lo hagan.

Hay, por ejemplo, la conducta muy extendida en las aulas de
acusarse mutuamente: si el profesor dice que todavía no deben
copiar, y algún niño o niña lo hace, otro lo denunciará, acarrean-
do alguna llamada de atención o castigo sobre el agresor. De la
misma manera, si alguien está terminando de hacer su tarea en el
momento de la revisión, se le pone en evidencia ante el profesor.
Otras veces, se acusa que tal niño está hablando o se ha parado o
no está haciendo lo que debería hacer. Las acusaciones evidencian una complicidad alumnos-profesores en el orden que éste
propone, en la medida que delatan transgresiones a las normas y
se ponen más bien del lado de éstas.

Otra expresión de la adaptación de los niños a las normas escolares se da a través de la adopción de ciertas formalidades en el
trabajo del aula. Estas formalidades se refieren, entre otras, a la
presentación de los cuadernos, a un estilo determinado que el
profesor exige como parte de un buen trabajo. Por ejemplo, mantener el cuaderno limpio y ordenado, trabajar con lapicero rojo y
azul, usar regla para dibujos y recuadros, etc. Los alumnos que no
trabajan de esta manera son considerados malos alumnos. Los
buenos alumnos por el contrario son aquellos que tienen un buen
cuaderno. Obviamente, no es éste el único criterio para determinar quién es un buen alumno, pero es interesante notar cómo los
niños y niñas se esfuerzan por cumplir con estos "requisitos formales" para afirmarse positivamente frente a la mirada del profesor. Esto se nos hizo más evidente al comprobar que una de las
cosas que diferenciaba al grupo de alumnos de 3°/6° en Nanay

hace dos años y el grupo actual, era justamente su cuidado en la presentación y orden de sus cuadernos, siendo los segundos quienes más cuidado ponían en este aspecto. No es casual entonces que la profesora considere mejor a este último grupo: sus expectativas, de alguna manera son mejor respondidas, aun en aspectos tan sencillos como éste que, sin embargo, no carecen de importancia. Niños y niñas se apoyan mutuamente para desempeñar su trabajo escolar bajo estas exigencias: ante la escasez de recursos para que todos tengan materiales completos, se prestan lapiceros, reglas, borradores, colores, etc. Ésta es una de las muchas formas en que los niños se prestan apoyo mutuo, que es lo que veremos a continuación.

2.3. Solidaridad vs. agresión

"Préstame tu pinturita", *"préstame tu borradorcito"*, *"hazme mi dibujito"*. A lo largo de la clase, los niños recurren unos a otros para desarrollar su trabajo: se prestan útiles, miran los cuadernos de sus compañeros para saber cómo deben hacer la tarea, se consultan o corrigen mutuamente, resuelven juntos los ejercicios, o los copian del que sabe hacerlos. Cuando salen a la pizarra y no pueden resolver los ejercicios, sus amigos desde las carpetas les "soplan" las respuestas. Si los profesores se percatan de ello, les llaman la atención e insisten en que deben hacerlo solos. Sin embargo, es notorio que los niños y niñas suelen apoyarse mutuamente para salir airosos de la tarea encomendada. Y aunque algunas veces recurren a estrategias como copiar y "soplarse", muchas otras el apoyo que se brindan les permite reforzar su aprendizaje: cuando se consultan, sobre lo que deben hacer, o cuando resuelven juntos los ejercicios, van aprendiendo unos de otros.

Esta situación, que es posible observar en otros contextos escolares, muestra que efectivamente los niños aprenden no sólo a través del profesor, sino también al interactuar entre sí. Por ello Vásquez y Martínez (1996) señalan la conveniencia de dejar espacios en el proceso educativo donde los pares puedan interactuar entre sí. Esto les posibilita un mejor aprendizaje, si entendemos que el aprendizaje es un evento social dinámico antes que exclusivamente interno e individual (Danielewicz, Rogers y Noblit, 1996). Esta interacción entre pares tiene además una gran importancia afectiva.

La dimensión afectiva está presente no sólo en el apoyo que los niños se brindan en el aprendizaje y la adquisición del conocimiento escolar propiamente:

Notas de campo: en el recreo Tb99

"Un niño de primer grado camina llorando por el patio (se cayó? se golpeó? se peleó?); a su lado caminan otros dos niños que lo van abrazando y consolando hasta que se calma"

Esta imagen de afecto, apoyo y consuelo la hemos observado con distintas variaciones: niños que caminan abrazados, niñas que caminan de la mano. Los niños son afectuosos entre sí, y las niñas también demuestran y expresan su afecto unas con otras. En muchas ocasiones este afecto se expresa en la defensa mutua cuando alguien intenta molestar o agredir. Los pares son así un soporte en el proceso del aprendizaje, tanto en la dimensión cognitiva como en la afectiva, de modo que el apoyo que se brindan mutuamente les permite una mejor relación con el espacio escolar.

También existe entre ellos una gran predisposición a compartir: sus útiles, sus objetos, incluso sus alimentos, actitud que es estimulada también por los docentes. Si un niño no llevó su taza para recibir el desayuno escolar, no faltará alguno que le preste su taza una vez terminada su ración. Las niñas mayores que tienen hermanos pequeños, comparten con ellos la ración del desayuno. Y cuando no existe desayuno y los niños llevan algo para comer, se sientan en grupos para compartir entre todos lo que han traído.

Muchas de estas actitudes de solidaridad y compañerismo tienen sus raíces en la propia cultura de los niños, en la que el compartir y la reciprocidad dentro del grupo son valores sociales muy importantes. Al compartir la comida, por ejemplo, los niños reproducen una práctica social muy frecuente entre los mayores cada vez que éstos se reúnen para una actividad colectiva.

La posibilidad que brinda la escuela como espacio de encuentro entre pares es por ello muy valorada entre los niños y niñas, especialmente en lo que se refiere a los espacios recreativos que ofrece: el recreo, antes de entrar y al salir de las clases. Son momentos en que los niños y niñas tienen un tiempo libre para interactuar entre sí, jugar, conocerse. En algunas comunidades estos momentos son escasos para los niños fuera de la escuela, pues tienen a su cargo una serie de tareas domésticas qué realizar y están en contacto mayormente con su familia, y no tanto con otros niños que no sean sus hermanos. Existen algunos espacios de encuentro entre pares como el pastoreo, si es que pastan en las mismas zonas, o el trabajo en la chacra, pero en muchas comunidades este espacio está limitado por las actividades que deben realizar y que deja escaso margen para el juego.

Sin embargo, las relaciones entre los niños y las niñas si bien tienen un fuerte componente de apoyo y solidaridad mutuas, no están exentas de conflicto y agresión entre los mismos pares. Así, aunque la escuela pueda significar un espacio de encuentro atractivo para muchos niños y niñas, puede también ser un espacio peligroso y amenazante, en el cuál se sienten muy vulnerables no sólo por los castigos que el profesor pueda imponerles, sino también por la agresión de sus mismos compañeros, especialmente para los más pequeños y las niñas en general.

"Mario golpea con su lapicero en la cabeza de Juana"; "Roger patea a Sandro"; "dos niños se pelean"; "es frecuente ver a los niños pegándose, empujándose, jalonéandose, dándose patadas"; "Marcos le quita su cuaderno a July, la golpea en la cabeza con él y lo pasa de mano en mano hasta la fila de adelante; July se para y va a recoger su cuaderno"; "un niño llora porque le han roto su lápiz"; "Marta escribe mal los números en la pizarra y los niños se ríen de ella"; "tres niños se ponen a pelear y dos de ellos terminan escupiéndose"

Todos estos breves fragmentos extraídos de observaciones de aula en distintas escuelas nos dan una idea de las agresiones que se producen entre pares: golpes, burlas, insultos, cuadernazos, lapicerazos, patadas, útiles extraídos o estropeados, acusaciones ante el profesor, etc., son las diversas y frecuentes formas que adquieren las agresiones entre los niños y niñas. No son pequeñas travesuras, pues muchos niños terminan llorando, otros molestos y heridos, algunos muy avergonzados ante la burla. Así como el apoyo puede ser estimulante para enfrentar mejor el espacio escolar, este tipo de agresiones resultan muy negativas para los niños y niñas. Como señalan Danielewicz, Rogers y Noblit (1996) las palabras o acciones poco amables de los pares pueden ser tan devastadoras para un niño (si no más), como aquellas del profesor.

Por ello resulta central atender la forma en que estos pequeños conflictos son manejados por el profesor o profesora o las herramientas que brinda a los niños para solucionarlos entre sí. Ya hemos visto cómo el profesor soluciona los conflictos que transgreden directamente sus indicaciones: mediante la sanción. Cuando se trata de conflictos en las interacciones horizontales (entre pares), hemos observado diversas respuestas. En muchas ocasiones, tales conflictos se producen sin que el profesor se percate de ellos, aun cuando la mayor parte tiene lugar durante la clase y aunque las víctimas denuncien a los agresores. Pero muchas veces el profesor no escucha estas quejas, al estar ocupado en la pizarra o en otro grupo. Cuando escucha las acusaciones o se da cuenta de una pelea, sanciona a los culpables llamándoles la atención para que dejen de pelear o molestar o los castiga. Pero algunas veces su reacción es también la indiferencia.

Elton llora y sangra por la nariz: sus compañeros de primer grado lo han golpeado. Acompañado de un niño va a lavarse la cara. Cuando regresa, el profesor ya está en el aula y Winston lo señala para decir: "Profesor, el Santiago y el Raúl le han pegao". P: "¿Sí? ¿Con qué? ¿Con goma?" Winston contesta: "No, estaban los tres sentados y le pegaron, le han sacado sangre de la nariz". El profesor sólo responde "Hay que pena, cuidado le salgan las tripas por ahí y se muera", antes de pasar lista para empezar la clase.

Ante la indiferencia del profesor, es lógico pensar que Elton, como muchos niños y niñas cuyas quejas no son oídas o cuyos problemas no son atendidos, se sentirá indefenso y vulnerable en el espacio escolar. Lejos de convertir el aula en un espacio más seguro, la indiferencia del profesor/a demuestra la poca importancia que le merecen los problemas de los niños y en última instancia, los mismos niños. Es más, avala con su actitud la conducta de los agresores.

La ausencia de una reflexión o acción dirigida a cuestionar las conductas agresivas o burlonas entre pares es muy generalizada entre los docentes, que se limitan a dar una sanción, una llamada de atención o simplemente a ignorar el problema, pues consideran que es normal que los niños actúen así. Otros incluso proponen como herramienta de defensa para los niños responder a la agresión con otra equivalente, con lo cuál no cuestionan la agresión en sí, sino que fomentan su uso como estrategia defensiva.

Notas de campo - NN99

Durante el recreo, la profesora de 1º/2º acompañada de uno de sus alumnos que está llorando, llama a Renzo (4º). Una vez que lo tiene enfrente, incita al pequeño que llora a que lo golpee. El niño está llorando y demora en hacerlo, Renzo espera tranquilo el golpe hasta que el niño le da un puñete sin mucha fuerza. Renzo lo recibe y se va sonriente, se nota que no le dolió. Más tarde pregunto a las profesoras por esta escena. Me explican que Renzo había golpeado al niño, por eso lloraba, y por eso también la profesora lo llamó para que el pequeño le devuelva el golpe. "Les decimos a los niños que igual les hagan, para que ya no les molesten"

Un último elemento que debemos señalar es que las conductas agresivas entre los niños y niñas son más frecuentes en las escuelas con mayor población y diferenciación, las que generalmente presentan una mayor tensión como característica del ambiente escolar. Es en la escuela de pueblo, por ejemplo, donde más situaciones de agresión hemos registrado entre los niños. Se trata de una escuela donde se encuentran niños del pueblo con otros provenientes de comunidades y donde la diferencia se percibe con connotaciones negativas, traduciéndose en el maltrato y la marginalización de un grupo por otro (los niños del pueblo hacia los de las comunidades, más indígenas y campesinos). Esta marginalización es reforzada incluso por los profesores, que muestran menos expectativas hacia los alumnos provenientes de comunidades.

En las escuelas más pequeñas, ubicadas en las mismas comunidades, también encontramos conductas agresivas entre los niños, pero suelen presentarse con menor intensidad que en aquellas de mayor tamaño y diferenciación. Sin embargo, en las pequeñas escuelas, como en las grandes, notamos una persistente marginalización de las niñas.

2.4. Las relaciones entre los niños y las niñas

La distribución espacial en las aulas suele mostrar una separación entre niños y niñas. Si bien están sentados usualmente de acuerdo a su grado, las niñas del mismo grado suelen sentarse cerca unas de otras y los niños también. A la hora del recreo es más evidente esta separación: los niños juegan entre ellos y las niñas se relacionan preferentemente con otras niñas. Hay una clara separación entre los grupos de niñas y niños que, no obstante, se relacionan entre sí. Sin embargo, esta relación está atravesada de una tensión que transita rápidamente del juego a la agresión. Los niños se divierten molestando a las niñas: les quitan sus cosas, las hacen objeto de bromas, insultos o burlas, a veces les dan algún golpe con la regla, el cuaderno o las manos. Las niñas suelen responder a estas agresiones con golpes similares, ignorando a los niños o quejándose ante la profesora, que rara vez interviene. Cuando constituyen un grupo más grande, ellas también molestan a los niños, que siempre toman la iniciativa para fastidiarlas: los insultan o se burlan de ellos en grupo, de la misma manera que lo hacen los niños. Muchas veces estas acciones parecen más bien un juego y entre los niños mayores incluso una especie de coqueteo, en la medida en que establece una relación entre el niño y la niña involucrados.

Sin embargo, hay una fuerte dosis de agresión en estas interacciones de parte de los niños hacia las niñas. Las niñas terminan visiblemente molestas de tantos ataques, a veces avergonzadas cuando se burlan de sus errores y finalmente adoptan actitudes defensivas al enfrentar la relación con los niños. Hemos podido verlas cargando sus chuspas durante el recreo, para evitar que los niños las hurten y saquen sus cosas, quejándose reiteradamente a la profesora de que las molestan, evitando relacionarse con los niños para no ser blanco de sus ataques. También las hemos visto responder a estos ataques en los mismos términos y especialmente cuando son un grupo numeroso, entablando así una franca competencia con los niños.

Dentro de las acciones de los niños notamos muchas veces intenciones de control sobre las niñas y actitudes de menosprecio de sus habilidades en el aula. Por ejemplo, cuando se burlan públicamente de sus errores, cuando dicen que "ellas no saben", que "son brutas", que "son analfabetas", que "no hablan", para que la profesora y los demás escuchen. Cuando las niñas se defienden no han faltado insultos, como "machorra", para indicar que esa actitud es más bien masculina y que no deberían reaccionar así. En estas interacciones podemos encontrar una práctica activa de marcar y sancionar los comportamientos supuestamente "correctos" que corresponden a cada género. Incluso las apariencias, como aquella niña que por cortarse el cabello muy corto recibió las burlas de varios compañeros que la molestaban diciéndole "varón, varón".

Profesores y profesoras rara vez intervienen en los conflictos que se producen entre niños y niñas, y sólo sancionan con una llamada de atención para que dejen de molestar o hacer desorden, pero no abordan el problema en sí mismo. Más bien, muchos lo refuerzan al pedir a las niñas servicios correspondientes a "lo que las mujeres hacen", al ser más duros con ellas y al reforzar una idea de competencia en la que deberían ganar siempre los varones. Por ejemplo, al hacer carreras de saltos en la clase de educación física, las niñas lograban llegar más lejos que los niños y aunque éstos no estaban preocupados al respecto, el profesor los alentaba para que lo hagan mejor diciendo que no podían dejarse ganar por las niñas ("*No se van a dejar ganar! ¿No les da vergüenza?*").

En otra escuela, en una primera visita, el profesor fue muy duro con unas niñas que miraban un libro, quitándoles el libro al entrar con la visitante y diciendo que a las visitas hay que atenderlas. Más tarde hizo ejemplos demostrativos de su trabajo y para ello hizo participar a dos varones, aunque había más niñas que niños en el aula. Al momento de pedir una silla para la visitante, se la pidió a una niña aunque había varones cerca también. Varias situaciones como las descritas nos dejó la sensación de que las niñas estuvieran ahí para atender, para servir, al menos en la actuación de los profesores, si bien ya no en su discurso. Cuánto de esto refuerza o crea las actitudes de sanción y control de los niños hacia las niñas es parte de una discusión que escapa a este documento, pero tiene innegablemente una influencia en ellas. Sin embargo, a pesar de las pocas expectativas académicas de algunos profesores en las niñas, algunas de ellas logran sobresalir y sin duda encuentran en su éxito académico elementos para una mejor visión de sí mismas y para enfrentar mejor al grupo de los niños, como pudimos ver en el caso de las "exitosas" de Nanay.

El examinar las prácticas sociales que alumnos y alumnas elaboran en la escuela complementa la primera parte de este artículo, que trata las relaciones de autoridad a partir del docente y las normas institucionales. Con ello tenemos un cuadro más completo de la dinámica de las relaciones de poder en el marco de la cultura escolar.

A partir de él podemos notar que, frente a las exigencias de sometimiento y obediencia y las prácticas de control que se dan en el espacio escolar, los niños y niñas no cumplen un papel pasivo. Por el contrario, son muy activos en elaborar sus propias estrategias de resistencia y también de adaptación, en rechazar y aceptar las exigencias de los profesores y de la institución. De igual manera, en las interacciones que desarrollan entre pares, nos muestran su papel activo en construir alianzas, brindarse apoyo mutuo, pero también sancionar y reproducir relaciones diferenciadas, como aquellas que se dan entre varones y mujeres.

3. LA DIFERENCIA EN EL ESPACIO ESCOLAR

En esta parte nos interesa explorar el lugar de la diferencia en el espacio escolar rural, cómo se considera y maneja. Hemos elegido desarrollarla por separado, aunque está estrechamente vinculada con las relaciones de poder que se establecen, pues sus fundamentos también son la visión, los prejuicios y las ideas que los docentes y la escuela manejan en relación a los niños y niñas que educan y los grupos sociales a los cuáles pertenecen.

Asimismo, intentaremos abordar tres elementos que se resaltan como relevantes para los comportamientos políticos, como son la identificación social o personal con determinado grupo (social, cultural, étnico); los roles sociales que se espera de los niños con énfasis en las diferencias entre niños y niñas y finalmente las habilidades individuales que la escuela permite adquirir y que son útiles para la participación política, con énfasis en la lectoescritura y la adquisición del castellano.

Escuela, ciudadanía y diferencia

El lugar de las diferencias (étnicas, sociales, de género) constituye un punto central en el debate sobre el desarrollo de la ciudadanía. Si en su momento originario, el Estado Nación requería la construcción de individuos modernos abstraídos de sus características particulares, puso en el sistema educativo formal la tarea de contribuir a ello. Efectivamente, el sistema educativo formal asume características neutrales para sus "pupilos", los recibe como individualidades con oportunidades iguales, al menos formalmente (Gordon, 1996). Pero en la práctica, se trata de sujetos diferenciados y esta tensión salta a la vista en el espacio escolar.

Durante largo tiempo, la importancia de la etnicidad, la clase o el género ha sido negada por las escuelas, los profesores y el curriculum oficial. Sin embargo, al mismo tiempo, consciente o inconscientemente, éstas han sido usadas por las escuelas y los profesores como una explicación tanto para el éxito como para el fracaso escolar.

Así, por un lado, se desconocen las diferencias al tratar de "atender a todos por igual". Pero ello implica poner a un lado las particularidades y necesidades precisas y diferenciadas de atención que tales diferencias requieren. Por otro lado, las diferencias se hacen presentes en la práctica escolar en la forma en que los profesores tratan a los alumnos y cómo los ven, influenciando fuertemente el curriculum y la pedagogía (Nieto, 1997).

Más aún, como señala Gillborn (1990), lo que los profesores esperan de sus alumnos tiene como base un conjunto de supuestos cuyas raíces se encuentran en el estilo de vida y la cultura de los profesores, evidenciando el etnocentrismo que reside en la base de la relación. Es por ello que los profesores blancos de las escuelas multiculturales estudiadas por el autor interpretan un estilo de comportamiento basado en la etnicidad de sus alumnos como inapropiado para la escuela, revelando una tendencia más general a devaluar lo que no se conforma con las expectativas del docente.

Estas reflexiones, desarrolladas por la literatura anglosajona en contextos escolares multiculturales, resultan pertinentes en el espacio escolar que nos ocupa. El profesor tiene el mandato de enseñar un determinado contenido, y en cierta forma, ambos están diseñados para un alumno "standard" (ideal? real?). En la medida en que los niños y niñas rurales no son considerados parte de ese standard, debido a sus características étnicas, culturales, lingüísticas, sociales o de género, que los hacen "diferentes", es posible explicar su fracaso, justificar los errores del profesor o de la escuela para lograr el aprendizaje y afirmar una visión devaluada del alumno y (más aún) la alumna rural.

3.1. Los profesores y su visión de los niños

Entrevista Profesora E:

PA: ¿Dónde le gustaría trabajar?
PE: Bueno, en zonas urbanas, porque yo me he preparado para trabajar con los niños, para enseñar. A veces yo misma me siento mal, porque al principio, por ejemplo, yo me vine con unas ganas de trabajar, porque yo estaba practicando ahí con niños castellano-hablantes, entonces todo lo que yo me programaba lo lograba, pero acá no se da eso, a veces el mismo hecho que se les tiene que hablar en quechua, en la lectoescritura fallan, entonces no me siento satisfecha yo con eso. Yo quisiera que mis alumnos pues aprendan rápido ¿no? y ver el fruto de mi trabajo también en ellos. Pero no se ve así, y no es el único lugar que... o sea yo... no soy la única que siente eso, somos muchos profesores en zonas rurales que deseamos trabajar, pero con estos niños prácticamente nos desilusionan (...)

... quieren que aquí a los niños se les escriba en la pizarra, copiar de la pizarra, pero lo que tenemos que hacer con ellos es dictar, que ellos mismos ¿no? aprendan rápido, pero no se da aquí. Tardamos mucho en que los niños abstraigan bien, aprendan bien. Y como te digo no me siento bien trabajando aquí, es diferente, es otra realidad.

La visión del alumno basada en la etnicidad puede llevar a rótulos negativos o positivos[15]. Pero en el caso de las escuelas rurales de la sierra que nos ocupan, encontramos más bien la etiqueta negativa. La profesora entrevistada llevaba trabajando 4 años en la escuela cuando hicimos esta entrevista. Tenía menos de 30 años, provenía de la capital departamental, estudió en un instituto pedagógico, era casada y tenía un bebé de meses que llevaba consigo a la comunidad, donde permanecía de lunes a viernes. No hablaba quechua cuando llegó a la comunidad, los niños le enseñaron.

Como ella misma dice, no es la única que piensa que es un problema enseñar a niños campesinos quechuahablantes. La afirmación más común que hemos oído entre los profesores rurales es que "los niños en el campo no aprenden como en la ciudad". Incluso en lugares donde los alumnos son castellanohablantes, encontramos esta misma percepción.

Sin embargo, no debemos descartar el aspecto de la etnicidad en las palabras de la profesora citada. Da por sentado que sus alumnos aprenden menos, más lento, que hablarles en su lengua es un impedimento para que aprendan a leer y escribir en otra (que no manejan), pero que no tiene alternativa: para que la entiendan debe hablarles en quechua. En sus palabras es claro que el problema está en los niños, en sus características (campesinos, indígenas, quechuahablantes). Está desilusionada de estos niños, les cuesta tanto aprender... es como si fueran alumnos de segunda categoría... sin embargo, estos mismos niños han sido capaces de enseñarle a hablar quechua.

Mirando más ampliamente la relación de Elia con sus alumnos, podemos notar otros elementos de su concepción sobre ellos. Ya habíamos visto a algunas niñas cargando por turnos a su bebé, cuidándolo mientras ella conversaba en el patio con nosotros. De pronto, tras discutir en quechua con una niña de 4° grado, se voltea a decirme que ya no quiere acompañarla a la ciudad el fin de semana. Al principio no entiendo, hasta que me comenta que se la

---

15 Un ejemplo de esto último puede apreciarse respecto a la habilidad con las matemáticas de los alumnos de origen asiático (especialmente japonés), tanto en los Estados Unidos (Nieto, 1997) como en el Perú.

había llevado varias veces a su casa a cuidar al niño. Pero Marle ya no quiere ir: sus compañeros la molestan diciéndole "empleada" y ella se ha negado a seguir yendo. La profesora fastidiada y sin comprender su negativa a pesar de las burlas que ella misma me cuenta, me dice que Vale, otra niña, si quiere ir, pero ella prefiere a Marle, porque Vale va para sentarse a mirar televisión toda la tarde y no cuida bien al niño.

En este caso la profesora proviene de un medio provinciano, mestizo y urbano. Se siente y se comporta como diferente a sus alumnos, los trata de manera distante, y por los servicios que les pide es notorio que no los considera exactamente "iguales". Sin duda, este comportamiento tiene sus raíces en las relaciones sociales que históricamente se han dado entre la población mestiza e indígena de la sierra sur, y muestra cómo en la escuela se reflejan las tensiones de la sociedad a la que pertenece.

Al mismo tiempo, la propuesta institucional permite la reproducción de estas actitudes al intentar obviar las diferencias existentes en el espacio escolar, como si no existieran, como si la relación entre profesores y alumnos pudiera abstraerse de ellas. El modelo de disciplina y control permite además la reproducción de relaciones de poder desiguales que adquieren, además, una legitimación social en la diferenciación de los grupos sociales a los que pertenecen, alumnos y profesores.

Esta "visión" de la profesora sobre sus niños no cambió mucho en los dos años siguientes. En una visita posterior, pude notar que aunque ya no les pedía a las niñas que cuiden a su hijo, pues ya estaba más grande y se desenvolvería bastante bien solo, solía pedirles que le laven las ollas o los platos. Las niñas seguían resistiéndose, nuevamente diciendo que sus compañeros las molestaban llamándolas empleadas. En vez de lavar sus ollas, la profesora les exigía que le dijeran quiénes las molestaban para castigarlos.

Este año, sin embargo, la profesora estaba más contenta con sus alumnos, "están mejor", me comentó casi al llegar, "están avanzando bien", "ahora sí nos estamos entendiendo". Efectivamente pude ver que los alumnos de los grados superiores cumplían más con las tareas, se adaptaban mejor a las exigencias de la profesora, eran más ordenados y atentos en su trabajo. Nadie ha

blaba castellano, pero al parecer lo entendían mejor. Especialmente el grupo de las niñas "exitosas" de las que ya he hablado.

Comparándolas con el grupo anterior, de las cuáles la gran
mayoría desertaron antes de concluir la primaria (sólo una aprobó el 6° grado), las "exitosas" tienen a su favor varias cosas: viven
cerca de la escuela, cuentan con una estructura familiar completa
(ambos padres), tienen menor demanda laboral hacia ellas (no tenían ovejas a diferencia de las otras) y por consiguiente disponen
de más tiempo libre; demuestran un mayor interés por la escuela,
ya sea por la motivación que reciben de sus padres o porque han
encontrado en ella algo que las atrae y tienen varios años de diferencia con sus hermanos varones, más pequeños, y de esa manera
no entran en competencia por los recursos que requiere la escuela. Es decir, se encuentran en una situación más ventajosa para
cumplir con los requerimientos de la escuela que el grupo antecesor. Adicionalmente, Elia había sido su profesora durante varios
años (al menos 4), de modo que ya tenían una larga relación con
ella. Y como ya mencioné, varios años de permanencia en la escuela las había dotado de mejores estrategias para enfrentar el
ambiente escolar, entre ellas el haberse consolidado como grupo.

Pero las causas que atribuía la profesora a este mejor rendimiento de sus alumnos y alumnas no dejaron de sorprenderme:
se refirió a un mayor rigor de su parte y a la aplicación de castigos. "Antes yo misma no les revisaba las tareas, me olvidaba".
Ahora sí revisa cada día las tareas del día anterior y castiga a los
que no las hacen, con lo cuál ella señala que han empezado a ser
más cumplidos y son pocos los que no las hacen. "Ellos son así, al
rigor", me dice, expresando nuevamente su convicción en el uso
del castigo para mejorar el rendimiento y cumplimiento de los niños. Lo que nos ilustra sobre cómo una buena parte de las relaciones de poder que se establecen en las escuelas rurales, tendría sus
bases en los prejuicios de los docentes respecto a la condición social, cultural y étnica de sus alumnos.

La experiencia positiva con este último grupo ha cambiado en
algo la percepción de la profesora respecto a las limitaciones de
sus alumnos, permitiéndole descubrir que eran algo más capaces
de lo que pensaba inicialmente. Sin embargo, las causas que atribuye a este cambio siguen teniendo como base una visión deva-

luada de sus niños: sólo aprenden al rigor, a través de castigos y "con mano dura". Sólo al final, agrega que ahora hay más confianza con los niños.

En las apreciaciones y comentarios de varios profesores, podemos notar la existencia de prejuicios negativos hacia los alumnos rurales en general y más aún hacia los alumnos rurales indígenas. Son considerados prácticamente alumnos de segunda categoría: lentos, difíciles, problemáticos, flojos. Lo que los profesores piensan de sus alumnos, su visión de ellos, es algo que se transmite en sus gestos, en sus palabras, en sus bromas ...y que, tal vez, los puede convencer de que efectivamente, así son.

3.2. El "problema" de la lengua materna

La visión de la lengua vernácula de los niños como un obstáculo para su aprendizaje, es compartida por varios de los maestros rurales en escuelas de población quechuahablante. Sólo en aquellos docentes que son hablantes maternos de la misma lengua, o cuyo origen social y cultural es más cercano a los niños encontramos una percepción más positiva y una menor distancia con sus alumnos. Sin negar la necesidad y el derecho que tienen estos niños de adquirir un dominio del castellano (y que es lo que esperan sus padres de la escuela), muy pocos maestros se cuestionan por las deficiencias metodológicas y pedagógicas de enseñar a leer y escribir, a sumar y restar en una lengua ajena a los niños, por lo menos en sus primeros grados.

Al respecto, si consideramos la aproximación sociolingüística, que considera la clase como un sistema social donde lo que se aprende no depende tanto de lo que se enseña sino más bien de los intercambios lingüísticos entre los participantes y el grado de acceso a estos intercambios (Danielewicz, Rogers y Noblit, 1996), podemos comprender que efectivamente los niños vernáculohablantes enfrentan un acceso restringido a estos intercambios, y más aún las niñas, que suelen presentar un menor dominio del castellano y además (en razón a ello) optan por el silencio como estrategia. Pero esto no implica una limitación en los propios niños, sino más bien en las estrategias de la escuela para que logren verdaderos aprendizajes. Por ello, no es sorprendente encontrar en las evaluaciones de los proyectos de educación bilingüe, que los niños con menor acceso extraescolar al castellano y las niñas en general, mejoran sus niveles de rendimiento al utilizarse la metodología bilingüe en el aula (López, 1996).

Sin embargo, vale la pena aclarar que con lo anterior me estoy refiriendo a los intercambios lingüísticos que tienen lugar en la esfera de los aprendizajes escolares formales. Una gran parte de la comunicación en el aula, en lo que se refiere a las indicaciones del maestro y el 100% de la comunicación informal entre los niños durante las sesiones de clase, se realiza en la lengua de los niños. Así, aunque el idioma ha adquirido una presencia creciente al interior del espacio educativo, la mayor parte de estas escuelas y sus docentes carecen de las herramientas pedagógicas y metodológicas para utilizarlo provechosamente en lugar de considerarlo como un inconveniente.

El "problema" del lenguaje en las aulas rurales está ligado al contexto sociopolítico en el que se desarrolla la actividad escolar, es decir, al estatus diferenciado de las lenguas que se hablan en el país. Como varios autores han señalado[16], las lenguas vernáculas se encuentran en una posición subordinada con respecto al prestigio del castellano como lengua oficial. Pero aún en las zonas castellanohablantes, el uso diferenciado del lenguaje por parte de diversos grupos se traduce en una marginalización de los estudiantes que no hablan el lenguaje prestigioso. Así podemos encontrar que el castellano serrano y el uso del lenguaje en la zona rural son considerados lenguajes marcados y con menor prestigio frente a la norma local o nacional, lo que conlleva cierta desvalorización de los alumnos que lo hablan. Así, se construye una jerarquía de estudiantes: en zonas como Cajamarca, donde los alumnos rurales son castellanohablantes, se los considera no obstante, más lentos en su aprendizaje que los niños urbanos; en zonas de la sierra sur, donde la mayor proporción de estudiantes son quechuahablantes, se considera mejores estudiantes a aquellos niños que hablan castellano, tanto en el campo como en la

---

16   Ver por ejemplo Hornberger, 1989; López, Jung y Palao, 1987.

ciudad, como podemos deducir de las palabras de E., por ejemplo[17].

Las (menores) expectativas derivadas de estas imágenes tienen evidentemente consecuencias en los logros de los alumnos y en el trato que se les brinda y muestran cómo la pertenencia a grupos subordinados (tanto por su lengua, cultura o posición social) es un hecho que juega cotidianamente en la escuela, más allá de la aparente igualdad con la que se pretende educar a todos.

3.3. Ser niño, ser niña

Las diferencias de género involucran igualmente tratos diferenciados dentro del aula. Desde hace algún tiempo se vienen estudiando las diversas maneras a través de las cuáles la escuela contribuye a reforzar, reproducir o transformar los estereotipos de género en el aula, ya sea a través de los textos educativos, el curriculum formal o el llamado "curriculum oculto"[18].

Sin ánimo de profundizar en un tema que rebasa los objetivos de esta investigación, es necesario referirse a ciertos eventos en los que se hace evidente un trato diferenciado y una relación de poder explícita en relación al género. En efecto, los roles sociales diferenciados que se espera de niños y niñas, tanto en la cultura local como en aquella de la que proviene el docente, inciden especialmente en las niñas, que en ocasiones resultan ser el grupo más subordinado en el conjunto de alumnos.

Así, podemos notar que en las escuelas rurales las niñas son cargadas con una serie de actividades extraescolares, en razón a los roles que tradicionalmente desempeñan las mujeres en el campo. Podemos encontrar, por ejemplo, que en varias escuelas

---

17 Esta jerarquía deriva de un sistema de relaciones y valoraciones sociales más amplio: los grupos urbanos mejor posicionados que los rurales y los grupos campesinos que hablan castellano mejor que aquellos que hablan una lengua vernácula.

18 Ver por ejemplo el artículo de Anderson (1987) sobre textos escolares; los trabajos de Oliart (1995) y Tovar (1998). Las diferencias de género en el acceso y permanencia dentro del sistema escolar también han sido objeto de estudio en la investigación "La exclusión educativa de las niñas del campo".

ellas son las encargadas de ayudar en la preparación del desayuno escolar o en el cuidado de los hijos de los profesores.

En el desarrollo de las jornadas escolares, además hemos encontrado en algunos profesores (especialmente en los varones) una mayor dureza hacia los errores de las niñas, frente a un trato más tolerante con los niños. Ya hemos mencionado cómo ellas responden con una estrategia defensiva, exponiéndose menos que sus compañeros varones cuando participan en el aula. Paralelamente, ponen mucha menor atención en ellas, realizando escasos esfuerzos para mejorar su participación y desempeño académico. Así, aunque la mayoría de los profesores no manifiestan en su discurso juicios diferenciados hacia las capacidades de niños y niñas en relación a su género, sí se puede observar que dedican mayor atención a los varones y que sus expectativas en relación a las niñas son menores.

La mayoría de los docentes consideran que las niñas abandonarán en algún momento la escuela, que sus familias alejarán pronto a las niñas de los estudios, para dedicarlas a las labores domésticas, a ser madres y esposas, y que son muy pocos los padres que les permitirán seguir estudiando. Sin embargo, ellos reproducen los mismos estereotipos que denuncian en las familias, al pedirles una serie de servicios extraescolares que tienen que ver con actividades domésticas y al dejar de reforzar su desempeño académico cuando no brindan mayor motivación o recompensas a su participación. Si los niños participan más, simplemente trabajan con ellos, dejando de lado a las niñas, sin enfrentar la necesidad de involucrarlas más en la participación.

El otro aspecto que escasamente atienden es el de las relaciones entre niños y niñas, que frecuentemente está teñido de agresiones y conflictos. Es cierto que gran parte de esta violencia es juego y coqueteo, pero una buena parte es también la afirmación de una situación de poder desigual entre varones y mujeres, que es reflejo de una situación real en la cultura local y en la sociedad en general. Como hemos visto al desarrollar este punto, los profesores rara vez intervienen en este tipo de situaciones y más bien las refuerzan con sus propias actitudes discriminatorias hacia las niñas. Por ello no es raro que muchas niñas terminen convencidas de que sus roles sociales se ubican en el ámbito doméstico y abandonen tempranamente el sistema educativo, reproduciendo de esta manera su situación desventajosa en relación a los varones, en tanto carecen de ciertas habilidades y calificaciones que ellos sí logran obtener[19].

Las niñas que a pesar de estas dificultades logran permanecer y tienen cierto éxito en los aprendizajes escolares, en cambio, pueden hacer frente en otras condiciones a la subvaloración de la que son objeto. Tovar (1995) demuestra cómo la educación se convierte en una vía de superación y un canal afirmativo para las jóvenes de los colegios urbanos que estudia. El acceso al saber les permite tanto la posibilidad de interactuar con otros como la de afirmarse personalmente (influyendo en su autorrepresentación subjetiva), en tanto el conocimiento conlleva prestigio y les da la oportunidad de llegar a niveles de poder y decisión.

3.4. Los padres y los profesores

La diferencia social y cultural también se evidencia en la relación entre los padres y los profesores, una relación frecuentemente tensa y conflictiva. Esta relación está teñida por los prejuicios que los docentes manejan respecto a los padres de familia como miembros de grupos sociales tradicionalmente subordinados, lo que en muchos casos marca un estilo de relación vertical entre ellos.

Es muy común oír que los docentes atribuyen a los padres la responsabilidad por el fracaso escolar de sus hijos, diciendo no los apoyan, no les enseñan, no colaboran con el docente y con la escuela, que son ignorantes porque son analfabetos y que por eso no están en condiciones de apoyar el proceso educativo de sus hijos.

---

19   Los diversos mecanismos de exclusión de las niñas del sistema escolar han sido tratados más ampliamente en el informe final de la investigación "La exclusión educativa de las niñas del campo" (IEP,1999). Parte de estos resultados se recogen en el documento "Agenda abierta para la educación de las niñas rurales" (Montero, Tovar, 1999). Una de las propuestas centrales de este documento reconoce la necesidad de hacer de la escuela un espacio más atractivo y seguro para las niñas, en el que sus necesidades e intereses sean mejor atendidos.

Estas opiniones de los docentes sobre los padres muestran que el prejuicio negativo hacia los niños rurales proviene de una valoración negativa más amplia, hacia el grupo social al que pertenecen estos niños. Es decir, antes de saber si pueden aprender o no, se asume que su pertenencia a un grupo social (campesinos, pobres) o cultural (indígena quechua o aymará) conlleva limitaciones inherentes a éste. Y más allá de sus capacidades para aprender, la relación con estos niños reproduce las asimetrías que han caracterizado las relaciones con los grupos subordinados a los que pertenecen. Así, hemos visto que se les pide una serie de servicios que escapan a las tareas y responsabilidades escolares y que tienen relación más bien con servicios personales y domésticos para el profesor/a.

Las bajas expectativas, la visión devaluada de sus capacidades, el trato de subordinación que se les impone, todo ello como consecuencia de su pertenencia a un grupo social y cultural determinado es bastante explícito en el espacio escolar. Los profesores rara vez intentan disfrazar u ocultar estas actitudes e ideas. Y los niños están siempre expuestos a ellas, aprendiendo que ser lo que son es negativo. ¿Cómo nos puede extrañar entonces que después quieran ser otra cosa, escapar de ese rótulo tan poco prestigioso que los descalifica? ¿O que deserten, rechazando de esta manera tal agresión? O que acepten, finalmente convencidos, esta visión de sí mismos que se les propone: alumnos de segunda categoría, ciudadanos de segunda. Cuando esta última alternativa tiene éxito, la escuela es efectivamente un agente que reproduce activamente las desigualdades sociales a través de las relaciones que se entablan cotidianamente[20].

Sin duda, podemos pensar que el espacio rural se ha transformado vertiginosamente en los últimos años y que tal transformación hace posible cambios en la relación de los grupos campesi-

---

20 Luykx (1997) señala, siguiendo a Bordieu, que uno de los indicios más cruciales de la hegemonía es la medida en que induce al grupo subordinado a verse solamente a través de los ojos del (grupo) dominante. Bordieu y Passeron (1981) han resaltado el papel de la escuela estatal en la reproducción de un orden determinado, basado en la hegemonía de un grupo dominante; atender las imágenes y acciones de los docentes nos permite acceder a las formas activas en que los actores interpretan y actualizan este orden.

nos e indígenas con otros grupos sociales. Y eso es verdad pero sólo hasta cierto punto. El escenario rural es ahora mucho más dinámico y los grupos campesinos han atravesado por experiencias que los han ido fortaleciendo en su relación con otros. Al observar las relaciones entre los padres y los profesores en la escuelas estudiadas, notamos una creciente presencia de los padres en la fiscalización de la labor del docente, una participación más activa para exigir una buena educación para sus hijos y un relativo fortalecimiento en las relaciones que establecen con el o los profesores, lo cuál abre una serie de tensiones nuevas en la relación.

En Nanay, por ejemplo, los padres exigen que en las asambleas la profesora se dirija a ellos en quechua y ellos se expresan también en quechua, buscando de esta manera un reconocimiento hacia sí mismos como grupo. En el mismo sentido, fiscalizan la asistencia y cumplimiento de los deberes de los profesores, como hemos podido observar también en otras comunidades. Si la profesora falta sin haber avisado, ellos se encargan de informar y reclamar ante la USE correspondiente. A los profesores por supuesto esto les molesta, pues suelen faltar con regularidad o llegar tarde y si son denunciados se les descuenta el día de trabajo. Sin embargo, a pesar de sus quejas, los profesores en muchos casos deben ceder ante la presión (legítima) de los padres, como relata una profesora al hablarnos de esta actitud entre los padres "este año puntualito venimos de lunes a viernes"; y ahora para cada ausencia por trámites administrativos o personales, informa y solicita permiso a la APAFA o a su comité directivo.

Estas nuevas situaciones nos muestran algunos cambios en la relación padres-docentes. Sin embargo, estos cambios están también acompañados de tensiones, conflictos y retrocesos. Elia por ejemplo, constantemente se queja de la falta de colaboración de los padres con el centro educativo y de que exigen siempre retribución a su trabajo. Como la mayoría de los docentes rurales que hemos podido entrevistar, dice que no ayudan en nada y cada vez que lo hacen piden algo a cambio. Sin embargo, a lo largo de tres años hemos podido observar una gran actividad de los padres de Nanay en favor de la escuela: pintar y arreglar el local escolar, construir un cerco, mejorar el mobiliario, mejorar la vivienda del docente; cada día una madre de familia prepara el desayuno escolar, todos los días mandan leña con los niños para el desayuno, cada vez que debe llevarse documentos a las oficinas de educación o recoger la dotación de alimentos se envía a un padre de familia (o varios), que debe caminar unas tres o cuatro horas para ir y volver al pueblo, perdiendo así casi todo el día de trabajo. En conclusión, ellos realizan una serie de actividades de apoyo que muchas veces no son valoradas por los profesores. Por otro lado, cuando piden desayuno para realizar una faena para el centro educativo (por lo que se los acusa de interesados, que no hacen nada si no es por algo a cambio) simplemente están siguiendo los patrones de trabajo colectivo con los que operan para cualquier actividad y que lejos de ser "interés" es parte de los modos en que como grupo se organizan para trabajar.

Por otro lado, si bien la profesora debe ceder ante algunas de sus presiones, en otros casos ella también presiona y amenaza, convencida de que si no se les exige no hacen nada (igual que los niños). Ese fue el caso de un desfile escolar en el que debía participar la escuela y para el que la profesora obligó a todos a comprar uniforme escolar (el uso de estas prendas no es obligatorio y casi ningún niño lo usaba en la comunidad). El niño que no tuviera uniforme no podría desfilar y los padres que no compraran fueron amenazados con ser denunciados por no atender a las necesidades escolares de sus hijos. La presión surtió efecto y casi todos los niños obtuvieron nuevos uniformes.

El replanteamiento de las relaciones entre padres y docentes es pues un proceso atravesado de tensiones y conflictos. El profesor no quiere perder sus tradicionales espacios de poder, pero se enfrenta a otra generación de padres, la mayoría de los cuáles pasaron por la escuela (especialmente los varones) aunque sea unos años, quizás tuvieron experiencias migratorias y mantienen intercambios comerciales con los pueblos y ciudades cercanas, lo cuál los coloca en otra posición frente al profesor, que deja de ser así el único que posee las herramientas para relacionarse con el mundo externo a la comunidad.

Pero no siempre los padres tienen éxito en esta pugna. Muchas veces son maltratados en las instancias intermedias del sector educación, sus quejas no son oídas y sus pedidos no son atendidos. Hemos visto casos extremos en los que una serie de denuncias y pedidos de cambio de un profesor alcohólico, que tomaba durante las clases y maltrataba a niños y a padres, llegando incluso a golpear a una madre por no asistir a la faena, eran desechados por la instancia correspondiente, pues el funcionario a cargo estaba emparentado con el profesor, miembro de una familia influyente en el distrito.

Así, si bien es cierto que se gestan una serie de cambios a partir de la transformación más amplia en el escenario rural, las relaciones en el espacio escolar siguen teñidas de asimetrías de poder, en las que los niños y sus padres son frecuentemente considerados y tratados como un grupo subordinado. Esto evidentemente contribuye muy poco al fortalecimiento de la autoestima de los niños y niñas en tanto miembros de un grupo social.

3.5. La escuela como fuente de habilidades personales

A pesar de las tensas y ambiguas relaciones que se establecen entre la escuela y la comunidad, los padres de familia la consideran como el espacio a través del cuál sus hijos pueden adquirir las habilidades de leer y escribir y el dominio del castellano, ambos necesarios para interactuar con las instituciones públicas y privadas y con la sociedad peruana más amplia. Marginadas del acceso a la escuela durante gran parte del siglo, estas poblaciones han atribuido a la educación escolar la posibilidad de salir de la marginación social de la que son objeto, en tanto campesinos/pobres/quechuas.

Por ello conviene preguntarse en qué medida la escuela cumple efectivamente con el propósito de lograr los aprendizajes que se propone y que esperan de ella padres y alumnos; así como de desarrollar habilidades individuales (como la lectoescritura) en los niños y niñas que les permitan un mejor desenvolvimiento en sus relaciones más allá de la comunidad.

Ya hemos mencionado las dificultades de los profesores que carecen de metodología de trabajo en aulas con varios grados a la vez, así como la ausencia de una metodología bilingüe. Los recursos materiales son escasos y muchas veces las condiciones físicas de las aulas son precarias. Al registrar la metodología pedagógica y los contenidos que se trasmiten en la escuela, encontramos un panorama devastador: la educación para los más pobres continúa siendo la más pobre en todos los sentidos. Las capacidades básicas que la escuela debería desarrollar escasamente se logran; la pedagogía sigue marcada por un fuerte predominio del dictado, copiado y memorización, las explicaciones son incompletas, no explicitan la lógica y el sentido subyacente a lo que se enseña.

Durante una de las semanas que permanecimos en Nanay, pudimos observar varias clases de Naturaleza y Comunidad (lo cuál era bastante pues usualmente las clases se reducen, en la mayoría de los casos, a los contenidos de lenguaje y matemáticas). Los temas que se desarrollaron fueron los tipos de alimentos según su origen (vegetal y animal), seguido por aquellos que siguen un proceso industrial para su consumo (alimentos transformados); luego una breve clase sobre el cuerpo humano (cabeza, tronco, extremidades e inusualmente el sexo como diferenciación entre varones y mujeres), para de ahí pasar al ciclo vital ejemplificado en (y confundido con) el ciclo del agua . Al final de la semana teníamos una sucesión de temas inconexos, puesto que no se establecía ninguna relación entre uno y otro, ni se manifestaba ninguna razón para ver justamente esos temas y en ese orden, para qué se estudiaban o por qué. Las actividades tenían todas la misma estructura: la profesora hacía un dibujo en la pizarra, explicaba de qué se trataba el dibujo, luego los niños copiaban el dibujo en su cuaderno y una breve definición del tema que la profesora copiaba de su libro de texto. No se profundizaba en ninguno de los temas más allá de la definición del texto y se relacionaban muy escasamente con las experiencias de los niños. Cualquier actividad de reflexión, investigación y experimentación estaba totalmente ausente de las clases.

Otra muestra palpable de las limitaciones pedagógicas de la metodología empleada se podía apreciar en la clase de Comunicación Integral. El día anterior la profesora había desarrollado el tema del sujeto y el predicado, empezando por el artículo, de la siguiente manera:

___ *señora tiene un vestido azul*

P: *¿Antes qué debo poner?*
As: *La!!!!*
P: *¿Cómo se llama?*
As: *Artículo*
P: *¿Señora qué es?*
As: *Sujeto*
P: *El sujeto... el sujeto es la persona, animal o cosa de la que se habla.*

Escribe esta definición en la pizarra, y luego un ejercicio de repaso, donde coloca tres sustantivos con un espacio en blanco delante y tres artículos con un espacio en blanco detrás. Después de resolver este ejercicio, la profesora escribe la definición de predicado: Habla siempre del sujeto, es todo lo que se dice del sujeto. Pone un ejemplo y luego pide voluntarios para hacer oraciones.

En esta clase, la profesora no hace una distinción clara entre sujeto y sustantivo, al identificar el artículo como categoría gramatical y no hacer lo mismo con el sustantivo, llamándolo simplemente sujeto. Al día siguiente, hace un repaso de la clase preguntando por lo que vieron el día anterior, saca a dos niños a la pizarra y les pide que escriban una oración e identifiquen el predicado.

Román escribe: <u>María   tije una   chompa</u>
　　　　　　　　　S　　　　P　　　　S

La profesora pregunta a todos si está bien lo que escribió Román. Todos contestan que sí. Ella les pregunta si está bien "tije" y todos dicen no. Entonces corrige y escribe teje. Luego dice que el predicado está incompleto, que debe subrayarse "teje una chompa". Román corrige y se sienta. La oración de René ni siquiera se entiende, así que la borra y llama a otro niño.

Si nos detenemos a examinar el error de Román, con el antecedente de la clase anterior, resulta más que evidente por qué se equivocó: al dar como ejemplo de sujeto un sustantivo, la profesora generó una confusión entre categorías gramaticales y estructura de la oración. Por eso Román identifica dos sujetos: María y chompa, pues ambos son sustantivos y la profesora, aunque copia la definición no explica correctamente que los sustantivos pueden ser parte del sujeto tanto como del predicado. No explica tampoco la lógica que está detrás de la estructura de la oración de modo que los niños puedan entender por qué una cosa es sujeto y otra predicado y por qué en algunas oraciones sólo hay un sujeto.

De modo que en realidad Román al equivocarse demostraba que era capaz de reconocer palabras que correspondían a la misma categoría gramatical, pero carecía de una explicación clara que le permitiera diferenciar su pertenencia a distintas partes de la oración. Al corregirlo, la profesora no le explica por qué se equivocó ni le permite aprender de su error. Simplemente dice lo que está bien o está mal, pero no porqué. La mayor parte de las correcciones son de este tipo y no dejan espacio a los niños para entender el sentido de las correcciones.

El hecho de que René no haya podido escribir una oración es también significativo. Román está en 6° grado y René en 4°. Como muchos niños de cuarto grado en las escuelas rurales, René todavía no puede producir una oración con sentido. Después de cuatro años en la escuela, hay muchos niños como él que difícilmente adquieren la habilidad de leer o escribir, habilidad que deberían haber desarrollado desde el primer grado. No pensemos que René tiene problemas sicológicos o de aprendizaje como fácilmente asumen tantos profesores. Los que tienen serios problemas son las escuelas y los profesores, a juzgar por las evaluaciones nacionales que muestran que los niños de 4° grado alcanzan apenas el 50% de logros de objetivos y áreas temáticas seleccionados del curriculum para su grado (45% en la prueba de matemáticas y 50% en la prueba de lenguaje) (Díaz, 1998)[21]. Y a menos que una gran parte de los 45,771 niños peruanos evaluados que han aprobado ya tres años de escolaridad primaria tengan problemas

21   Esta información proviene de la Prueba CRECER, primera prueba nacional de rendimiento estudiantil, aplicada en 1996 a 45,771 alumnos provenientes de 1,525 centros educativos. La prueba se aplicó sólo a centros educativos polidocentes e incluyó tanto centros urbanos como rurales.

mentales, el problema parece estar más bien en el sistema educativo que en los alumnos.

Estos ejemplos, entre muchos otros, nos enfrentan a las terribles deficiencias de la escuela en el campo (y de la formación que reciben los docentes rurales) para lograr el desarrollo de habilidades mínimas en sus alumnos. Sin embargo, a pesar de estas deficiencias, para niños y padres éste es el único espacio del que disponen para acceder a habilidades fundamentales como la lectura y la escritura, por lo cuál es sumamente importante, ya que constituye para niños y niñas un aprendizaje fundamental para su desenvolvimiento posterior en el mundo adulto y dentro de él, en las situaciones de orden político.

4.   FORMANDO CIUDADANOS ... ¿DE QUÉ TIPO?

La escuela es uno de los muchos espacios donde se establecen relaciones entre las personas y se viven experiencias que contribuyen a configurar nuestros modelos para relacionarnos posteriormente con otros. La familia, las iglesias, la calle, el grupo de pares, los medios de comunicación y las varias instituciones con las que nos vamos relacionado a lo largo de nuestra vida constituyen también espacios de aprendizaje y socialización. Sin embargo, la escuela sigue siendo un espacio fundamental para explorar, un tránsito obligado y extenso para los niños y niñas de nuestro país y de muchos otros.

Así, aunque no pretendemos responder de modo absoluto qué tipo de ciudadanos se forma en las escuelas[22], sí nos interesa reflexionar en esta última parte sobre algunos elementos que consideramos relevantes para responder esta interrogante.

---

22   Pues obedece a un proceso más complejo donde intervienen otras experiencias extraescolares, y donde habría que considerar además otros elementos de la vida escolar, como los contenidos, el curriculum, los rituales patrióticos, etc.

4.1. Autoridad y control

Al preguntarnos por las experiencias relevantes para la vida política que se viven en la escuela, hemos optado por presentar con cierto detalle las relaciones de poder y autoridad que se establecen entre profesores y alumnos y la dinámica de estas relaciones.

Un primer aspecto que nos interesaba era el relacionado a las figuras de autoridad. Los estudios de socialización política han resaltado que las experiencias tempranas con la autoridad luego son traspasadas a las autoridades políticas (transferencias interpersonales). La figura de autoridad dominante en el aula es el profesor, pues él o ella "representa a la institución, encarna no sólo el conocimiento sino también la ley, el poder" (Vásquez y Martínez, 1996:80).

La forma en que ejerce dicha autoridad es a través de una relación vertical, en la que él se encarga de mantener un orden fijado institucionalmente y tiene a su disposición diversos medios de control a los que puede recurrir. Escasamente hay diálogo en esta relación y más bien abundan los mecanismos coercitivos para lograr la obediencia de los alumnos.

Las normas emanan de la institución y se ejecutan a través del profesor, quien las fija y vela por su cumplimiento. Con cierto éxito, muchos alumnos internalizan estas normas o se adaptan a ellas, las cumplen y vigilan que los demás las cumplan. Como cada transgresión a las normas supone una sanción, los alumnos aprenden que un enfrentamiento directo es siempre riesgoso para ellos. Sin embargo, aprenden también que hay un margen posible para la transgresión, un espacio desde el cuál pueden resistir el control ejercido sobre ellos, lograr pequeñas victorias y desarrollan así diversas estrategias de resistencia y transgresión, sobre todo en los contextos escolares que pueden resultar más opresivos. De esta manera ejercen también cierto poder, en la medida en que actúan para conseguir cierto estado de cosas. Los lazos personales que construyen entre sí y las acciones que realizan más allá del libreto propuesto son así actos de poder de los propios alumnos en constante tensión con el poder del profesor.

Esta tensión se refleja en una serie de conflictos que tienen lugar en el aula como en cualquier espacio social. Sin embargo, las estrategias de resolución de conflictos en el aula son muy limitadas. Se apela constantemente a la sanción o simplemente a la indiferencia, dejando en manos de los niños la resolución de los conflictos con sus pares. Ello en sí no sería negativo de no mediar una serie de agresiones y posiciones diferenciadas y desventajosas para algunos niños y niñas. Los niños en situación más desventajosa terminan sintiéndose sumamente desprotegidos, abandonados por la autoridad que supuestamente debería ordenar el espacio de la clase para convertirlo en un lugar más seguro. Tampoco se trata de que el profesor se haga cargo de todos los conflictos entre los niños, es también necesario que aprendan a solucionarlos entre sí y utilizar otras maneras que no suponga sólo una sanción proveniente del docente. Lo que sí notamos como una gran carencia es que no existen otras formas de resolver los conflictos, que no se recurra al diálogo o a la reflexión para entender las causas, las consecuencias y las alternativas de los conflictos que se producen entre los niños y que les permitiera resolverlos más positivamente cuando éstos ocurren.

4.2. Aprendiendo a través de la experiencia escolar

Otra de las formas de socialización política latente que los estudios sobre el tema resaltan es el denominado aprendizaje por experiencia, que alude a las experiencias sociales que generan en los niños capacidades y conocimientos que les servirán posteriormente como orientación frente a situaciones de orden político. Es cierto que las experiencias escolares constituyen sólo una parte de este aprendizaje, pero creemos que es una parte importante. De lo que hemos mencionado hasta aquí, podríamos resumir algunas tendencias generales sobre lo que se genera respecto a la autoridad y la institución escolar:

- El espacio institucional ejerce un fuerte grado de control sobre los alumnos/as, sancionando cualquier transgresión a las normas.
- Las normas las fija un otro (u otros) externo a los alumnos y ellos, en tanto sujetos de esas normas, no tienen posibilidad de participar en su elaboración.

- La autoridad tiene a su disposición un uso legítimo de la violencia (avalado por la institución y/o la sociedad) para sancionar cualquier transgresión a estas normas.
- El acomodo a las normas institucionales supone adoptar las "formas" o formalidades valoradas por la institución.
- Ante el control ejercido sobre los alumnos es posible la transgresión como respuesta de resistencia frente a este control.
- En los conflictos la autoridad actúa para sancionar y cuando no actúa los alumnos deben enfrentarse entre ellos, situación en la que la manera más utilizada parece ser responder las agresiones con otra agresión.

Dentro de las experiencias escolares, las intensas interacciones que se producen entre los niños son también fuente de aprendizaje de una serie de habilidades para relacionarse con otros en un espacio social. Al detenernos en la descripción de los diversos contenidos de estas interacciones en la segunda parte hemos podido observar una gran variedad de experiencias, a partir de las cuáles se construyen lazos sociales de identificación o de confrontación. En todas las interacciones cuyo tema dominante ha sido el apoyo y la solidaridad, podemos notar que los niños aprenden a establecer alianzas con sus pares, que constituyen un soporte afectivo y práctico para relacionarse con la autoridad y la institución e incluso con otros grupos de niños dentro de la escuela. El apoyo de un colectivo para resistir o adaptarse adquiere así una significación real a partir de la experiencia. Tiene sin duda referentes más amplios, como la misma dinámica comunal en la que participan sus padres cuando se trata de comunidades campesinas.

De otro lado, hay también una serie de conflictos y agresiones entre los mismos niños, y ellos deben aprender a enfrentarlos Si bien hemos señalado las limitaciones en el espacio escolar para el manejo de estos conflictos, la existencia de alianzas entre algunos niños o niñas y las estrategias de defensa mutua nos muestran que ellos mismos van buscando las formas de resolverlos, aunque no todos puedan lograrlo en la misma medida.

Las estrategias de acomodo o adaptación a las normas institucionales nos hablan de la capacidad que algunos niños y niñas van desarrollando para vencer las dificultades y las intransigencias de la escuela, identificando las "formas" que la institución valora y tratando de ajustarse a sus expectativas. Sin embargo, éste no es un proceso sencillo, pues las expectativas de las escuelas y los maestros tienen sus bases en una cultura diferente a la que los niños pertenecen (ya se trate de campesinos indígenas o campesinos en general) y esperan de ellos muchas veces cosas contrarias a sus recursos y posibilidades reales, por lo cuál siempre son pocos los que están en condiciones adecuadas para adaptarse a estas exigencias.

4.3. La autoestima y el sentido de logro

Otro aspecto que nos interesaba profundizar se refiere a las características de la personalidad políticamente relevante que se desarrollan en la escuela. Éstas se refieren especialmente al desarrollo de la autoestima y al sentido de logro personal.

Al mencionar los comentarios negativos frente a los errores de los niños y las burlas hacia su persona ya hemos resaltado cómo los comentarios y gestos de este tipo contribuyen a formar una visión negativa de sí mismo en el niño o niña, una imagen centrada en sus incapacidades antes que en sus habilidades o aspectos positivos. Lejos de aprender de sus errores, la forma en que éstos se comentan terminan por convencer al niño de su propia incapacidad para el aprendizaje. Estas actitudes actúan en contra del desarrollo de un sentido de eficacia personal, al menos en el ámbito escolar, pues en el ámbito local y familiar los niños desarrollan una serie de tareas en las que van adquiriendo destrezas progresivamente y en las que pueden observar sus propios logros. Por ello, muchas veces los niños y las niñas terminan abandonando los estudios convencidos de su propia incapacidad y optan por las actividades agrícolas y pecuarias en las que sí constatan sus capacidades.

De esta manera, la escuela lejos de asumir sus propias deficiencias para lograr que los niños aprendan, coloca en los alumnos la responsabilidad por el fracaso. Esto que Anyon (1981) llama la estrategia de "culpar a la víctima" se aprecia también en contextos

escolares de otros países[23]. Inevitablemente esta experiencia escolar contribuye muy poco en el desarrollo de la autoestima de los
niños y su sentido del logro, actuando más bien en el sentido in-
verso. Convence a niños y niñas de que la culpa del fracaso está en
ellos, y no en las deficiencias de la institución o en el contexto social más amplio. Se ha señalado que experiencias de este tipo contribuyen a la reproducción de las desigualdades sociales, especialmente en los grupos más pobres y marginalizados, donde la responsabilidad por el fracaso escolar y el sentido de incapacidad se
traslada a la esfera laboral, cuando los niños y jóvenes de estos
grupos optan por los trabajos menos especializados y mal remu-
nerados convencidos de su incapacidad para desarrollar otros que
requieran de conocimientos de los que ellos carecen[24].

Más ampliamente, el desarrollo de la autoestima es una de las
condiciones previas para despertar la conciencia crítica, la afirmación de la dignidad personal y cultural y la elaboración de una resistencia estratégica contra la dominación (Luykx, 1997: 227). En
tanto el desarrollo de la autoestima pasa también por la pertenencia social a un grupo con características y estatus específicos, hemos podido ver en la sección anterior cómo los niños y niñas son
descalificados de antemano en razón de sus características sociales y culturales.

Así, tenemos que, desde la escuela, los niños y las niñas reciben un trato de subordinación y sometimiento, tanto por la dinámica institucional centrada en el control y el ejercicio de relaciones de poder verticales y jerarquizadas por parte del docente,
como por su pertenencia a grupos "estigmatizados" por ser social
y culturalmente "diferentes" en relación a la cultura dominante.

Lejos de constituirse en una alternativa que provea de herramientas y habilidades para un ejercicio pleno de la ciudadanía, y
que contribuya al fortalecimiento de los miembros de los grupos
más empobrecidos, favoreciendo procesos de democratización,
hemos visto que la mala calidad de la enseñanza, las relaciones de
poder que se establecen entre profesores, padres y alumnos y la

---

23   Ver por ejemplo el estudio de Anyon (1981a) sobre las escuelas norteameri-
      canas.
24   Ver por ejemplo MacLeod, 1987.

estigmatización de la diferencia en el espacio escolar conducen más bien a la descalificación de los niños y su grupo. Y es que la escuela parece proponer un modelo con pocas variaciones, donde no cabe ser diferente.

* * * * *

Diversas instituciones y personas han contribuido en la realización de este trabajo. Quisiera agradecer aunque sea breve e insuficientemente a todas ellas: a la Fundación Ford y al Instituto de Estudios Peruanos por la beca de investigación que hizo posible este trabajo, así como al programa de intercambio de DUNCPLAS (Duke-UNC Program of Latin American Studies) que me brindó la oportunidad de revisar la bibliografía relacionada al tema. A Carmen Montero, bajo cuya dirección se recogió gran parte del material etnográfico y al equipo que participó en ello. A la Embajada Real de los Paises Bajos que financió el proyecto "La exclusión educativa de las niñas del campo" , del cual se ha usado parte del material de campo. A todos las personas que contribuyeron con sus aportes y críticas a lo largo de la investigación: Martín Tanaka, David Sulmont, Carlos Vargas, Romeo Grompone, Carlos Iván Degregori, Cecilia Blondet, Carmen Montero, Francesca Uccelli y Patricia Oliart. A Patricia Oliart especialmente debo agradecerle que sus críticas y aportes sean siempre un estímulo para seguir profundizando en la reflexión y a Francesca Uccelli el permitirme compartir las inquietudes académicas y extraacadémicas de la investigación; a Jeaninne Anderson y a Gonzalo Portocarrero por sus valiosos comentarios. Al Taller de Cultura Política del Departamento de Ciencias Sociales de la Universidad Católica, por brindarme un espacio para debatir y profundizar en el tema. Al CEDEP Ayllu y a su director Alexander Chávez, que me han brindado siempre un apoyo invalorable durante mi trabajo de campo. A Fritz Villasante, con quien he realizado gran parte de la investigación de campo. A los y las docentes de las escuelas visitadas y especialmente a los niños y niñas de estas escuelas, por quiénes considero que los problemas aquí expuestos merecen más atención de la que solemos darle.

ANEXO

Los recientes proyectos de investigación realizados por el IEP en torno a la problemática de la escuela rural han arrojado un abundante y valioso corpus de información etnográfica sobre la vida escolar en áreas rurales. Esta información nos ha servido de base para el presente documento y como un marco comparativo entre diversas realidades educativas.

Así, de la información disponible seleccionamos 12 casos de escuelas rurales andinas en distintas zonas del país. Para cada uno de estos casos se contaba con registros de la vida escolar por un período mínimo de dos semanas[25], así como información complementaria sobre las actividades extraescolares de los niños, entrevistas a padres y profesores y observación de la vida cotidiana en general.

Sin embargo, era necesario realizar un trabajo de campo más puntual que permitiera comprender los mecanismos de autoridad y poder presentes en la escuela en un contexto específico. Este trabajo se realizó en una de las escuelas visitadas anteriormente[26].

En conjunto, los registros etnográficos de la vida escolar sobre los que nos hemos basado corresponden a 137 sesiones de clase y sus correspondientes momentos de formación, recreo y eventos diversos, así como la observación etnográfica de la vida comunal. En el siguiente cuadro se detallan el número de sesiones observadas en cada escuela. Los asteriscos indican las escuelas visitadas en 1999. Las demás escuelas fueron visitadas en 1997 y 1998.

---

25   En cuatro casos se realizaron varias visitas a lo largo del año escolar.
26   También se visitó otra de las escuelas seleccionadas para recoger información complementaria.

Cuadro N° 1

Casos	Observaciones de aula (sesiones)
San Martín	11
Mallu	8
Minay	2
Colque	11
Azanri	8
Tambo*	21
Tanca	7
Amayo	10
Nanay*	**16**
Abracancha	15
Las Lomas	20
San Juan	8
TOTAL	137

Las escuelas rurales

La información etnográfica sobre la que hemos trabajado proviene de diversas realidades educativas. Entre las escuelas estudiadas encontramos hasta tres tipos de servicio educativo (ver Cuadro N°1): la escuela unidocente, en la cuál un solo profesor se hace cargo de varios grados a la vez (usualmente tres o cuatro); la escuela polidocente multigrado, en la que los profesores que deben dictar a más de un grado a la vez; y la escuela polidocente completa, en la que hay un profesor para cada grado. Los dos primeros tipos de escuela constituyen el tipo de servicio educativo predominante en las zonas rurales 97,7% (Montero *et al*. 1999).

Cuadro N° 2

Tipo de escuela	Número de casos
Unidocentes	2
Polidocentes multigrado	7
Polidocente completo	3

Las escuelas son también diferentes en cuanto al número de
alumnos que atienden, la cantidad de profesores con que cuentan
y la cantidad de grados que ofrecen. Así, tenemos escuelas pequeñas, con un solo profesor y un grupo reducido de alumnos (30)
que ofrecen sólo algunos grados de primaria (hasta 3° o 4°) mientras que otras cuentan con 5 o más profesores, ofrecen primaria
completa y atienden a más de 100 alumnos, como muestra el siguiente cuadro:

Cuadro N° 3

Escuelas	N° de alumnos	N° de docentes	Tipo de escuela	Grados
San Juan	21	1	U	1°-4°
Abracancha	42	1	U	1°-3°
Nanay	68	2	**PM**	**1°-6°**
Minay	68	2	PM	1°-6°
Amayo	76	2	PM	1°-6°
Mallu	84	4	PM	1°-6°
Azanri	87	3	PM	1°-6°
San Martín	132	5	PM	1°-6°
Las Lomas	142	5	PM	1°-6°
Tanca	277	7	PC	1°-6°
Colque	336	11	PC	1°-6°
Tambo	453	13	PC	1°-6°

Las características del servicio educativo que se han presentado están en relación con las características de las comunidades o
centros poblados a las cuáles pertenecen. Así, las escuelas más pequeñas corresponden a las comunidades de menor población,
usualmente comunidades de altura; mientras que aquellas de mayor población, y que por tanto cuentan con una escuela más grande, son por lo general comunidades o centros poblados de valle o
ladera.

BIBLIOGRAFÍA

AIKMAN, Sheyla
1999   "*Intercultural Education and Literacy*". Amsterdam/Philadel-
        phia: John Benjamins Publishing Company.

AMES, Patricia
1998   "La autoridad en la escuela: acerca de los profesores" (ms).
        Ponencia presentada al seminario "Formas de autoridad en
        organizaciones sociales: propuestas desde la antropología".
        Lima: Pontificia Universidad Católica del Perú, Departa-
        mento de Ciencias Sociales.

ANDERSON, Jeaninne
1987   "Imágenes de la familia en los textos y vida escolares" En:
        Revista Peruana de Ciencias Sociales Vol. 1, N° 1, FOMCIEN-
        CIAS. Lima

1989   La escuela en la comunidad campesina. Proyecto escuela,
        ecología y comunidad campesina. Lima: FAO-Suiza. Minis-
        terio de Agricultura.

ANSIÓN, Juan; Daniel DEL CASTILLO; Manuel PIQUERAS e I.
ZEGARRA
1992   *La escuela en tiempos de guerra*. Lima: Ceapaz.

ANYON, Jean
1981   "*Social Class and Social Knowledge*". In: *Curriculum Inquiry* 11
        (1).

1981a   "*School as agencies of social legitimation*" In: *Journal of Curricu-
        lum Theorizing*, vol.3

ARREGUI, Patricia y Santiago CUETO (eds.)
1998   *Educación ciudadana, democracia y participación*. Lima: GRA-
        DE, USAID.

BOLI, John
1989   *New Citizens for a New Society. The Institutional Origins of Mass
        Schooling in Sweeden.* New York: Pergamon Press.

BOLI, John and Francisco RAMÍREZ
1992   "*Compulsory Schooling in the Western Cultural Context*". In:
        Arnove, Robert; Philip Altbach and Gail Kelly (eds.), *Emer-
        gent Issues in Education. Comparative Perspectives.* Albany: Sta-
        te University of New York.

BOURDIEU, Pierre y Jean Claude PASSERON
1981   *La reproducción. Elementos para una teoría del sistema educativo.* Barcelona: Editorial Laia, 2a. ed.

CALLIRGOS, Juan Carlos
1995   *La discriminación en la socialización escolar.* Separata PUCP, Lima.

CANAAN, Joyce
1990   *"Passing Notes and Telling Jokes: Gendered Strategies Among American Middle School Teenagers".* In: Ginsburg, Faye and Anna Lowenhaupt Tsing (eds.), *Uncertain Terms. Negotiating Gender in American Culture.* Boston: Beacon Press.

DANIELEWICZ, Jane, Dwight L. ROGERS and George NOBLIT
1996   "Children's Discourse Patterns and Power Relations in Teacher-led and Child-led Sharing Time". In: *Qualitative Studies in Education,* 1996, vol.9, n° 3, 311-331

DAWSON, Richard, Kenneth PREWITT and Karen DAWSON
1977   *Political Socialization.* Little, Brown and Company, 2nd. ed.

DÍAZ, Hugo
1998   "Calidad de la educación: beneficio de pocos." En: *Revista Idéele* N° 108, junio. Lima: IDL.

EASTON, David and Jack DENNIS
1969   *Children in the Political System. Origins of Political Legitimacy.* McGraw-Hill Book Company.

FINE, Michelle
1991   *Framing Dropouts. Notes on the Politics of an Urban Public High School.* State University of New York Press.

FOUCAULT, Michell
1989   *Vigilar y castigar. El nacimiento de la prisión.* México: Siglo XXI.

FULLER, Bruce and Conrad W. SNYDER
1991   "Vocal Teachers, Silent Pupils? Life in Botswana Classrooms". I n: *Comparative Education Review,* vol. 35, no. 2.

GILLBORN, David
1990   *Race, Ethnicity and Education. Teaching and Learning in Multiethnic Schools.* London: Unwyn Hyman.

GORDON, Tuula
1996   "Citizenship, Difference and Marginality in Schools: Spatial and Embodied Aspects of Gender Construction". In: Mur-

phy, Patricia and Carolina Gipps (eds.), *Equity in the Classroom: Toward and Effective Pedagogy for Girls and Boys*. Falmer Press and Unesco.

GUERRERO, Luis
1996   *Aprendiendo a convivir*. Lima: Instituto de Estudios Peruanos.

HESS, Robert and Judith TORNEY
1967   *The Development of Political Attitudes in Children*. Chicago: Aldine Publishing Company.

HORNBERGER, Nancy
1989   *"Haku yachaywasiman"*: *La educación bilingüe y el futuro del quechua en Puno*. Lima: GTZ, PEBP.

LÓPEZ, Luis Enrique
1996   "No más danzas de ratones grises. Sobre interculturalidad, democracia y educación" . En: Godenzzi, Juan Carlos (ed.). *Interculturalidad y educación en los Andes y la Amazonía*. Cuzco: Centro Bartolomé de Las Casas.

1996a   "Donde el zapato aprieta: tendencias y desafíos de la educación bilingüe en el Perú". En: *Revista Andina*, año 14, n° 2, diciembre 1996. Centro Bartolomé de las Casas, Cuzco.

LÓPEZ, Luis Enrique; Ingrid JUNG y J. PALAO
1987   "Educación bilingüe en Puno (Perú) reflexiones en torno a una experiencia... ¿Qué concluye?". En: *Revista Pueblos Indígenas y Educación*, Año 1, N° 3, julio-setiembre.

LEVINSON, Bradley A.; Douglas E. FOLEY and Dorothy C. HOLLAND (eds.)
1996   *The Cultural Production of the Educated Person: Critical Ethnographies of Schooling and Local Practice*. Albany: SUNY Press.

LUYKX, Aurolyn
1997   "Discriminación sexual y estrategias verbales femeninas en contextos escolares bolivianos". En: Arnold, Denise (comp.), *Más allá del silencio: fronteras de género en los andes*. La Paz: CIASE/ILCA.

MACLEOD, Jay
1987   *Ain't No Making' It. Leveled Aspirations in a Low-Income neighborhood*. Boulder, Colorado: West View Press.

MANZI, Jorge y Ricardo ROJAS
1997   "Bases sicosociales de la ciudadanía". En: Pizarro, C. y E. Palma (eds.), *Niñez y democracia*. Colombia: Editorial Ariel-UNICEF.

MONTERO, Carmen; Patricia OLIART; Patricia AMES; Zoila CABRERA y Francesca UCCELLI
1999   "La escuela rural: estudio para identificar modalidades y prioridades de intervención". Informe final de investigación (ms). Instituto de Estudios Peruanos.

MONTERO, Carmen y Teresa TOVAR
1999   *Agenda abierta para la educación de las niñas rurales*. Lima: Red Nacional de Educación de las Niñas, Care Perú.

PIZARRO, Crisóstomo y Eduardo PALMA
1997   *Niñez y democracia*. Colombia: Editorial Ariel-UNICEF.

OLIART, Patricia (ed.)
1995   *¿Todos igualitos? género y educación*. Lima: PUCP.

1996   *¿Amigos de los niños?: Cultura académica en la formación del docente primario*. Documento de trabajo. Lima: GRADE.

SEGOVIA, Rafael
1975   *La politización del niño mexicano*. Colegio de Mexico.

SOLOMON, Patrick
1992   *Black Resistance in High School. Forging a Separatist Culture*. State University of New York Press.

TOVAR, Teresa
1995   "Pídele el cuaderno a una alumna aplicada. La niña en la escuela mixta". En: Oliart, Patricia (ed.), *¿Todos igualitos? Género y educación*. Lima: PUCP.

1998   *Sin querer queriendo: investigación sobre cultura docente y género*. Lima: TAREA.

UCCELLI, Francesca
1998   "La autoridad y los liderazgos entre los alumnos" (ms). Ponencia presentada al seminario "Formas de autoridad en organizaciones sociales: propuestas desde la antropología". Pontificia Universidad Católica del Perú, Departamento de Ciencias Sociales. (en prensa).

VASCONI, Tomás
    1967   Educación y cambio social. Centro de estudios socioeconó-
              micos. Facultad de ciencias económicas, Universidad de Chi-
              le. Cuaderno 8.

VÁSQUEZ BRONFMAN, Ana e Isabel MARTÍNEZ
    1996   *La socialización en la escuela: una perspectiva etnográfica.* Barce-
              lona: Paidós.

WEISSBERG, Robert
    1974   *Political Learning, Political Choice and Democratic Citizenship.*
              Prentice Hall.

WILLIS, Paul
    1981   *Learning to Labour.* New York: Columbia University Press.

La composición de *El poder desde abajo: democracia, educación y ciudadanía en espacios locales* fue realizada en el Instituto de Estudios Peruanos y estuvo a cargo de Aída Nagata. El texto se presenta en caracteres Book Antiqua de 10.5 p. con 2 p. de interlínea, las notas de pie de página en 8.5 p., la bibliografía en 9.5 p., los títulos de capítulo en Garamond de 13 p. La caja mide 25 x 39,6 picas. El papel empleado es bond de 75 g. La cartulina de la carátula es foldcote calibre 12. Se terminó de imprimir en noviembre de 1999 en los talleres de TAREA ASOCIACIÓN GRÁFICA EDUCATIVA. Psje. María Auxiliadora 156-164, Breña. Teléfs. 424-8104/ 332-3229. Fax 424-1582. Lima-Perú.